Elogios a

JAMÁS MORIREMOS

ಬಿ9ುಲ

"¿Quién no tiene curiosidad por saber lo que ocurre después de la muerte? A pesar de que existen muchas respuestas a nuestra disposición, tanto antiguas como modernas, y aun algunas basadas en la nueva ciencia, la pregunta ¿Qué tiene que decir Deepak Chopra sobre esto? es importante para nuestra época. Finalmente tenemos la respuesta de Deepak, y es muy reveladora. Eso me gusta. ¿Necesito decir más? Éste es un gran libro, fácil de leer."

—Dr. AMIT GOSWAMI, autor de *The Self-Aware Universe, Physics of the Soul* y *The Quantum Doctor.*

"El imparable Deepak Chopra describe con todo detalle los ámbitos que encontraremos tras abandonar nuestro cuerpo mortal. Más importante aún, deja en claro que sólo la capacidad que hayamos desarrollado para la autoconciencia, aquí y ahora, puede prepararnos para enfrentar nuestra verdadera naturaleza, la que nos espera en el momento de la muerte."

—ANDREW COHEN, maestro espiritual y fundador de la revista *What Is Enlightenment?*

"Este libro fascinante, provocador y profundo ha sido escrito con sencillez exquisita y con calidez muy personal, lo que hace que su invitación a ampliar la conciencia sea aún más poderosa y atractiva."

—ANDREW HARVEY, autor de *The Direct Path* y *Sun at Midnight*.

"En *Jamás moriremos*, Deepak Chopra demuestra ser un alquimista espiritual. Utilizando el poder del lenguaje, toma diversos elementos como la filosofía de los Vedas, la física de las partículas, la psicología y la neurociencia, y los transforma en oro literario. Sus opiniones sobre lo que ocurre después de que morimos transformará la manera en que miras tu porvenir. Se trata de un libro inspirado y profundamente reconfortante."

—ARIANNA HUFFINGTON, editora, *Huffingtonpost*

"¿Qué ocurriría si la vida y la muerte fueran como dos cajas cerradas, y cada una de ellas contuviera la llave para abrir la otra? En este libro el Doctor Chopra se refiere a la vida después de la muerte desde su curiosa perspectiva y propone que la muerte no constituye la extinción de la vida, como generalmente imaginamos, sino su extensión por distintos medios. El autor se basa en una impresionante variedad de fuentes, desde los mitos antiguos hasta los descubrimientos de la ciencia moderna, para producir una obra de novedad fascinante sobre un misterio eterno."

—ARVIND SHARMA, profesor de religión comparada de la Universidad de McGill.

"Conforme nos adentramos en el siglo XXI queda claro que hemos llegado a una era global sin precedentes, en donde se entrecruzan perspectivas del mundo muy diversas que compiten o entran en conflicto en el mercado de nuestras culturas. Deepak Chopra se ha convertido en una voz singular para nuestro tiempo, que vive y habla desde una perspectiva global y mira a través de una lente panorámica que reúne los diversos mundos. En su historia global queda claro que la sabiduría colectiva de diversas épocas, incluyendo la sabiduría de las fronteras de la ciencia, confluyen en una Realidad que debe ser un campo infinito pletórico de interconexiones que pide una revisión radical de la manera en que nos vemos y comprendemos a nosotros mismos, y de la forma en que apreciamos nuestra vida y nuestra muerte. Con su narrativa poderosa y accesible, Chopra ayuda a que todos los lectores pasen a esta antigua —y sin embargo renovada— visión global, que clarifica un sentido común que supera la ignorancia crónica, el miedo y la negación de nuestro destino al morir. Esta lúcida obra transfiere la carga de la prueba acerca de la vida después de la muerte hacia las culturas egocéntricas disfuncionales más antiguas y hacia las perspectivas miopes anquilosadas. Este libro es otra clara señal histórica de nuestra transición hacia una nueva historia global y una imagen de nosotros mismos en que los humanos florezcamos juntos a través de las antiguas fronteras artificiales."

—Ashok Gangadean, profesor y director de Filosofía de Haverford College; fundador y director del Global Dialogue Institute; codirector de la Comisión Mundial sobre la Conciencia Global; conductor del programa de televisión *Global Lens*; autor de *The Awakening of the Global Mind* (www.awakeningmind.org).

"*Jamás moriremos* abre la puerta a un Ahora que está permanentemente en evolución. Con maestría y compasión, Chopra combina la sabiduría de la tradición védica con la física cuántica y su experiencia como médico, para revelar que no somos y nunca hemos sido criaturas limitadas, atrapadas en cuerpos físicos, sino seres multidimensionales, creando nuestro futuro más allá de la vida por medio de cada pensamiento, palabra y acción. Su visión de la naturaleza de la realidad es preciosa, iluminadora y vital. Me encanta este libro."

—Barbara Max Hubbard, presidenta de la Fundación para la Evolución Consciente.

"Una iniciativa singular para comprender y disipar uno de nuestros más grandes miedos a lo desconocido: la muerte. Basándose en las escrituras religiosas, la ciencia y nuestra comprensión cultural y social común, Deepak ha razonado de manera articulada el mito de la muerte y lo ha convertido simplemente en otro aspecto de la vida. Seguramente este libro servirá para ampliar nuestra comprensión y para profundizar en lo desconocido, apreciar la vida y aceptar la muerte con amor."

—Bawa Jain, secretario general del Consejo Mundial de Líderes Religiosos.

"Tres hurras por el valor de Deepak para expresar sus creencias y sabiduría sobre un tema que muchos temen y evaden. Este libro nos ayudará a abrir una puerta a un tema que pocos parecen preparados para explorar porque no pueden explicarlo. Yo sé, porque lo he vivido, que las experiencias cercanas a la muerte y sobre vidas pasadas no son una cuestión de la imaginación. Puedo creer porque lo he vivido. La conciencia existe donde nuestros cuerpos no. Con base en mi propia vida y mi trabajo con los pacientes, sé que conocemos el futuro y el pasado a un nivel inconsciente, que al hacer consciente nos ayuda a comprender y sobrevivir. La vida es un misterio, así que lee y ayúdanos a entrar en la oscuridad y encender una vela."

—Dr. Bernie Siegel, autor de *365 Prescriptions for the Soul* y *101 Exercises for the Soul.*

"En este notable libro, Deepak Chopra se enfoca en las anomalías de una ciencia que los físicos modernos están tratando de explicar, y considera la manera en que los *rishis*, los antiguos sabios del *Vedanta*, abordaron las mismas cuestiones. De acuerdo con el 'efecto del observador' en la física, por ejemplo, el acto mismo de mirar un electrón provoca que éste abandone la sopa cuántica de potencial puro y adopte una forma específica. Los *rishis* védicos creían que mirar es la forma más alta de creación, y que mediante la conciencia damos forma al universo que experimentamos. Al desposar la ciencia y la sabiduría en *Jamás moriremos*, Chopra demuestra la existencia de un más allá en que nuestro ser más esencial, la entidad que observa nuestra experiencia en este hogar temporal que llamamos el 'yo', utiliza el fin de esta vida para transitar a la siguiente. Este libro es un *tour de force* intelectual y espiritual".

—Robert Thurman, profesor de la Universidad de Columbia, autor de *Infinite Life* y *The Tibetan Book of the Dead.*

"Deepak Chopra ha sido mi amigo y mentor por cerca de veinte años. Ahora, cuando la generación conocida como del *baby-boom* finalmente admite su propia mortalidad, él ha abordado el tema que más nos fascina: la vida después de la muerte. Con base en ideas de muchas culturas, y haciendo énfasis en la idea del *karma* que ha tomado de la suya, Deepak entreteje la tradición mítica con anécdotas de primera mano para lograr que el tema de la muerte sea muy útil y relevante para aprovechar al máximo nuestro tiempo en la Tierra, aquí y ahora. Este libro es lectura obligatoria para todos aquellos que morirán."

—Dra. Candance B. Pert, autora de *Everything You Need to Know to Feel Good.*

"Deepak Chopra ha escrito una obra maestra que hacía falta desde hace mucho en nuestra cultura espiritual. *Jamás moriremos* es una guía atrevida y reconfortante sobre el más allá. La eternidad es el verdadero hogar del alma, y sin embargo tenemos miedo a explorar la experiencia de la muerte y nuestro lugar más allá de este momento. Deepak ha logrado brillantemente esta travesía en nuestro nombre."

—Caroline Myss, autora de *Anatomy of the Spirit* y *Sacred Contracts*.

"Yo, quizá más que muchas otras personas, pienso muy a menudo en Deepak Chopra como un médico, pionero e influencia fundamental en el enorme cambio positivo en las actitudes occidentales respecto de la medicina holística. En este libro él es mucho más que eso. Se refiere al misterio más importante —la muerte— como médico, filósofo y maestro. Su presentación de conceptos cómo la 'travesía del alma' o la 'música de las esferas' me recuerda las lecturas de mi abuelo, Edgar Cayce, quien hace muchos años también le proporcionó al mundo una visión útil sobre la transición que todos estamos destinados a realizar. Recomiendo este libro a quienes nos preocupamos sobre nuestra eventual muerte, y la de los seres más cercanos a nosotros."

—Charles Thomas Cayce, director ejecutivo de la Asociación para la Investigación y la Iluminación, Inc.; presidente de la Fundación Edgar Cayce, Inc.

"En *Jamás moriremos* Deepak Chopra navega de manera magistral por un inquietante pero muy importante paisaje. Al tejer con gracia parábolas, experiencias conmovedoras, sabiduría de la tradición religiosa y evidencia científica, el estudio que Chopra hace del más allá es al mismo tiempo contemplativo, emocional y satisfactorio."

—Dr. Dean Radin, científico del Instituto de Ciencias Noéticas.

"Este no es un libro 'fácil', sino uno verdaderamente fascinante que bien podría convertirse en una de las lecturas importantes de tu vida."

—Doris Wilsdorf, profesora emérita de la Universidad de Virginia e inventora.

"¡Una lectura fabulosa! Mientras la ciencia occidental continúa observando el mundo con lentes precisas de enfoque limitado, Deepak te lleva de la mano y te conduce por una travesía maravillosa más allá de esas lentes, hasta el interior mismo de la conciencia eternamente creativa, tal y como fue revelada por los *rishis* védicos y reflejado por otras grandes culturas del mundo. ¡A continuación te muestra la razón por la que esta visión interior explica de mejor manera la información sobre el mundo occidental que su propia visión del mundo! En pocas palabras, esta es una perspectiva preliminar muy efectiva de la ciencia global e integral del futuro que cambiará de manera dramática la manera en que vemos y actuamos. Conforme emprendas esta travesía fascinante con Deepak, la promesa de la inmortalidad dada en el título de la obra se cumplirá fácilmente en el camino."

—Dra. Elisabeth Sahtouris, bióloga evolucionista y futurista, profesora y autora de *Earthdance: Living Systems in Evolution.*

"He aquí la paradoja: el misterio más grande de la vida —la muerte— parece ser su opuesto y su negación. Sin embargo, cualquiera que lea con mente abierta la investigación penetrante y reveladora de Deepak Chopra sobre este gran misterio, descubrirá que lo opuesto a la muerte no es el nacimiento ni la vida. La vida, que esencialmente es conciencia, es eterna y no tiene opuestos. No existe la muerte, sólo la metamorfosis de las formas vivas, la conciencia que aparece como esto o aquello. Esta es una verdad liberadora que el libro señala continuamente."

—Eckhart Tolle, autor de *The Power of Now.*

"En su cautivante libro *Jamás moriremos*, el muy talentoso Deepak Chopra nos invita a unirnos a él en una danza eterna, emocionante e irresistible, donde la muerte es igual al amor y a la libertad. Chopra, con su sabiduría y su ingenio instintivos, nos lleva más profundamente a la conciencia sin tiempo que incluye toda la vida. *Jamás moriremos* es una amalgama brillante de ciencia y espíritu que entrecruza líricamente los cuentos antiguos, la literatura moderna y los encuentros sorprendentes del propio Chopra. ¡*Jamás moriremos* es una obra asombrosa, un logro magnífico y un antídoto inspirador para la ansiedad y la desesperación de la humanidad!"

—Dr. T. Bryan Karasu, profesor de la cátedra Silverman y director universitario del Departamento de Psiquiatría y Ciencias de la Conducta del Colegio de Medicina Albert Einstein; autor del libro líder en ventas *The Spirit of Happiness.*

"Deepak Chopra presenta un retrato convincente del más allá, basado en la sabiduría de las enseñanzas religiosas y que se apoya en los descubrimientos de la investigación científica. El resultado proporciona a los lectores mucho alimento para la mente, así como la oportunidad de considerar la muerte de una manera nueva y más útil."

—Dr. Jim B. Tucker, investigador de la División de Estudios de la Percepción de la Universidad de Virginia, y autor de *Life Before Life: A Scientific Investigation of Children's Memories of Previous Lives.*

"'La distancia más corta entre el corazón humano y la verdad es una historia', de acuerdo con un antiguo dicho de sabiduría popular. La historia que Deepak Chopra cuenta sobre Savitri en su maravilloso libro *Jamás moriremos*, no sólo hace que el corazón humano y la verdad se besen, sino que además, penetra en el corazón de este tema extraordinario sobre la vida posterior a la muerte. Como sacerdote católico y maestro espiritual, al leer este libro me asombra la manera en que el Doctor Chopra es capaz de hacer sentir a un cristiano la profunda verdad de la vida y la muerte con base en su propia cultura y su aprendizaje profundo. Yo animo a todos —sean cristianos, budistas, hindúes o ateos— a leer esta obra extraordinaria. Tu mente y tu alma se elevarán e iluminarán."

—Rev. J. FRANCIS STROUD, S.J., Centro para la Espiritualidad De Mello de la Universidad Fordham.

"Oriente se encuentra con Occidente en *Jamás moriremos*. Este tesoro de libro es serio y gracioso, inspirador e iluminador, práctico y místico, y constituye una aventura de la mente y el corazón. Si Deepak Chopra está en lo cierto —y las investigaciones contemporáneas sobre el más allá apoyan sus creencias—, no debemos temer a la muerte, sino 'respetarla como un milagro' y celebrar su inherente capacidad para concebir y experimentar la eternidad de la vida. Prepárate para el despertar."

—Dr. GARY E. SCHWARTZ, profesor y director del Laboratorio para el Avance de la Conciencia y la Salud de la Universidad de Arizona, y autor de *The Afterlife Experiments* y *The G.O.D. Experiments.*

"En este libro, Deepak ha creado brillantemente una tapicería notable para abrir nuestros corazones, mentes y conciencias para explorar por nuestra cuenta los misterios de la vida, la muerte y la mente. El autor entrelaza de manera inteligente historias míticas, recuerdos de la infancia, pensamientos sobre la creación, información científica sobre muchas áreas y preguntas que permitirán que el lector reexamine y cuestione las viejas creencias sobre la propia identidad. Mediante una postura de mente abierta, este libro obliga a que nuestras mente e imaginación exploren una realidad verdadera que se encuentra más allá de la realidad física."

—Dr. GERALD G. JAMPOLSKY, autor de *El perdón* (Alamah, 2000) y *El poder curativo del amor* (Alamah, 2002), y fundador del Centro Internacional para la Sanación de la Mente (Sausalito, California).

"Deepak Chopra continúa siendo una figura importante en el diálogo emergente entre las culturas y religiones del mundo. En este libro profundiza dicha conversación al abordar 'El Gran Tema', el asunto eterno de la muerte y de la posibilidad de que la vida continúe en otro plano. En vez de enfocarse en las creencias, se dedica a estudiar el medio por el cual la mayoría de la gente recibe la antigua sabiduría de una tradición: las historias. En consecuencia, amplía el lenguaje en el que se comprenden dichas cuestiones al recordar la antigua sabiduría hindú que afirma que existimos en la intersección de múltiples realidades y que la línea que separa la vida de la muerte no es una muralla, como a menudo imaginamos, sino un punto de cruce permeable entre muchos, muchos otros. De la misma forma, al referirse a los avances científicos más recientes, el autor logra que este provocador libro sea adecuado para personas de cualquier credo religioso, o de ninguno."
—Harvey Cox, Universidad de Harvard, autor de *When Jesus Came to Harvard*.

"El Doctor Deepak Chopra se ha convertido en el médico de nuestra época. Su más reciente medicina es *Jamás moriremos*. Con cuidado y humildad utiliza la historia, las enseñanzas de los maestros de la sabiduría oriental, la nueva ciencia y la cosmología para vencer el reduccionismo de limitaciones fatales que caracteriza la perspectiva materialista del mundo, y para abrir nuestras mentes y almas con el fin de apreciar un universo permeado de conciencia, espíritu y Vida. Prepárate para leer una exposición verdaderamente magistral sobre la naturaleza del *karma* que reúne la filosofía oriental y la neurociencia moderna. Chopra nos recuerda que tanto la sabiduría antigua como la ciencia más avanzada apuntan a una Realidad que continuará mucho después de que los sonidos de la cultura contemporánea hayan desaparecido. Me encantó este libro."
—James O'Dea, presidente del Instituto de Ciencias Noéticas.

"Al cosechar la sabiduría de Oriente y Occidente, relacionada con la ciencia y la espiritualidad, Deepak Chopra lleva al lector a una profunda exploración de los misterios más importantes. Constituye una revelación para despertar la conciencia respecto de la fuente de nuestra existencia, la pasión por nuestra travesía interminable y el Campo del Ser que nos convoca a la Unión".
—Dra. JEAN HOUSTON, autora de *A Passion for the Possible.*

"¡Capaz de ampliar la mente! Al actuar como un guía confiable cuyas palabras no brotan de afirmaciones como 'esto-es-así' o 'cree-esto', sino de preguntas como '¿qué pasa si...?' y '¿por qué no?', Deepak Chopra nos lleva a realizar una fascinante exploración por los vastos continentes de las creencias, las historias, los mitos, los testimonios y la investigación sobre el cerebro, desmitificando un ámbito hasta ahora nebuloso, mientras facilita nuestro autoexamen. Al igual que los *rishis* de la antigüedad, Chopra nos invita a participar en un experimento interminable. La travesía incluye algunas sorpresas (nuestra realidad en este lugar puede determinar nuestro más allá), así como motivos de consuelo (la muerte constituye un salto creativo). Es imposible leer *Jamás moriremos* con la mente abierta sin sentirnos deleitados, habilitados y transformados".
—JIM BALLARD, autor de *Mind Like Water.*

"Algunos libros son medios de transmisión inspirados por lo divino, con poder para cambiar la manera en que pensamos, actuamos y vivimos. Éste es uno de ellos, escrito por un científico y médico que es también uno de los maestros espirituales más luminosos de nuestro tiempo. Si alguna vez te preguntaste el significado de la vida y deseaste desarrollar todo tu potencial, este libro es un tesoro sagrado".
—Dra. JOAN BORYSENKO, autora de *Minding the Body, Mending the Mind* y *Seven Paths to God.*

"Con gran claridad y profundidad de pensamiento, Deepak Chopra nos guía por el proceso de comprender quiénes somos en realidad, y nos deja con una conciencia más rica y completa sobre los milagros, tanto de la vida como de la muerte."
—LAURIE MONROE, presidenta y directora general del Instituto Monroe.

"La creencia en la vida después de la muerte es una constante universal. Este libro ayudará a que muchos sientan seguridad y consuelo respecto de la posibilidad de explorar muchas pruebas sobre el infinito, la naturaleza eterna de la conciencia humana."
—Dr. LARRY DOSSEY, autor de *El poder curativo de la mente* (Alamah, 2004).

"Deepak Chopra ha escrito el que será considerado como su libro más brillante hasta el momento: *Jamás moriremos*. El autor lleva hábilmente al lector por su pensamiento ilimitado sobre un tema importante y fascinante para todos nosotros, la Muerte misma, y lo hace de manera tal, que nos deja profundamente conmovidos, engrandecidos e inspirados.

"En sus escritos y conferencias, Deepak siempre nos da el regalo de liberarnos de las limitaciones de nuestra identidad equivocada y presa. Los lectores de Deepak sabemos que siempre podemos contar con él para liberarnos de la prisión de nuestros miedos más grandes o más insignificantes. En este sorprendente libro, él lo hace nuevamente, y logra más. Por medio de su prosa exquisita, de su poesía mística y de una narrativa arrobadora, proporciona al lector una nueva manera de ver la muerte y, por lo tanto, la vida misma.

"Como estudioso y maestro, médico y sanador, gran comunicador y sabio del siglo XXI, Deepak Chopra ha escrito una obra maestra que se basa en muchas disciplinas, se comunica en múltiples dimensiones y produce una transformación total en cada nivel. Yo quedé atrapada en la lectura desde el momento en que comencé a leer, y me encontré entusiasmada, conmovida hasta las lágrimas, plena de asombro, y profundamente transformada por este libro. Mis creencias y posiciones inconscientes o sin examinar sobre la muerte han sido desenterradas y modificadas.

"Me encantó este libro y su mensaje me ha transformado de una manera que apenas estoy comenzando a comprender. Invito a que todos lo lean. Cambiará su vida y su muerte."
—Lynn Twist, presidenta del Instituto del Alma del Dinero.

"En *Jamás moriremos*, Deepak Chopra abre la puerta a nuestro verdadero potencial: la vida después de la muerte. Nos muestra que la muerte puede tener una profunda confrontación con la brillantez de nuestra alma, y nos guía de cien maneras irresistibles, que comienzan ahora. Este libro es lectura obligada para quienes quieran averiguar cómo atravesar al más allá; puede ser la aventura más significativa de su vida."
—Margot Anand, autora de *The Art of Everyday Ecstasy*.

"Si yo tenía algunas dudas sobre el más allá, no las tengo más. Deepak Chopra ha arrojado una luz inimitable a los rincones oscuros de la muerte. Considero que esta es su contribución más importante hasta el momento."
—Marianne Williamson, autora de *The Gift of Chang*.

"Deepak Chopra nuevamente lanza un hechizo a sus lectores. Se trata de un hechizo que no provoca un trance o un sueño profundo, sino que nos despierta para conocer todo nuestro potencial como agentes conscientes en el proceso evolutivo. En este libro encantador, Deepak aborda el profundo misterio de lo que ocurre después de que morimos. Al reconocer diversos modelos culturales que han sido desarrollados para responder a esta pregunta, no se contenta con respuestas sencillas; por el contrario, este maestro destacado nos pide que consideremos la posibilidad de crear nuestro propio más allá, ya que somos los hacedores de nuestra realidad. No es menos que una llamada de atención para cada uno de nosotros con el fin de que aceptemos la plenitud de nuestras capacidades humanas únicas, ahora y más allá de la muerte. Recomiendo mucho este libro."

—Dra. MARILYN MANDALA SCHLITZ, autora de *Consciousness and Healing: Integral Approaches to Mind-Body Medicine.*

"La sabiduría antigua y los últimos descubrimientos científicos son presentados de manera magistral, demostrando que convergen cada vez más en la naturaleza no local y la supervivencia de la conciencia, así como en el poder de lo invisible. Mediante una poderosa variedad de pruebas fascinantes, una narrativa iluminadora y opiniones convincentes, el Doctor Chopra aborda la cuestión fundamental que todos tratan de responder en última instancia, y nos deja con un poderoso sentimiento de seguridad y consuelo."

—MARK S. NEWKIRK, socio de Symmetria Technologies Inc., y miembro de la Academia Nacional de Ingeniería de los Estados Unidos.

"En una era caracterizada por el materialismo, el libro de Deepak Chopra *Jamás moriremos* eleva nuestro espíritu con una esperanza nueva. Lleno de sabiduría espiritual, este libro ofrece nuevas perspectivas sobre el más allá y nos dirige a mundos nuevos de libertad, amor y alegría."

—MICHAEL MURPHY, autor, director y cofundador del Instituto Esalen.

"Una vez más, Deepak Chopra arroja luz sobre el camino en medio de la oscuridad de la confusión, e ilumina la gloria de nuestro verdadero ser. En esta ocasión nos lleva al límite de nuestra verdad más profunda sobre la vida y la muerte, al compartir con nosotros su visión y su sabiduría, que, como siempre, es sorprendente, curativa y capaz de abrir nuestra alma. Este libro, y Deepak Chopra mismo, son grandes dones para la humanidad."

—NEALE DONALD WALSCH, autor de *Home with God in a Life That Never Ends*.

"El Dr. Chopra se dedica a responder en este libro las preguntas importantes para las que las religiones occidentales ofrecen poca ayuda. La Muerte es un Nuevo Inicio. La Conciencia mantiene unida a la personalidad a través de la muerte, hasta la Vida Intermedia, antes de la siguiente encarnación."

—JOHN O'M. BOCKRIS, profesor de la Universidad de Pensilvania (1953-1972), profesor distinguido de la Universidad de Texas A&M (1978-1997) y autor de *The New Paradigm*.

"Conforme viajo entre las culturas orientales y occidentales, la diferencia más importante que he encontrado estriba en las actitudes acerca de la muerte y la vida después de la muerte. Deepak Chopra ha combinado a Oriente y Occidente en su Ser. Está familiarizado con el *Vedanta*, con las leyes del *Karma*, y los mitos hindúes porque creció en el seno de una familia en la India. Sin embargo, asistió a una escuela católica, donde conoció la postura de los curas acerca de la muerte y el más allá. Conoce la ciencia occidental, por lo que tenemos la física cuántica y las teorías de la conciencia en esta mezcla, y finalmente es un médico occidental, lo que le permite estar familiarizado con las experiencias cercanas a la muerte (ECM). En este libro incorpora esas partes de su Ser y nos proporciona un texto magistral sobre la vida posterior a la muerte."

—RAM DASS.

"El nacimiento es un milagro... y la muerte también. Con su ingenio y su inteligencia acostumbrados, Deepak nos ofrece historias llenas de enseñanzas, recuerdos de su infancia, acertijos cuánticos, neurociencia, religión y sentido

común en una exploración rica y muy satisfactoria sobre lo que somos en realidad, sobre qué diablos estamos haciendo aquí y hacia dónde vamos. Se trata de una travesía hacia la liberación y la dicha."
—RICHARD GERE, actor y activista humanitario.

"El genio de Deepak Chopra siempre ha consistido en abordar los grandes temas, y este es el caso de *Jamás moriremos*. Todos tenemos algunas creencias acerca del más allá que influyen profundamente en la manera en que vivimos, independientemente de que nos demos cuenta o no. Lo que Deepak hace brillantemente es establecer puentes entre Oriente y Occidente, entre la profunda sabiduría de los *rishis* védicos y el genio de la observación científica de vanguardia. El autor revela, a través de la lente de ambos, la dinámica de la conciencia, que no sólo puede dar forma a nuestras creencias acerca del más allá, sino que confirma para cada uno el poder que tenemos como instrumentos en la evolución de esas creencias. Nos muestra que es nuestra conciencia individual la que determina, no sólo nuestro estado después de la muerte, sino la vida que tenemos ahora."
—Dr. RICHARD MOSS, autor de *The Mandala of Being*.

"¿Qué pregunta podría ser más importante para la generación de los *baby-boomers*? ¿Y quién podría ser el guía más confiable para la exploración de la vida después de la muerte que Deepak Chopra? La integridad, inteligencia, empatía, compasión, perspectiva y profundidad de conciencia son las características de su postura respecto de ésta, la cuestión más importante. La guía talentosa y multidimensional de Deepak, que explora el vínculo de los planos astrales, los mitos hindúes y las enseñanzas cristianas, refuerza su posición en nuestro mundo como 'el Buda que vino a Occidente'. ¿Quién mejor que él para dirigirnos mientras tratamos de integrar nuestras creencias con nuestras vidas, conforme nuestra generación envejece? Este libro es el

manual de preparación para la travesía del alma hacia y más allá de nuestra experiencia individualizada de la muerte."
—RINALDO BRUTOCO, presidente de la Academia Mundial de Negocios.

"Al abarcar muchos temas e incitar al pensamiento, este libro coloca la cuestión de la vida después de la muerte en una perspectiva amplia. Es un excelente antídoto a las limitaciones autoimpuestas que podamos tener en nuestro pensamiento sobre la naturaleza de la vida, la muerte y la conciencia."
—Dr. RUPERT SHELDRAKE, biólogo y autor de *The Presence of the Past.*

"En *Jamás moriremos* el Doctor Chopra nos ofrece el beneficio de su singular experiencia en la vida, desde la práctica de la medicina en la sala de urgencias hasta sus aventuras en la metafísica oriental. Este libro es inspirador, reconfortante y bien informado. Presenta información convincente sobre la supervivencia a la muerte corporal, mientas nos muestra el sendero hacia la alegría y la vastedad, y el descubrimiento de quienes somos en realidad, que es mucho más que sólo un cuerpo físico."
—RUSSELL TARG, médico y autor de *The End of Suffering.*

"Chopra ilumina de manera brillante una maravillosa variedad de experiencias extraordinarias, documentadas por científicos e ingenieros, y teje con ellos un tapiz que incluye diferentes tradiciones religiosas al agruparlas, compararlas y analizarlas. Este empirismo radical se inscribe en la tradición de William James y tiene un éxito hermoso, como el de James, al arrojar la 'carga de la prueba' a los materialistas reduccionistas, a quienes por varias décadas, mientras afirmaban hablar en nombre de la ciencia, se les ha permitido ignorar la base misma de la ciencia: los hechos.

"Chopra compara a continuación esas experiencias e información con algunas de las metáforas con las que nosotros, en el mundo de la ciencia, nos divertimos e impresionamos a las masas. Deepak ha dejado caer el mallete y ha exigido que los materialistas reduccionistas asuman la carga de la prueba. Yo puedo predecir con confianza que lo más que harán es tratar de ignorarlo."

—RUSTUM ROY, profesor de la Universidad Estatal de Pensilvania, Universidad Estatal de Arizona y Universidad de Arizona; elegido como miembro de la Academia Nacional de Ciencias o de Ingeniería de los Estados Unidos, Suecia, Japón, Rusia e India.

"Con sabiduría profunda y claridad, Deepak Chopra revela una impresionante perspectiva caleidoscópica sobre las posibilidades infinitas en el campo de *Akasha*. Uno puede identificarse fácilmente con la experiencia personal en el ciclo de la vida cotidiana, cristalizada en forma de historias. Cada cultura, cada religión y cada individuo pueden acceder al sendero espiritual de su elección en esta obra notable donde 'el amor, la verdad, la compasión, el nacimiento y la muerte son iguales' y la eternidad es AHORA."

—HERMANA JUDIAN BREITENBACH, R. N., Orden católica de las siervas pobres de Jesucristo, Centro Namaste para la Educación Holística, La Porte, Indianápolis.

"Una exploración asombrosa y convincente acerca de lo que es nuestra próxima vida. Deepak Chopra nos lleva del dogma religioso a la verdad espiritual. *Jamás moriremos* nos permite darnos cuenta de que todos pertenecemos a una fe y somos participantes integrales de un plan divino. Nos trasladamos de manera colectiva en nuestra conciencia hacia el esplendor espiritual en esta vida y en el más allá. Las preguntas exteriores encuentran respuesta y las convicciones interiores encuentran su confirmación en este gran libro, del que estoy muy agradecido."

—TOM ZENDER, presidente del Consejo para el Liderazgo en Unidad; miembro de la Asociación para el Nuevo Pensamiento Global (AGNT).

"En *Jamás moriremos*, Deepak Chopra lleva a sus lectores al umbral que es la muerte y los alienta a mantener sus ojos abiertos para ver lo que hay más allá. Al explorar diferentes tradiciones, nos muestra la muerte no como una amenaza, sino como una oportunidad. Chopra combina hábilmente la mitología antigua, la ciencia de vanguardia y la psicología. Es un narrador magistral que hace que la sabiduría de Oriente sea accesible para el lector occidental."

—VICTOR CHAN, director fundador del Centro Dalai Lama para la Paz y la Educación; coautor con Su Alteza el Dalai Lama de *Wisdom of Forgiveness: Intimate Conversations and Journeys.*

"En *Jamás moriremos*, Deepak Chopra nuevamente hace lo que sabe hacer mejor; es decir, hace que lo inefable sea accesible. Ése parece ser el carácter de la leyenda que surge en torno a Chopra: explora los misterios trascendentes de la vida y los convierte, no sólo en aspectos que es posible conocer, ¡sino que nos apasionan! *Jamás moriremos* logra precisamente eso. Finalmente tenemos un libro que ofrece a Occidente una travesía incluyente, entretenida y, en última instancia, reconfortante a través del Bardo de nuestro miedo a lo inevitable. Se trata de una lectura obligatoria para los simples mortales."

—WARD M. POWERS, director de cine, creador y director de UNO: *la película.*

JAMÁS
MORIREMOS

Deepak Chopra

Jamás moriremos

Las pruebas contundentes de que existe la vida después de la muerte

alamah ESPIRITUALIDAD

alamah

Título original: *Life after Death. The Burden of Proof.* Published by Harmony Books, an imprint of the Crown Publishing Group, a division of Random House, Inc., New York.
Copyright © 2006, by Deepak Chopra.
© Santillana Ediciones Generales, S.A. de C.V., 2006.
De esta edición:
© Aguilar, Altea, Taurus, Alfaguara, S.A., de Ediciones, 2007
Leandro N. Alem 720, (1001) Cuidad de Buenos Aires

Primera edición: febrero de 2007
ISBN-10: 987-04-0614-9
ISBN-13: 978-987-04-0614-3

Adaptación de cubierta y diseño de interiores: Nancy J. Hernández.
Impreso en Argentina. *Printed in Argentina.*

Chopra, Deepak
    Jamás moriremos - 1ª ed. - Buenos Aires : Aguilar, Altea, Taurus, Alfaguara, 2007.
    384 p. ; 24x15 cm.

    ISBN 987-04-0614-9

    1. Espiritualidad. I. Título
    CDD 291.4

Este libro se terminó de imprimir en Indugraf,
Sánchez de Loria 2251, Buenos Aires, Argentina.

A mis amados padres

ÍNDICE

༄৩৯৶

Agradecimientos

Mi editor de toda la vida, Peter Guzzardi, me animó a escribir un libro sobre la muerte y el morir, el cual se convirtió en esta obra. Como siempre, su instinto fue inteligente, y él ha sido un guía invaluable en cada paso del camino.

A David, Carolyn, Felicia y todo el personal del Centro Chopra; todos los días aprecio su compromiso y su amabilidad conmigo. Gracias.

A mi familia, que me da más devoción amorosa de lo que yo podría darles en toda una vida.

Memorias: la vida en el más allá

Mientras escribía este libro sobre la vida después de la muerte, recordé continuamente las historias que escuché en la India cuando era niño. Las parábolas son una forma efectiva de enseñar a los niños, y muchas de las que me contaron me han acompañado toda mi vida. Así que decidí tejer este libro en torno a historias del mismo tipo de las que escuché en casa, en los templos y en la escuela, con la esperanza de que el lector se sintiera atraído por un mundo en que los héroes combaten contra la oscuridad con el fin de encontrar la luz.

En este caso, la heroína es una mujer, Savitri, y el enemigo que debe derrotar es Yama, el Señor de la Muerte. Un día, Yama aparece frente a su casa para llevarse a su marido en el momento en que éste regrese de su jornada de trabajo como leñador. Savitri está aterrada. ¿Qué estrategia podría alejar a la Muerte de su misión inexorable?

A mí no me costaba trabajo imaginar estos personajes. Estaba asustado por la suerte de Savitri, y ansioso por averiguar el resultado de su duelo de ingenio con la Muerte. Su mundo se comunicaba fácilmente con el mío, porque la India de mi infancia no estaba muy alejada de la India antigua. Quiero dedicar un momento para expresar lo que la muerte y el más allá significaban entonces. Quizá te parezca un lugar muy esotérico; de ser así, puedes volver a él después de leer la parte central de este libro. Sin importar cuán misterioso y exótico, en este lugar es donde yo comienzo.

Lo que me parecía más mágico durante mi infancia era la transformación. La muerte en sí misma era vista como una breve pausa en el viaje interminable del alma, la que en la reencarnación podía pasar de campesino a rey y viceversa. Ante la perspectiva de tener un número infinito de vidas desde el pasado hasta el porvenir, un alma podía experimentar cientos de paraísos e infiernos. La muerte no terminaba nada; por el contrario, abría la posibilidad de aventuras sin límite. Sin embargo, en un nivel más profundo, una característica típicamente hindú es no desear la permanencia. Una gota de agua se convierte en vapor, el cual es invisible; sin embargo, el vapor se materializa al formar nubes voluminosas, y la lluvia desciende de las nubes y regresa a la tierra para formar los torrentes de los ríos y eventualmente desembocar en el mar. ¿Ha muerto la gota de agua durante este trayecto? No; simplemente tiene una nueva forma en cada etapa. De la misma manera, la idea de que yo poseo un cuerpo fijo, inmovilizado en el espacio y en el tiempo, es un espejismo. Cualquier gota de agua en el interior de mi cuerpo pudo haber sido parte del océano, de una nube, de un río o de un manantial el día de ayer. Recuerdo este concepto cada vez que las ataduras de la vida cotidiana me oprimen demasiado.

En Occidente, el más allá ha sido considerado como un lugar similar al mundo material. El Paraíso, el Infierno y el Purgatorio se encuentran en alguna región distante, más allá del cielo o bajo la tierra. En la India de mi infancia el más allá no era un lugar, sino un estado de conciencia.

El cosmos en que tú y yo vivimos en este momento, con árboles, plantas, gente, casas, automóviles, estrellas y galaxias, es sólo una expresión de la conciencia que se manifiesta en una frecuencia particular. En otras partes del espacio-tiempo, distintos planos coexisten de manera simultánea. Si yo le hubiera preguntado a mi abuela dónde estaba el Paraíso, ella me habría señalado la casa en que vivíamos, no sólo porque estaba llena de amor, sino porque para ella tenía sentido la idea de que muchos mundos podían cohabitar cómodamente en el mismo lugar. De la misma forma, si te encuentras escuchando el concierto de una orquesta sinfónica, puedes apreciar el sonido de cientos de instrumentos, y cada uno de ellos ocupa el mismo espacio y el mismo tiempo. Puedes escuchar una sinfonía en su conjunto, o si lo deseas puedes prestar atención a un instrumento específico. Puedes incluso separar las notas individuales que dicho instrumento ejecuta. La presencia de una frecuencia no desplaza a las demás.

Yo no lo sabía cuando era niño, pero al caminar por el populoso mercado de Delhi, donde se encontraban reunidos en un bazar más seres humanos de los que era posible imaginar, el mundo que yo no podía ver era aún más concurrido. El aire que respiraba contenía voces, sonidos de automóviles, canto de pájaros, ondas de radio, rayos X, rayos cósmicos y una variedad casi infinita de partículas subatómicas. Me rodeaban realidades infinitas.

Cada frecuencia en la naturaleza existe simultáneamente con las otras y, sin embargo, nosotros experimentamos solamente lo que podemos ver. Es natural que tengamos miedo de lo que no podemos ver, y dado que la muerte hace desaparecer a una persona, reaccionamos ante ella con miedo. Ciertamente yo no era inmune a este temor. La muerte de una mascota me hizo experimentar ansiedad y tristeza; la muerte de mi abuelo, que ocurrió de manera repentina a la mitad de la noche, fue devastadora. Mi hermano menor corría alrededor de la casa gritando: "¿Dónde está? ¿Dónde está?". Pasarían muchos años antes de que me diera cuenta de que la respuesta correcta era: "Aquí y en todas partes".

Los diferentes planos de la existencia representan distintas frecuencias de la conciencia. El mundo de la materia física es sólo una expresión de una frecuencia particular. (Décadas después, me fascinó leer que, de acuerdo con los físicos, existe un sonido de fondo en el universo, que es a tal punto específico que suena como la nota "Si bemol", aunque vibra a una frecuencia que se encuentra millones de veces por debajo de los límites del oído humano.) En la India un niño nunca escucharía una idea cuasi-científica tan complicada, pero yo escuché hablar de los cinco elementos, o *Mahabhutas*: la tierra, el agua, el fuego, el aire y el espacio. Estos elementos se combinaban para formar todo lo que existía, lo que puede sonar rudimentario para alguien que conoce la ciencia occidental, pero que contiene una verdad valiosa: todas las transformaciones derivan de unos cuantos elementos sencillos.

En el siglo XX la ciencia occidental pudo comprender que todos los objetos sólidos en realidad están formados por vibraciones invisibles. Cuando era niño se pensaba que los objetos sólidos contenían una gran proporción del elemento "tierra". Para decirlo de otra manera, los objetos sólidos tenían vibraciones densas o en un plano más bajo. El vapor tenía una vibración más fina o en un plano más alto.

De la misma forma en que existen diferentes planos para las cosas materiales, también existen diferentes planos para las espirituales, lo que constituía una idea escandalosa para los píos frailes católicos, la mayoría irlandeses, que eran mis maestros en la escuela. Para ellos el único espíritu era el Espíritu Santo, que vivía en el Paraíso. Nosotros, los niños, éramos lo suficientemente diplomáticos como para no expresar nuestro desacuerdo, pero en nuestra idea del cosmos sólo tenía sentido que, si la Tierra era un mundo espiritual denso, debían existir planos espirituales más elevados, que nosotros llamábamos *Lokas*, y que en los círculos místicos de Occidente se conocen como "planos astrales". Existe un número casi infinito de planos astrales, los cuales se clasifican en el mundo astral superior y el mundo astral inferior. Incluso los planos más bajos vibran a una frecuencia más alta que el mundo material.

Hace mucho que Occidente abandonó la idea de escuchar la música de las esferas, pero en la India se considera que una persona cuya conciencia se encuentra afinada con precisión puede retirarse a su interior y realmente escuchar la vibración de diversos planos superiores. Por ejemplo, en el plano astral puedes ver tu propio cuerpo, y sin embargo puede cambiar de época de un momento a otro.

En los planos astrales inferiores encontramos la clarividencia, la telepatía y otras depuraciones de los cinco sentidos, así como fantasmas, almas sin cuerpo y espíritus que por una u otra razón se encuentran "atrapados". Cuando era niño tenía la certeza de que cuando un gato o un perro se detenían a observar el aire, podían ver algo que yo era incapaz de ver. En consecuencia, no me sorprendí cuando leí más tarde, en diversos textos tanto orientales como occidentales, que los planos astrales inferiores que pueden ser detectados por los seres humanos cuando se encuentran en un estado de conciencia elevado, son también detectados frecuentemente por los animales. Tampoco me sorprendió conocer a un psiquiatra residente que me dijo que si el cuarto del hospital estaba en penumbra, él podía ver —en los límites mismos de la visión— cuando el alma abandonaba a una persona que moría. Todos los niños de la India leen libros de historietas ilustradas sobre las proezas de diversos héroes que pelean sus batallas en *Lokas* distantes. Abandonar la existencia material y volver a ella era nuestra versión de viajar al espacio exterior. Nuestros héroes de historietas ilustradas se enfrentaban con formas del pensamiento y nubes imaginarias, cuerpos astrales que viajaban durante el sueño, colores astrales y auras. Todas estas eran vibraciones de un plano astral inferior.

En la tradición hindú, a cada cuerpo físico corresponde un cuerpo astral. Tu cuerpo astral es un espejo de tu cuerpo físico; tiene corazón, hígado, brazos, piernas, rostro, etcétera, pero dado que opera en una frecuencia más alta, la mayor parte de la gente no tiene conciencia de ello. Durante la vida, el cuerpo físico proporciona cobijo al alma; le brinda la apariencia que le permite ser localizada en el mundo material. En la muerte, conforme el cuerpo físico comienza a desintegrarse, el alma que se aleja entra en el plano astral que corresponde a su existencia en el plano material, la frecuencia que se asemeja más a su vida previa.

En aquel entonces mi mente aceptó fácilmente la noción general de que el alma va adonde pertenece. Yo imaginaba que los perros irían al Paraíso de los perros, y la gente que los amaba se uniría con ellos en ese sitio. Pensaba que la gente mala no podía herir a nadie, o sólo a sí misma, porque estaría aislada en una especie de prisión del *karma*. Esto era un consuelo, y me daba la seguridad de que la gente buena que me amaba, pero que se había marchado, vivía ahora en un sitio de bondad. Sin embargo, mi visión tenía límites. Yo nunca tuve la certeza de que mi abuelo sabio encontró a su abuelo sabio en el más allá, quien le enseñó la manera de proceder, o si ese trabajo era desempeñado por los ángeles o por espíritus iluminados. Mucho después, cuando comencé a investigar el *karma*, descubrí que tras nuestra muerte seguimos motivados. Un alma pasa, de acuerdo con sus deseos, de un plano astral a otro, y observa como en un sueño los panoramas y la gente, los guías y las entidades astrales que requiere para su propio avance.

Todos estos planos son en última instancia imaginados por el Espíritu, de la misma forma en que éste imagina el mundo material. La palabra hindú para referirse al Espíritu es *Brahman*, que significa "el Todo", la conciencia única que llena cada plano de la existencia. Sin embargo, los hindúes son flexibles en lo que se refiere a la terminología, como suele ocurrir con culturas muy antiguas. Nos referimos a Dios, a Rama, a Shiva, a Maheshwara. Lo importante no es el nombre sino el concepto de una conciencia única que crea todo y continúa haciéndolo en dimensiones infinitas, a una velocidad infinita. En los planos astrales el Espíritu continúa desempeñando un papel. En ellos, uno puede ver imágenes de dioses y diosas, ángeles y demonios. Éstos son en última instancia ilusiones, toda vez que cada plano astral proporciona la experiencia del Espíritu. Aquí, en nuestro plano, nosotros sentimos al Espíritu como materia, como algo sólido. En los planos astrales percibimos seres sutiles y los paisajes que habitan, lo que podríamos denominar "sueños".

No es posible localizar el cosmos; es decir, no puede hacerse un mapa de él. Después de la muerte, de manera gradual dejamos de ser "localizables". Nos vemos a nosotros mismos de la forma en que realmente somos desde la perspectiva del alma: en todas partes al mismo tiempo. Este ajuste es probablemente el obstáculo más grande que cualquiera de nosotros encontrará en los planos astrales. En este momento tú te encuentras en el centro del universo porque el infinito se extiende en todas direcciones; sin embargo, alguien en el otro lado del mundo también está en el centro del universo, porque el infinito también se extiende en todas direcciones para él. El hecho de que ambos parecen estar en lugares diferentes es una ilusión de los sentidos, basada en la vista y en los sonidos, que son eventos locales. Pero tú no eres un evento local.

De la misma forma, cada momento es el centro del tiempo, porque la eternidad se extiende a partir de ese momento en todas direcciones. Por lo tanto, cada momento es el mismo que cualquier otro. El cosmos, al no ser local, no tiene "arriba" o "abajo", Norte o Sur, Este u Oeste. Éstos son solamente puntos de referencia que resultan convenientes en nuestra frecuencia particular (es decir, en el interior de nuestro cuerpo). El proceso de transformación posterior a la muerte no consiste en un movimiento hacia otro lugar o tiempo; es simplemente un cambio en la calidad de nuestra atención. Tú solamente puedes ver aquello ante lo que vibras.

Tenía un tío a quien le gustaba viajar y visitar a los santos y a los sabios que abundaban en la India. En ocasiones, para mi deleite, me llevaba con él. Conocí místicos que pasaban años sentados en una misma postura; otros que apenas podían respirar. Ahora sé que mis ojos me engañaban, sólo vi crisálidas en cuyo interior tenían lugar transformaciones maravillosas. En silencio, estos seres estaban sintonizando frecuencias diferentes, más allá del mundo exterior. Por medio de un cambio de atención podían hablar a Rama (o Buda o Cristo, aunque esto era menos probable en la India). La meditación profunda no es un estado inerte, sino la plataforma de lanzamiento de la conciencia. En la sala de urgencias de un hospital, cuando alguien fallece por un ataque cardiaco, y luego es resucitado y da cuenta de una experiencia cercana a la muerte, la persona utiliza una plataforma de lanzamiento distinta. En ambos casos existe un cambio en la calidad de la atención.

La gran diferencia es que cuando un paciente con problemas cardiacos camina hacia la luz, su viaje es involuntario. Esos *yogis* silenciosos de mi pasado actuaban intencionalmente. Al tener un deseo en un nivel de conciencia lo suficientemente profundo, llevaban a cabo un proceso paralelo a la muerte. Los sentidos se desvanecen uno tras otro. (El último en abandonar a la persona cuando muere es el sonido, que es el primero que despierta al nacer. Esto corresponde a la noción hindú de que los cinco elementos vienen y van en un orden específico; dado que el sonido es el equivalente de la vibración, que mantiene el cuerpo unido, tiene sentido que sea el último en perderse.)

Conforme los sentidos más fuertes se adormecen, los más sutiles se afilan. Después de la muerte todavía podemos ver y escuchar, pero los objetos ya no son físicos. Consisten en algo que deseamos ver en el plano astral: panoramas y sonidos celestiales, objetos celestiales, luces brillantes. En las experiencias cercanas a la muerte las manifestaciones más típicas son rostros, voces o una presencia emocional. En otras culturas la gente espera encontrarse con fantasmas o animales. A menudo, una persona que fallece siente algo sutil en su entorno —cierta calidez, una forma o sonido casi imperceptible— antes de abandonar el cuerpo. De alguna manera es posible acceder a estos elementos en la frecuencia de vibración de la persona que agoniza. Cualquiera que haya pasado algún tiempo con los moribundos sabe que pueden decir que se han reunido en esa habitación con un cónyuge que ha muerto hace tiempo o con otros seres amados. Algún tipo de contacto astral tiene lugar en la zona de transición entre lo físico y lo sutil.

Al morir, la contraparte astral del cuerpo físico se separa de él. De acuerdo con las enseñanzas de los Vedas, el alma que se separa duerme por un tiempo en la región astral, lo que yo considero un periodo de incubación. Nuevas ideas vienen a la mente antes de que realicemos acciones, y algo similar ocurre con el alma. Normalmente el alma duerme de manera pacífica, pero si la persona muere de forma repentina o prematura, o si tiene muchos deseos insatisfechos, este sueño puede ser agitado. Los horrores de una muerte violenta pueden seguir reverberando, y lo mismo puede ocurrir con tormentos más mundanos como un amor insatisfecho o una pena. Los suicidas experimentan el mismo dolor interior que los condujo a quitarse la vida.

Los deseos insatisfechos no necesariamente son negativos. El deseo de obtener placer también representa la incapacidad de desprendimiento. Mi tío, el devoto espiritual, escuchó muchos relatos detallados sobre almas atrapadas en los planos astrales inferiores. Los días, los meses y los años no son útiles para medir el tiempo desde la perspectiva del alma. Cuando las personas mueren de manera repentina o violenta no tienen tiempo de preparar su *karma* personal; esas personas permanecerán atadas a este plano más denso hasta que puedan resolver la totalidad de sus ataduras y obligaciones.

Los santos y los sabios tienen la ventaja de poder viajar libremente por los distintos planos astrales sin estar atados a los deseos. Las almas perturbadas permanecen cautivas entre ambos mundos, y si sus seres amados continúan llamando a su alma mediante plegarias, duelo, amor insatisfecho o intentos de contactar al muerto, el alma continúa siendo perturbada. El alma debe dormir en el cuerpo astral de la misma forma que lo hizo en el vientre, y la muerte pacífica hace que esto sea posible.

Después está el hecho de que puedes ver tu vida transcurrir ante tus ojos. Dado que esto es lo que experimentan quienes se encuentran al borde de la muerte —como las personas que se ahogan—, debe ser parte de la transición y no está realmente conectada a la muerte en sí misma. Nunca se mencionó esto cuando yo era niño, aunque después conocí a un doctor que me dijo que casi se había ahogado en el mar, cerca del Gran Arrecife de Coral, en Australia. Él lo describió como una experiencia pacífica, acompañada por una rápida secuencia de imágenes que abarcaban su vida entera, y me dijo que se parecía más a una sucesión de fotos que a una película. (Me pregunto si su alma se habría convertido en un alma en pena si los salvavidas no lo hubieran rescatado a tiempo.)

Los *swamis* se refieren ampliamente a la vida después de la muerte, y de acuerdo con algunos de ellos, ver pasar tu vida frente a tus ojos constituye un proceso específico del *karma*. El *karma* está envuelto alrededor del alma como un hilo se enrolla en el huso. Cuando una persona se encuentra ante la posibilidad de experimentar una muerte repentina, el hilo se desenrolla velozmente y ve las imágenes de eventos que han ocurrido anteriormente. Sólo aquellos momentos importantes para el *karma* son visibles en esta secuencia.

En los casos en que alguien muere tras una agonía de varias semanas o meses, el *karma* se desenrolla lentamente. La persona puede estar profundamente interesada en el pasado y reflexiona sobre el mismo. Al momento de morir, la entrada a un plano astral está acompañada de una revisión rápida del *karma*, en que las imágenes se presentan como una película que se sale de su carrete.

De cualquier manera, los puristas de la India también pueden interpretar esta imagen simplemente como una ilusión. El fenómeno de ver tu vida pasar frente a tus ojos en una fracción de segundo, según ellos, es la prueba de que cada segundo contiene toda una eternidad. Durante el sueño profundo del alma, entre nacimientos, todos los recuerdos de los acontecimientos del pasado en el cuerpo físico se imprimen en el alma y forman el contenido del *karma* que dará origen a su vida futura.

Una práctica espiritual que yo todavía realizo consiste en acostarme en la cama antes de dormir y revisar los acontecimientos del día. Suelo hacer esto de adelante hacia atrás, por la misma razón que el *karma* se desenrolla de la misma forma: para comprender y alcanzar la paz respecto de lo que me ha ocurrido. Yo siento que la persona que muere debe recibir la misma oportunidad.

El periodo de sopor del alma varía según a qué tan evolucionada está al momento de la muerte. La razón principal por la que el alma duerme es porque debe desprenderse de sus ataduras. La fortaleza de sus ataduras determinará cuánto tiempo tardará en deshacerse de ellas. Cuando el alma despierta, sólo puede entrar en un plano de la existencia que le resulta conocido. Si trataras de entrar en un plano superior a tu nivel de evolución, te sentirías confundido e incómodo. De la misma forma, no puedes retroceder en tu evolución: sólo puedes progresar.

Una especie de capullo envuelve al alma que duerme. Cuando despierta, el alma se desprende de esta envoltura, que eventualmente desaparece. Durante la jornada astral las almas se encuentran con otras que vibran en un nivel similar de evolución. Tú puedes encontrar otras almas que has conocido en el mundo físico si están en tu misma frecuencia. La mayoría de la gente desea profundamente reunirse con sus seres amados después de morir. Sus almas no navegan a la deriva a través de la atmósfera astral, sino que son dirigidas por el amor mismo. El amor es una vibración más antigua que la humanidad misma. Sin embargo, el principio de dirección es muy humano: nosotros vamos adonde nuestros deseos más profundos nos llevan.

Cuando el Espíritu se mueve en el mundo de los objetos físicos, su vibración es muy lenta y densa, casi inmovilizada por la cobertura física del cuerpo. Cuando opera en un nivel más alto de vibración, el Espíritu también está inmóvil porque experimenta únicamente la conciencia pura; en otras palabras, a sí mismo. Entre ambos extremos se encuentra todo el ámbito de la creación. En el mundo astral, el alma puede visitar planos de vibración inferiores al suyo de acuerdo con su voluntad, pero sólo puede acceder a planos superiores mediante la evolución, de la misma manera en que tú puedes colar partículas en filtros más y más finos. Una partícula siempre puede retroceder a un nivel de filtro más grande, pero sólo puede avanzar a niveles más finos cuando ha alcanzado el nivel correcto de refinamiento.

A los frailes cristianos que me enseñaban en la escuela les gustaba hablar de cómo sería la vida en el Cielo, y para ellos el hogar de Dios era real y sólido como cualquier edificio de Delhi. Los *swamis* y los *yogis* estaban de acuerdo con ello, pero sólo porque creían que el Espíritu se encuentra en todos los planos de la existencia. Dependiendo de tu nivel de conciencia, proyectas tus propios paraísos, infiernos y purgatorios, que se encuentran en el plano físico de la misma forma que en los planos astrales. En el mundo físico, si deseas construir una casa, necesitas reunir los ladrillos, ponerlos uno encima del otro, etcétera. En el mundo astral, puedes simplemente imaginar la casa como la deseas y aparecerá tan real y sólida como la casa del mundo físico.

En el plano astral, el sufrimiento y el placer tienen lugar en la imaginación a pesar de que parecen reales. Es irónico que alguien que ha sido escéptico en este mundo probablemente lo sea también en los planos astrales; no se dará cuenta de que está en el lugar mismo que él cree que no existe. El cuerpo que habitas en el mundo astral es el cuerpo con que te has identificado más en tu vida física previa. Dado que se trata de un cuerpo imaginario, puedes conservarlo o cambiarlo durante tu vida astral. La evolución en ambos planos, físico o astral, es gradual y tarda algún tiempo.

Mis maestros cristianos sostenían la creencia de que cada deseo se vuelve realidad en el Cielo y, nuevamente, los *swamis* estarían de acuerdo con ellos. El deseo todavía tiene una importancia crucial después de la muerte. La evolución es en realidad el proceso de satisfacción del deseo. En el mundo astral satisfaces y refinas los deseos que quedaron insatisfechos durante tu última vida física. También refinas tu conocimiento y experiencias del mundo material. El plano astral es como una escuela de posgrado para tus encarnaciones físicas previas. En este sitio el alma también almacena energía para sus deseos más altos y evolucionados, de manera que puedan ser satisfechos en su próxima visita al plano físico, donde habitará un cuerpo nuevo.

Yo no estaba seguro de por qué, en el esquema cristiano, la gente moría. Algunos de los que morían iban cargados con sus pecados, me parecía, como los criminales que han alcanzado el final de sus malas acciones, mientras otros morían para encontrarse con Dios, ansiosos de que su momento llegara. En la India, alguien moría después de haber alcanzado el máximo nivel de evolución disponible en esa vida; los seres han alcanzado el final de lo que su *karma* puede enseñarles. Lo mismo es verdadero en el espejo del mundo astral. El ciclo se cierra a sí mismo para producir el renacimiento, lo cual me parecía totalmente natural cuando era niño. De hecho, era tan natural que no se me ocurría pensar qué tan misterioso debía ser ese proceso. De alguna manera el alma encuentra una pareja de padres compatibles, de forma que pueda renacer para continuar su evolución. Gracias a lo que ha tenido lugar en el plano astral, la reencarnación ocurre a un nivel más alto que el nivel que abandonamos previamente. Los cálculos específicos se realizan por el universo mismo, o como dicen algunas escrituras, por los señores del *karma*.

Cuando era niño, imaginaba una escena parecida a la que tendría lugar en un juzgado, en que un grupo de jueces sabios se sentaría a considerar cada caso; de hecho, los jueces eran tan sabios que conocían cada vida que el alma había tenido. Con absoluta imparcialidad, los jueces sancionarían los eventos que tendrían lugar en la siguiente vida. Su objetivo no era recompensar o castigar, sino establecer las oportunidades para evolucionar. Más adelante en la vida, se me ocurrió que no había necesidad de que existieran los señores del *karma*, dado que el universo relaciona no sólo cada vida, sino cada evento de la naturaleza. La escena en el juzgado se mantiene como un símbolo de nuestra propia claridad de juicio. Entre las diversas vidas somos perfectamente capaces de hacer las selecciones evolutivas para nuestro futuro. Para los sabios y santos más grandes, ninguna de esas cosas ocurrió de manera inconsciente. Ellos recordaron sus propias experiencias de vidas anteriores tan claramente como tú y yo evocaríamos los eventos del día de ayer. Sin embargo, a quienes carecemos de su conciencia liberada sólo nos queda un recuerdo remoto de lo que ocurrió antes.

Nacer significa llegar a un nuevo nivel de introspección y creatividad. El proceso se repite una y otra vez, y en cada ocasión avanza a un plano ligeramente superior. Cuando tu *karma* ha avanzado lo suficiente, alcanzas el límite máximo de ese plano, tu alma se escurre a la penumbra y el ciclo continúa.

La trayectoria del alma apunta siempre hacia niveles superiores. Cualquier sufrimiento en el plano astral, incluso el infierno más tormentoso, es solamente una desviación temporal. Al evolucionar, tu *karma* se asegura de que tus acciones siempre serán mejores la próxima vez. Yo sé que este concepto contradice la creencia popular de que la reencarnación degrada a la persona al nivel de un animal o incluso al de un insecto si nuestras acciones nos hacen merecer ese destino. La cultura hindú es muy antigua y compleja, y cuando yo crecía me asombraba descubrir cuán contradictorias podían ser sus enseñanzas espirituales. Las creencias cambiaban de un pueblo a otro, como la comida. Los hindúes son omnívoros. En algún momento u otro han creído en todo. Mis maestros católicos eran sólo el último platillo de un menú centenario. Eventualmente llegué a la conclusión de que la única manera de aprender algo acerca de los asuntos del espíritu consistía en experimentar y leer tanto como me fuera posible.

De acuerdo con la India de mi infancia, no escogemos nuestra próxima reencarnación de manera voluntaria; sin embargo, cierto elemento de selección tiene lugar en este proceso. El grado en que puedes elegir depende de qué tan claramente puedes verte en el plano astral. Esta facultad, llamada "testimonio", es comparable con lo que experimentamos aquí y ahora. Aquellos que tienen menor libertad de elección son dirigidos por las obsesiones, los deseos imperiosos, las adicciones y los impulsos inconscientes. En la medida en que te liberes de estos elementos, tendrás mayor capacidad de elegir. Lo mismo ocurre con el alma que contempla su próxima reencarnación física.

Los santos y los sabios son testigos luminosos en esta vida. Se dice que Buda era capaz de cerrar los ojos y, en un instante, ver miles de sus encarnaciones con todo detalle. En contraste, la mayoría de las personas estamos tan inmersas en el deseo que cuando intentamos vernos como realmente somos, sólo vemos niebla y oscuridad.

Al desarrollar tu habilidad de "testimonio", de ser consciente de tu propia situación, serás capaz de influir en las vidas en que reencarnarás. Siempre podrás acelerar el proceso de evolución de tu *karma*. De la misma forma, también puedes desarrollar las habilidades y el talento en el plano astral. (Esto explica, entre otras cosas, por qué los grandes artistas y músicos pueden demostrar sus habilidades a edades muy tempranas, a menudo antes de cumplir tres años de edad; nacer con talento no es un accidente.) Cuando naces eres portador de los talentos que has desarrollado en todas tus existencias previas.

Las ataduras del alma tienen lugar en el plano astral de la misma forma en que ocurre en el mundo físico. Las relaciones en el plano astral significan que vibras al mismo ritmo que el alma de alguien más, y por lo tanto experimentas un nivel sublimado de amor, unidad y paz. No se trata de una relación en términos espaciales o físicos, porque el mundo astral está habitado solamente por formas del pensamiento. Cuando el alma descarnada sintoniza la frecuencia de un ser amado que se encuentra en el plano físico, esa persona puede sentir la presencia de alguien que ha partido; dos almas pueden comulgar, incluso a pesar de que una vibre en el plano material y la otra en el astral.

La motivación del alma para seguir regresando al plano material tiene dos vertientes: para cumplir los deseos y para reunirse con las almas conocidas. Sentimos la cercanía de aquellas personas con cuyas almas nos hemos relacionado en el pasado; damos por terminadas las relaciones con personas cuyas almas ya no vibran con las nuestras.

Cuando era niño la única cosa que realmente me molestaba de este esquema era la manera en que terminaba la historia. En Occidente hace mucho tiempo que la gente no espera la próxima vida más de lo que disfruta la vida presente. Desde la Edad Media nos hemos atrincherado en el deseo de estar aquí. La India siempre ha sido más ambivalente. Hay suficiente dolor en la vida como para sentir ansiedad ante la perspectiva de repetirla para siempre. ¿Cómo puede uno escapar a la rueda del *karma*?

En una versión de las creencias hindúes, una vez que el alma ha completado el desarrollo de su *karma*, pierde todos los deseos terrenales. Ha trascendido los objetos materiales y las ataduras, y ha alcanzado la iluminación. Una vez que se encuentra libre del *karma*, no existe necesidad de renacer, ya sea en el nivel físico o en el plano astral. Dicha alma continúa la trayectoria espiral de su evolución, pero en planos que no podemos imaginar. En la filosofía oriental se los conoce como los planos causales; en ellos, la conciencia adopta una forma tan sutil que no ofrece una imagen visual a la que podamos asirnos. Conoceremos el mundo causal únicamente cuando estemos listos para experimentarlo, y ese momento será diferente para cada persona. Podemos atisbarlo en una epifanía, pero sólo podremos habitarlo cuando la vibración del alma sea lo suficientemente alta para sostenerlo.

En otra variación de la idea hindú, el *karma* es infinito y se renueva de manera constante. Tratar de alcanzar el final de tu *karma* sería como vaciar el agua de un bote con una mano y verter agua en el bote con la otra, por lo que la evolución funciona de manera relativamente diferente en este esquema. Cuando alcanzas la autorrealización, no te identificas más con tu cuerpo, tu mente, tu ego o tus deseos. Te conviertes solamente en testigo puro, y en ese estado puedes elegir trascender tu *karma*. Sin embargo, el final del *karma* no es el final de la vida. Es como salir de deudas y quedarte con la libertad de gastar el dinero sin límites.

El impulso de liberarme ha crecido y disminuido en mi interior, como ocurre con todos. En la tradición hindú, renacemos por una razón positiva, para expresar y agotar la fuerza del deseo. Incluso cuando era niño yo sabía que los frailes cristianos no estarían de acuerdo con eso, dado que la única razón para nacer en este mundo de pecado era encontrar el sendero hacia Jesús. El cristiano ideal tendría tanta prisa por alcanzar la redención que renunciaría completamente a este mundo, como muchos santos cristianos hicieron, lo mismo que muchos santos hindúes.

India ha sido influenciada por culturas antiguas que precedieron el surgimiento del hinduismo; incluso bajo la influencia del Islam y de los conquistadores cristianos ha mantenido la vista fija en la eternidad. En la mentalidad hindú no existe fin a los parajes celestiales que pertenecen a las frecuencias superiores de la existencia pero, como hemos visto, en cierto nivel superior de evolución algunas almas pueden escoger completar el camino. Una vez que el alma ha alcanzado esos niveles, no desearía experimentar otro nacimiento en forma humana, como no fuera para proporcionar un servicio particular; pero esas almas son la excepción. El budismo se refiere a ellas como *bodhisattvas*; aquellos que no regresan a la Tierra conducidas por la fuerza de la evolución, sino que eligen venir para servir a la causa de la iluminación. Cuando le pregunté a un lama tibetano qué era un *bodhisattva*, me dijo: "Imagina que ya no estás soñando y, a pesar de que disfrutas de estar despierto, también disfrutas de ayudar a otros que todavía duermen".

Desde luego, la mayoría de la gente no está consciente de esto, y para ellos el ciclo del karma continúa de manera espontánea. En este mismo lugar y momento estamos rodeados por un número infinito de planos. Si yo pudiera cambiar tu nivel de conciencia a una frecuencia más alta, podrías estar con los ángeles en este mismo minuto, si así lo desearas. En el campo de las posiblidades infinitas convives con todos estos niveles al mismo tiempo, pero en el nivel de la experiencia existes solamente en uno. De acuerdo con algunas enseñanzas hindúes, deseamos tanto alcanzar esos otros planos que viajamos a ellos por la noche, cuando dormimos. En esas condiciones, el cuerpo astral realmente abandona el cuerpo físico y permanece vinculado a él por un hilo que le permite regresar nuevamente. Si el hilo se rompe se pierde el camino de regreso. También es peligroso coquetear con los planos astrales inferiores si no los comprendes. Sin embargo, una vez que verdaderamente comprendes que la totalidad del esquema de mundos es producto de la imaginación del Espíritu, desde el más bajo hasta el más alto, desde los demonios hasta los ángeles, no puede haber nada peligroso acerca de la Creación.

En esta introducción he intentado sumergirte en el mundo que descubrí por mí mismo hace sesenta años. Esta es la perspectiva védica tal y como yo la comprendí. Se trataba de un gran océano espiritual, y a la manera típica hindú, eras invitado a sumergir tu vaso en él y a beber tanto como desearas. Es casi imposible que una sociedad abrace enteramente la idea del infinito, y la India no es la excepción. La gente todavía está tan perturbada por los conceptos de "muerte" y "morir" como aquí, y existen quienes han dado la espalda totalmente al mar de conocimiento que se encuentra a sus pies. En Occidente tenemos nuestra propia versión de este fenómeno. Negamos que alguien pueda conocer lo que existe después de la muerte, lo que temporalmente cierra la puerta, de manera conveniente, a nuestra ansiedad. O bien decimos que el conocimiento espiritual es relativo, que todo lo que importa es la fe misma, y no aquello en lo que tienes fe.

Son esas limitaciones las que este libro intenta superar. En última instancia, la pregunta: "¿Qué pasa después de que morimos?", deriva en: "¿Qué pasa después de que yo muero?". El tema se vuelve personal, emocional, y es imposible escapar de él. Si un musulmán devoto llegara a un paraíso cristiano (o viceversa) sería muy infeliz: la eternidad no cumpliría sus expectativas. Yo fui afortunado cuando era niño, porque este sencillo esquema que me presentaron —y que he presentado en esta introducción— permite que cada alma encuentre el hogar al que pertenece.

Lo que también ha permanecido conmigo son ciertos temas que ocupan un lugar destacado en este libro:

❦ La vida después de la muerte es un lugar de claridad recién encontrada.

❦ La vida después de la muerte no es estática. Continuamos evolucionando y creciendo tras morir.

❦ La capacidad de elegir no termina con la muerte; se amplía.

❦ Las imágenes terrenales nos llevan a la vida después de la muerte (vemos aquello que nuestra cultura nos ha condicionado a ver), pero a partir de entonces el alma da saltos creativos que abren nuevos mundos.

Me propuse revisar qué tan verosímiles eran estas premisas, toda vez que van más allá de la historia cristiana sobre el Cielo y el Infierno que aprende la mayoría de los niños occidentales. Una cultura antigua crea el espacio para que el amor y la muerte coexistan, no como enemigos, sino como aspectos interrelacionados de una vida. El gran poeta bengalí, Rabindranath Tagore, escribió:

La noche besó al día que se desvanecía
con un suspiro.
'Yo soy la muerte, tu madre,
de mí obtendrás un nuevo nacimiento.'

El concepto de vida después de la muerte con el que crecí no concluye, como ocurre con la vida misma. La antigua sabiduría espiritual me ha acompañado durante décadas, modificada por la experiencia y la reflexión. La única noción de muerte que tiene sentido para mí es la que nos permite experimentarlo todo. Ahora espero proporcionar a mis lectores una oportunidad de obtener la misma libertad, en este y en cualquier mundo por venir.

Primera parte

☙ ❧

LA VIDA
DESPUÉS DE LA MUERTE

1

La muerte toca la puerta

Hace mucho tiempo, en los densos bosques que alguna vez rodearon la ciudad sagrada de Benares, había mucho trabajo para los leñadores. Uno de ellos era el bien parecido Satyavan, quien era el más guapo por tener tanto amor por su esposa, Savitri. Frecuentemente, a Satyavan le resultaba difícil abandonar su choza por las mañanas para ir a trabajar en los bosques.

Un día, Savitri permanecía adormilada en su cama contemplando su felicidad, que parecía completa. De pronto notó que alguien estaba sentado con las piernas cruzadas en el pequeño y polvoroso claro que se encontraba frente a su casa. Pensó que se trataba de un monje vagabundo. Savitri puso algo de arroz y vegetales en un tazón y salió presurosa a ofrecerlo al hombre santo, dado que la hospitalidad era un deber sagrado.

—No necesito comida —dijo el extraño, alejando el tazón que Savitri había puesto frente a él en el suelo—. Esperaré aquí.

Savitri regresó a su casa horrorizada, porque repentinamente se dio cuenta de quién era el huésped. No se trataba de un monje vagabundo sino de la Muerte misma, a quien se conoce en la India como el Señor Yama.

—¿A quién esperas? —preguntó, con voz temblorosa.

—Espero a un hombre llamado Satyavan —dijo amablemente el Señor de la Muerte. Estaba acostumbrado a tener autoridad absoluta sobre los mortales, y se dirigía a ellos de manera sencilla, con tan sólo un atisbo de arrogancia.

—¡Satyavan! —exclamó Savitri. Apenas pudo evitar desmayarse cuando escuchó el nombre de su marido—. Pero si él es fuerte y saludable, y nos amamos tiernamente. ¿Por qué ha de morir?

Yama se encogió de hombros.

—Todo será como será —dijo indiferente.

—Pero si te importa tan poco —añadió Savitri, recobrando el sentido del ingenio— entonces, ¿por qué no llevarte a otra persona? Hay gente enferma y malvada que implora su liberación por la muerte. Visítalos y deja mi casa en paz.

—Esperaré aquí —repitió Yama, sin conmoverse por las súplicas y las lágrimas que manaban de los ojos de Savitri. Ella pudo ver en el rostro de Yama un mundo en que todo carece de nombre y de piedad.

La joven esposa se precipitó al interior de su casa. Caminaba de un lado a otro de manera frenética, sabiendo que su esposo regresaría a su casa para encontrar su perdición. Los tigres temían el golpe del hacha del valiente Satyavan, pero allí se encontraba un enemigo al que ningún filo podía herir. En ese momento Savitri concibió una idea, fruto de la desesperación. Se echó una capa sobre los hombros y se internó corriendo en los bosques.

Savitri había escuchado que existía un lugar sagrado en la montaña, un espacio en la tierra tan grande como una cueva, formado por las raíces de un enorme árbol banyan. Un famoso santo vivía allí. Savitri le imploraría que la ayudara. Sin embargo, ella no conocía el camino y pronto se encontró siguiendo los senderos y el curso de los barrancos. El miedo la empujó tan lejos como lo permitieron el aliento y la fuerza, y Savitri vagó montaña arriba, cada vez más cansada. Se quedó dormida en el suelo por algún tiempo, sin saber cuánto.

Cuando un rayo de luz le hizo abrir los ojos, Savitri se encontró al pie de un enorme árbol banyan. Trató de ver a través del hueco cavernoso entre las raíces y miró el interior con ansiedad. Antes de que pudiera reunir el valor para entrar, una voz proveniente del interior le dijo: "¡Márchate!". La voz fue tan alta y repentina que se sobresaltó.

—No puedo marcharme —respondió Savitri, con voz temblorosa. Savitri expuso su petición desesperada, pero una voz en la oscuridad le preguntó:

—¿Por qué has de ser diferente tú a los demás? La muerte nos persigue de cerca, desde la cuna hasta el sepulcro.

Las lágrimas escurrían de los ojos de Savitri.

—Si eres más sabio que la gente ordinaria, debes tener algo para mí.

La voz le dijo:

—¿Deseas negociar con la muerte? Todos los que lo han intentado han fracasado.

Savitri se puso de pie con dignidad.

—Entonces permite que Yama me lleve en vez de llevarse a mi marido. Lo que todos dicen es verdadero. La muerte es absoluta. Mi única esperanza es que me mate y perdone a alguien que no merece morir.

La voz fue más amable en esta ocasión.

—Cálmate —le dijo—. Hay una manera.

Savitri escuchó un murmullo en la oscuridad, y entonces el santo salió de la cueva. Tenía un cuerpo delgado de asceta, envuelto en un taparrabo de tela, con un chal de seda que le cubría los hombros. El santo tenía un aspecto sorprendentemente joven. Le dijo a Savitri que su nombre era Ramana.

—¿Cónoces alguna manera de derrotar a la muerte? Dime... —le imploró Savitri.

El monje Ramana entrecerró los ojos ante la luz del sol, ignorándola por un momento. Tenía una mirada que Savitri no podía descifrar. A continuación, se inclinó para recoger una flauta de carrizo gastada por el tiempo que se encontraba en el suelo.

—Ven —le dijo—. Quizá puedas aprender. No puedo prometerlo, pero es evidente que estás lo suficientemente desesperada.

Como si se hubiese olvidado de ella, Ramana comenzó a tocar la flauta y se dirigió a un sendero cercano. Savitri se detuvo allí por un momento, confundida y consternada, pero conforme las notas musicales de la flauta se perdían en el bosque, no le quedó más remedio que correr para alcanzarlo.

El milagro de la muerte

Cada vida se encuentra enmarcada por dos misterios. Sólo uno de ellos, el nacimiento, es considerado un milagro. Si eres una persona religiosa, éste consiste en que el nacimiento trae un alma nueva al mundo desde su hogar con Dios. Si no lo eres, el milagro consiste en que una sola célula fertilizada en el vientre de la madre puede dividirse y subdividirse nuevamente más de cincuenta veces para producir una persona completamente nueva. De alguna manera, un glóbulo de proteína y agua sabe cómo cobrar la forma de los ojos, las manos, la piel y el cerebro.

Esta transformación de nueve meses continúa acelerándose, de forma que al terminar aparecen un millón de células nuevas cada minuto. En el momento en que el recién nacido emerge, como una nave espacial desprendiéndose de la nave nodriza, cada sistema que necesita funcionar de manera independiente —el corazón, los pulmones, el cerebro, el tracto digestivo— repentinamente acepta que ha llegado el momento y que no puede posponerse. Los órganos se desprenden de la dependencia total de la madre, y con precisión asombrosa comienzan a actuar como si siempre lo hubieran hecho por sí mismos. En menos de un segundo la vida elige vivir.

El otro misterio que tiene lugar, generalmente varias décadas después, es la muerte, que es muy diferente. La muerte lleva a su fin todas las cosas que el nacimiento se esforzó en lograr. La palpitación del corazón cruza una línea invisible y se detiene. Los pulmones, que han bombeado 700 millones de veces, se rehúsan a bombear una vez más. Cien mil millones de neuronas dejan de centellear; un billón de millones de células a lo largo del cuerpo reciben la noticia de que la misión ha concluido. Sin embargo, este final abrupto es un misterio mucho mayor que el nacimiento, porque en el momento en que la vida termina, generalmente 99 por ciento de nuestras células todavía funciona y la totalidad de los tres mil millones de codones —las letras individuales en el libro del ADN humano— permanece intacta.

La muerte se presenta sin la milagrosa coordinación del nacimiento. Algunas células ni siquiera reciben la noticia por algún tiempo. Si la persona que ha fallecido es revivida en los siguientes diez minutos, antes de que el cerebro sea dañado por la hipoxia, la maquinaria del cuerpo vuelve a funcionar como si nada hubiera ocurrido. De hecho, la muerte es un acontecimiento tan abrupto que los párpados continúan moviéndose, diez o doce veces, después de que la cabeza ha sido separada del cuerpo (hecho pavoroso que fue descubierto al pie de la guillotina durante la Revolución Francesa).

La religión no considera que la muerte sea un milagro. En el mundo cristiano la muerte es vinculada al pecado y a Satanás, equivalente occidental del Señor de la Muerte. La muerte es el enemigo y Dios nos salva de sus garras. Sin embargo, con ayuda de Dios, la muerte es el camino hacia un acontecimiento mucho más importante: la vida eterna. Para la mentalidad religiosa, la muerte hace que la presencia de Dios sea más cercana, y existen testigos a lo largo de la historia que aseguran haber visto al alma partir. (No todos estos testigos eran religiosos. Conozco un prominente psiquiatra cuyo ateísmo fue profundamente afectado en la escuela de medicina, cuando entró al cuarto de un paciente con cáncer en el momento mismo de su muerte y vio una forma fantasmagórica y luminosa emerger del cuerpo y desaparecer.) Existe una leyenda persistente que afirma que 21 gramos de masa desaparecen de nuestro cuerpo al morir, lo que sería el peso del alma. De hecho, eso no sucede.

Cualquier cosa que sea lo que ocurre al morir, yo creo que merece ser considerado como un milagro. Irónicamente, el milagro es que no morimos. El hecho de que las funciones del cuerpo cesen constituye una ilusión, y como un mago que aparta una cortina, el alma revela lo que yace más allá. Hace mucho tiempo que los místicos comprendieron la alegría de este momento. Como afirmó el gran poeta persa Rumi: "La muerte es nuestra boda con la eternidad". Pero no sólo los místicos han advertido esa ilusión de la muerte. El eminente filósofo del siglo xx, Ludwig Wittgenstein, escribió: "Para la vida en el presente la muerte no existe. La muerte no es un evento en la vida. No es un hecho en el mundo".

Yo creo que la muerte logra las siguientes cosas maravillosas:

❧ Reemplaza el tiempo con la ausencia de tiempo.
❧ Amplía las fronteras del espacio al infinito.
❧ Revela la fuente de la vida.
❧ Proporciona una nueva forma de conocer lo que se encuentra más allá del alcance de los cinco sentidos.
❧ Revela una inteligencia oculta que organiza y sostiene la creación (por el momento no utilizaremos la palabra "Dios", porque en muchas culturas un solo creador no es parte del proceso de morir o de la vida después de la muerte).

En otras palabras, la muerte es el cumplimiento de nuestro propósito en la Tierra. Cada cultura tiene una fe profunda en que esto es verdadero, pero nuestra cultura actual exige un nivel de prueba más alto. Yo creo que la prueba existe, pero no puede ser física, dado que por definición la muerte pone fin a la vida física. Para ver esa prueba debemos ampliar las fronteras de la conciencia, de manera que podamos conocernos mejor. Si te conoces más allá del tiempo y del espacio, tu identidad se habrá ampliado lo suficiente para incluir la muerte. La razón por la que los seres humanos seguimos buscando el cumplimiento más allá de las estrellas, es porque sentimos que nuestro propio misterio se encuentra allí, no aquí, en el ámbito de las limitaciones físicas.

La eternidad ahora

Al ser un milagro invisible, la muerte es extremadamente evasiva. Sin embargo, podemos contar con claves convincentes de que lo que se encuentra "del otro lado" está en realidad muy cerca de nosotros en este mismo momento. La gente no comprende qué tan importante es esto en relación con la vida después de la muerte. La palabra misma "después" implica que el tiempo no ha cambiado al momento de morir, de que sigue transcurriendo en forma lineal, llevando a la persona del tiempo terrenal al tiempo celestial. Este concepto es erróneo por cuenta doble. En primer lugar, la eternidad no es una función del tiempo. En el mundo cristiano, los pecadores a quienes se ha enviado al Infierno por toda la eternidad no serán castigados por un tiempo muy largo. Ellos serán castigados *fuera* del tiempo. La gente buena que encuentra la salvación también vive en esa misma región donde los relojes no funcionan. De manera que nuestro sentido ordinario del tiempo no tiene importancia en relación con lo que viene después.

En segundo término, nuestro sentido ordinario del tiempo está basado en la eternidad. El Universo explotó y cobró existencia hace catorce mil millones de años, y echó a andar el reloj cósmico. Nuestros cuerpos experimentan el tiempo debido a las vibraciones de los átomos, al nivel del hidrógeno, oxígeno, nitrógeno y carbón, los bloques primarios que constituyen los químicos orgánicos. Medimos los eventos exteriores al utilizar el reloj interior del cerebro, que no es otra cosa que esos químicos orgánicos. El cerebro de un caracol percibe el tiempo tan lentamente que tarda cinco segundos entre el término de un evento y el inicio del siguiente. En esos cinco segundos tú puedes recoger el caracol y moverlo a tres metros de distancia, de manera que para el caracol parecería como si hubiera sido teletransportado en el espacio. El cerebro humano percibe el tiempo lo suficientemente rápido para que podamos sentir eventos que duran apenas unas milésimas de segundo (la picadura de un mosquito, el batir de alas de un colibrí), pero es demasiado lento para que podamos observar el vuelo de una bala o el millón de neutrinos que atraviesan nuestros cuerpos cada minuto.

Antes del Big Bang, el tiempo no transcurría; un segundo era igual a la eternidad. Nosotros lo sabemos porque la física cuántica ha penetrado en la ilusión del tiempo, alejándose del reloj atómico para profundizar en la materia de la naturaleza. En el nivel más profundo las vibraciones cesan. El universo deja de tener actividad, como un cerebro muerto. Sin embargo, la apariencia de la muerte es ilusoria, porque la frontera donde toda actividad termina marca el comienzo de una nueva región, conocida como realidad virtual, donde la materia y la energía existen como potencia pura. La base de la realidad virtual es compleja, pero en términos sencillos una región no física debe existir para dar nacimiento al universo físico. Esa región está en el vacío pero dista mucho de encontrarse vacía. De la misma forma en que al quedarte dormido en el sofá tu mente se encuentra en blanco, pero puede despertar de manera instantánea y concebir una selección infinita de ideas, la realidad virtual despierta a un ámbito infinito de acontecimientos nuevos. La creación salta del vacío a la plenitud total, de la misma forma en que la eternidad salta de la carencia del tiempo a la plenitud de éste.

Si la eternidad está con nosotros ahora, más allá de toda existencia física, debe trascendernos a ti y a mí. La ilusión del tiempo nos dice que tú y yo estamos avanzando en una línea recta del nacimiento a la muerte, cuando en realidad nos encontramos en el interior de una burbuja espumosa que la eternidad ha dejado a la deriva.

De hecho, el acontecimiento de la muerte nunca se ha encontrado lejos, y la frontera fija entre la vida y la muerte no es impenetrable. Conozco una mujer de Nuevo México llamada May, divorciada, que tiene cincuenta años de edad. Durante su adolescencia sufrió el impacto de que su adorado hermano mayor muriera repentinamente en un accidente automovilístico. "Yo tenía quince años, él diecinueve, y es la única persona que yo he adorado verdaderamente en la vida. Cuando murió, puf, así de pronto, ni siquiera pude hacerme a la idea", dice May. Se encontró en un estado de duelo intenso que la acompañó durante varios años.

"Me volví completamente retraída. Dejé de ver a todos los demás. Seguí preguntando: '¿Por qué? Quiero una respuesta. Díganme'. Pasaban los días y no obtenía lo que buscaba." May había dado a luz a un niño, de manera que decidió volver a la sociedad por el bien de su hijo. "Yo sabía que no era bueno para él crecer como un recluso, así que decidí comenzar a ver a unas cuantas personas a la vez."

Durante la primera reunión social a la que asistió, May sintió repentinamente una extraña sensación.

Yo estaba hablando con alguien mientras sostenía una copa de vino en la mano, cuando me di cuenta de que no podía sentir mis pies. El entumecimiento comenzó a subir rápidamente por mis piernas, y tuve una idea súbita: "Llegó el momento". Inmediatamente desapareció la habitación y me encontré viajando por el espacio más rápidamente de lo que podía imaginar. Era como si todo se hubiera comprimido y expandido de manera increíble, al mismo tiempo. Yo no tenía idea de hacia dónde me dirigía. La fiesta en la que estaba tenía lugar en una granja, así que la ambulancia tardó quince minutos en llegar. Para entonces yo había despertado; mis amigos me dijeron que había tenido un pulso muy débil todo el tiempo. Nadie sabía si me había desmayado o si había sufrido un ataque.

Le pregunté a May cómo interpretaba su experiencia. "Está todavía aquí", respondió, sosteniendo la palma de su mano a treinta centímetros de su pecho. "Aproximadamente a esta distancia."

"¿Qué es lo que aún está aquí?", le pregunté. "La eternidad. Estoy segura de que eso fue lo que experimenté, y esa sensación nunca me ha abandonado. Me proporciona la convicción de que existo más allá de mi cuerpo. Cuando tenía treinta y tantos años pasé una etapa difícil en la que padecí cáncer de pecho, pero no tuve miedo de morir, ni siquiera por un momento. ¿Cómo podía tener miedo? Yo había visto la eternidad."

El Vedanta. *Las respuestas del alma*

Yo quiero poner un rostro humano a la inmortalidad antes de abordar el conocimiento científico que la apoya. Los hechos son inútiles si no podemos relacionarnos con ellos de manera personal, y nada resulta más personal que la muerte. En la India antigua la idea de que era posible experimentar la eternidad era ampliamente aceptada, así que tratemos de abordar el tema para ver de qué manera sucedía. Hace miles de años existían personas que buscaban en las profundidades del espíritu las respuestas, sin ofender a Dios o traspasar sus dominios. Me refiero a los *rishis*, o sabios de la India de los Vedas, quienes se destacaron en la era en que el hinduismo comenzaba a florecer, quizás una época tan lejana como hace cuatro mil años o tan reciente como hace mil. Los nombres por los que se conoce a los *rishis*, tales como *vyassa*, *brighu* y *vasistha*, pueden o no ser correctos desde el punto de vista histórico, pero el *corpus* que dejaron atrás se cuenta en millares de páginas. Muchos escritos carecen de un autor probado, similar a como ocurre con el Antiguo Testamento, pero las enseñanzas de los *rishis*, conocidas como el *Vedanta*, no constituyen una religión.

El paisaje espiritual de la India estaba repleto de dioses y diosas; existían inmuerables *Lokas*, o mundos no físicos. También existían jerarquías de ángeles y demonios que rivalizarían con cualquier texto de Dante. Frente a tan desconcertante diversidad, los *rishis* no ofrecieron un Dios, sino una realidad que incluía toda experiencia posible, tanto en esta vida como más allá. Afirmaron que cada nivel de existencia era en realidad un estado de conciencia. Otros mundos —de hecho todos los mundos— estaban formados por conciencia. Por lo tanto, como creadores de esos mundos, podíamos experimentarlos e influir en ellos de acuerdo con nuestra voluntad. Ésa es la esencia del *Vedanta*. Lo que los *rishis* estaban proponiendo era más que una filosofía; era una invitación a participar en un experimento sin fin. El propósito de este experimento consistía en poner a prueba la verdad de la realidad al explorarla en el interior de uno mismo.

La invitación todavía está abierta. Cuando tú o yo la aceptamos, nos vinculamos con los *rishis* védicos por medio de lo que Aldous Huxley llamó "la filosofía perenne", que regresa en cada era para satisfacer las exigencias de una nueva generación. Sería inútil traer al presente una tradición antigua si no se aplicara a nosotros; sin embargo, el *Vedanta* lo hace. Por una parte, la duda ha reemplazado al dogma en la vida de mucha gente. La actual confusión espiritual puede no ser exótica como la profusión de templos y dioses de la India antigua, pero escucha las voces que nos rodean:

Yo estaba en la unidad de enfermos de Alzheimer cuando mi abuelo murió. Él era una persona totalmente diferente al final; en la locura, drogado al máximo por la morfina. Era como observar la muerte de un vegetal. Cuando dejó de respirar era como si nada hubiera cambiado.

"Mi ex marido es un bastardo. Le dije que cuando muera tendrá un boleto para irse derecho al Infierno. Primera clase."

"Soy budista. Cuando abandone mi cuerpo me volveré conciencia pura."

"Soy hindú. Ya soy conciencia pura."

"¿A quién engañan? Cuando te mueres, te mueres. Punto."

Esa última voz es la voz del materialismo, que considera que la muerte es el final porque sólo contempla la vida en el cuerpo físico. Podemos afirmar que la negación de la vida después de la muerte es científica, pero de hecho sólo indica la creencia en el materialismo. Los *rishis* creían que el conocimiento no era externo a quien conoce, sino que estaba tejido en el interior de la conciencia. Por lo tanto, ellos no tenían necesidad de un dios exterior para resolver el acertijo de la vida y la muerte. Los *rishis* se tenían a sí mismos, lo cual resulta muy afortunado porque lo mismo ocurre con nosotros. Cada persona es consciente. Cada persona es un "yo". Cada persona está segura de la existencia; es decir, de estar viva. Con estos ingredientes crudos, según el *Vedanta*, cualquiera puede obtener el conocimiento de primera mano acerca de cualquier cosa, sin importar qué tan profundo parezca el misterio.

Entonces, ¿por qué no lo hemos hecho nosotros? Quizá porque no estamos en contacto con nuestra parte más profunda, con lo que los *rishis* llamaban *atman*. La palabra más cercana en castellano es "alma". El alma y el *atman* son una chispa de lo divino, el componente invisible que proporciona la presencia de Dios en carne y hueso. La diferencia más importante entre ellos es que en el *Vedanta* el alma es inseparable de Dios. A diferencia del alma cristiana, el *atman* no puede venir de Dios o volver a él. Existe una unidad entre lo humano y lo divino; la conciencia de esta unidad es un paso necesario que produce el amanecer de la realidad.

El *atman* puede decir de manera natural: "Yo soy Dios". Eso resulta mucho menos natural para nosotros. Hace algunos años tenía un amigo que era capaz de tener experiencias espirituales intensas, como abandonar su cuerpo y ver una luz blanca en su corazón; o al menos eso decía. Le dije que yo nunca había tenido esas experiencias. "Yo tampoco", me respondió, "las mías han sido impersonales".

Él me dio una idea en ese momento, porque algo eterno, ilimitado e inmutable *no puede ser personal*. Nos referimos de manera habitual a "mi" alma, pero esa frase es engañosa. El alma no me pertenece de la misma forma en que me pertenece mi casa, como una posesión, o de la manera en que me pertenecen mis hijos, como una extensión de mi carne y de mi sangre. No me pertenece como me pertenecen mi personalidad o mis recuerdos, porque la senilidad y las enfermedades de la mente pueden incapacitar el cerebro y llevarse ambos.

La muerte no se refiere a lo que poseo sino a aquello en lo que puedo convertirme. Hoy en día me considero como el hijo del tiempo, pero puedo convertirme en el hijo de la eternidad. Veo mi lugar aquí, en la Tierra, pero puedo emprender un viaje por el universo. Los seres humanos tenemos una profunda intuición de que nuestro destino es infinito, pero tememos a la muerte porque si acaso estuviéramos equivocados, entonces todas esas aspiraciones estarían vacías. Durante mi carrera médica he podido ver cuán temerosas pueden estar las personas al final de la vida. La muerte no es más real que ningún otro momento, pero es el más definitivo. Sin importar qué tan rico y talentoso seas, la muerte reestablece la igualdad. (Recuerdo cuando un renombrado gurú estaba dando una conferencia acerca de la manera en que ser atraído por la luz era la más alta recompensa espiritual. La mujer sentada a mi lado se agitaba en su asiento; se inclinó y me dijo al oído: "Me suena mucho como la muerte".)

Para que el más allá tenga sentido, tiene que ser tan satisfactorio como esta vida. Darle fin al dinero, al poder, al sexo, a la familia, a los logros y al placer físico no es trivial. Gran parte de las cosas que amamos y de las que dependemos quedarán extinguidas cuando esta vida llegue a su final. Y sin embargo, podemos llevar algo a ese momento. Hace muchos años, cuando era un médico principiante en Boston, una pareja de ancianos fue admitida en el hospital. El marido estaba al final de una larga lucha contra el cáncer de colon. La esposa, a pesar de que tenía un largo historial de enfermedades cardiacas, estaba en mejor estado. Ambos compartían una habitación, y durante los pocos días en que los visité pude darme cuenta de cuán unidos estaban.

El marido permaneció allí durante algunos días, perdiendo la conciencia y recuperándola, atormentado por un dolor considerable. La esposa se sentaba a su lado y sostenía su mano, hora tras hora. Una mañana encontré su cama vacía; ella había muerto repentinamente de un paro cardiaco durante la noche. El marido estaba en un periodo de lucidez, así que tuve que darle la noticia, reticente, porque temía el impacto que pudiera causarle. El hombre parecía muy calmado. "Creo que ahora me marcharé", dijo. "He estado esperando."

"¿Qué esperaba?", le pregunté. "Un caballero siempre permite que la dama pase primero", dijo. Se hundió en la inconciencia y murió esa misma tarde.

Este episodio me recuerda aquello que podemos llevarnos al morir. La gracia, la calma, la aceptación paciente de lo que vendrá: todas esas son cualidades que pueden ser cultivadas, y cuando lo son, la muerte es una prueba ante la que no podemos fallar. Nuestra falta no es que temamos a la muerte, sino que no la respetamos como un milagro. Los temas más profundos —el amor, la verdad, la compasión, el nacimiento, la muerte— son iguales. Pertenecen a nuestro destino, pero también a nuestra vida presente. En última instancia, la meta de este libro es traer la muerte al presente y de esa manera elevarla al nivel del amor.

Con ese fin continuaré con la historia de Savitri, una mujer que trató de usar el amor para superar la muerte, como un interludio en nuestra discusión sobre el más allá. En la plenitud del amor existe un secreto que ella aprendió y que nosotros debemos reaprender. Tagore se refirió a él de manera hermosa en el siguiente poema:

¿QUÉ DARÍAS?

¿Qué darías
cuando la muerte toque a tu puerta?

La plenitud de mi vida,
El dulce vino de los días de otoño y las noches de verano,
Mi pequeño tesoro cosechado a lo largo de los años,
Y las horas enriquecidas con lo vivido.

Esos serán mis regalos,
Cuando la muerte toque a mi puerta.

2

LA CURA PARA LA MUERTE

❧❧❧

Conforme escalaban la montaña, Savitri se puso cada vez más ansiosa porque Ramana no le prestaba atención. Él abandonó el sendero, se internó en una barranca y se perdió de vista. Savitri se esforzó por alcanzarlo y llegó a la margen de un arroyo donde encontró sentado al monje. Él sacó su flauta de carrizo, que llevaba atada a su capa azafranada, y comenzó a tocar.

—Mi música no te hace sonreír —le dijo al notar la mirada ansiosa de Savitri. Ella sólo podía pensar en el Señor de la Muerte, que la aguardaba en casa.

—Tenemos muy poco tiempo —le imploró—. Enséñame lo que habrás de enseñarme.

—¿Qué pasaría si yo pudiera enseñarte la cura contra la muerte? —le preguntó Ramana. Savitri estaba perpleja.

—Estoy segura de que todos morimos.

—Entonces crees en los rumores. ¿Qué pasaría si te dijera que nunca has sido feliz? ¿Me creerías?

—Desde luego que no. Yo era feliz esta mañana, antes de que todos estos problemas comenzaran —dijo Savitri. Ramana asintió con la cabeza.

—Todos recordamos cuando éramos felices, y nadie puede convencernos de que ese conocimiento es falso. Así que déjame formular otra pregunta: ¿puedes recordar no estar viva?

—No —dijo Savitri, dudosa.

—Inténtalo una vez más. Recuerda cuando eras muy, muy pequeña. Trata tanto como te sea posible recordar *no* estar viva. Esto es importante, Savitri.

—Muy bien.

Savitri lo intentó, pero no tenía recuerdos de no estar viva.

—Quizá no puedas recordar no estar viva porque siempre lo has estado —dijo Ramana. El monje señaló hacia una langosta que se aferraba a una rama, sobre su cabeza—. Si ves a una langosta emerger de la tierra después de dormir siete años, ¿acaso eso significa que estaba muerta antes?

Savitri negó con la cabeza.

—Sin embargo, la única razón por la que crees que naciste es que tus padres te vieron salir del vientre de tu madre. Ellos creyeron presenciar el momento en que tú comenzaste a existir, así que difundieron el rumor de que habías nacido.

Savitri estaba asombrada ante esta forma de pensar. Ramini se volvió insistente.

—Mira este arroyo. Todo lo que puedes ver es un pequeño tramo pero, ¿podrías decir que sabes dónde comienza y dónde termina? Préstame atención, Savitri. Tú aceptas la muerte porque aceptas el nacimiento. Ambos deben complementarse. Olvida esos rumores de que naciste alguna vez. Ésa es la única cura contra la muerte.

Ramana se puso de pie y guardó su flauta bajo su capa. Estaba listo para marcharse.

—¿Me crees?

—Quiero creerte, pero todavía tengo miedo —admitió Savitri.

—Entonces continuemos.

Ramana comenzó a alejarse y Savitri lo siguió, tratando de entender lo que había dicho. Le parecía irrefutable que si ella nunca había nacido, nunca podría morir. ¿Era verdad?

Ramana interrumpió sus pensamientos:

—No podemos basar la realidad en aquello que no recordamos, sólo en aquello que podemos recordar. Todos recordamos ser; nadie recuerda no ser.

Después de un momento, ella tocó gentilmente su brazo.

—Toca un poco de música para mí, por favor. Deseo recordar haber sido feliz.

Atravesar al más allá

La afirmación del *Vedanta* de que el alma siempre está cerca nos pone cara a cara con el fascinante fenómeno de las experiencias cercanas a la muerte, que se ha convertido en un elemento fijo de la creencia popular. (En una encuesta de la empresa Gallup realizada en 1991, trece millones de estadounidenses, aproximadamente cinco por ciento de la población, afirmó que había tenido una experiencia similar.) La experiencia cercana a la muerte es un roce momentáneo con otra realidad, o así les parece a quienes afirman haberla tenido. Una persona yace en el cuarto de urgencias o en la unidad de cuidados intensivos de un hospital, su corazón se detiene, y para todo efecto práctico la muerte se avecina. Sin embargo, algunos de esos pacientes, especialmente los que han sufrido un paro cardiaco, pueden ser resucitados. Cuando lo son, cerca de veinte por ciento reporta al menos uno de los síntomas familiares a la ECM (siglas con que suele abreviarse la experiencia cercana a la muerte en la literatura médica), como abandonar sus cuerpos, mirar hacia abajo y verse a sí mismos en la mesa de operaciones, observar los procedimientos médicos que son ejecutados mientras los doctores tratan de revivir sus corazones, encontrarse en el interior de un túnel, caminar hacia una luz brillante, sentir la presencia de un poder superior, escuchar o ver a seres amados que los llaman.

El doctor Pim van Lommel, cardiólogo que condujo un importante estudio sobre el tema en los Países Bajos, se asombró al descubrir que los pacientes tenían experiencias cercanas a la muerte después de que la actividad de sus cerebros había cesado. Repentinamente la muerte es ahora considerada como un milagro. ¿Cómo puede una persona experimentar cualquier evento una vez que el cerebro ha dejado de funcionar? Sin embargo, otras culturas se han adentrado más profundamente en el ámbito sin tiempo, y aseguran que el tiempo puede terminar, pero la conciencia continúa.

Una mujer llamada Dawa Drolma se sienta en silencio, en el interior de una tienda de felpa negra en las faldas del Himalaya. Este es su hogar, pero hay muy poca privacidad porque los visitantes entran y salen todo el día para formular preguntas y pedir su bendición. Dawa Drolma se ha vuelto famosa en toda la parte oriental del Tíbet desde que regresó de la muerte. Su muerte sucedió cuando tenía dieciséis años a causa de una enfermedad repentina, y durante cinco días su cuerpo permaneció sin ser tocado por su familia o por los sacerdotes. Después de ese lapso, Dawa reingresó en su cuerpo con recuerdos precisos de lo que ocurrió en el Bardo, el sutil mundo del más allá del budismo tibetano.

En esos cinco días Dawa pasó algún tiempo en diversos paraísos e infiernos. (Estos son términos cristianos, pero corresponden a lugares descritos en el budismo, donde los virtuosos son recompensados y los malhechores son castigados.) La diosa de la sabiduría se encargó personalmente de mostrarle a Dawa cada sitio, señalándole quién estaba allí y por qué. Ella sintió el éxtasis de esas almas, por quienes rezaban sus familiares aún vivos. Pudo escuchar los gritos de agonía y las súplicas de piedad de los malhechores que habían cometido pecados en la tierra. Dawa se encontró con el dios de la muerte, quien le dio mensajes para los vivos. Él sabía, y también lo sabía ella, que Dawa volvería a la vida. De hecho, su muerte no fue un accidente fortuito; ella emprendió su viaje de manera consciente, y considerando primero todos los riesgos y peligros. Los lamas locales le advirtieron que no lo hiciera, pero Dawa tenía la convicción de que su vida se relacionaría totalmente con su muerte.

Año tras año repitió su historia; tardó mucho tiempo en convencer a la gente. La cultura tibetana no estaba preparada para conceder una posición espiritual destacada a una mujer, excepto en condiciones extraordinarias. Sin embargo, el conocimiento directo que Dawa trajo consigo del Bardo —y de la "luz clara" que se encuentra más allá— era impecable. Dawa le mostró a la gente donde encontrar oro enterrado. Ella conocía secretos sobre su vida privada y detalles sobre parientes muertos que nadie hubiera podido adivinar. Debatió con los lamas, los igualó y en algunos casos los derrotó en duelos sobre teología budista.

Dawa Drolma no es única en el Tíbet. Las personas que vuelven a la vida son conocidas como *delogs* (o *deloks*), y uno de ellos, el afamado Lingza Chokyi, dejó un testimonio vívido en el siglo XVI. "Yo estaba inmóvil en la habitación, pero en vez de estar enfermo en la cama, abandoné mi cuerpo y floté hasta el techo. Vi mi cuerpo como un cerdo muerto vestido con mis ropas. Mis hijos lloraban junto a mí, y eso me causó un dolor intenso. Traté de hablar con mi familia, pero nadie podía escucharme. Cuando comieron, les grité y me enfadé porque no me alimentaban. Cuando decían plegarias por mí, repentinamente me sentí mucho mejor."

Etapas del despertar

Un aspecto asombroso acerca de los *delogs* es su consistencia; la experiencia de Dawa Drolma en el siglo XX es muy similar a la de Lingza Chokyi cuatrocientos años atrás. Ellos vieron los mismos seis niveles del Bardo y fueron conducidos por la Tara Blanca, la diosa de la sabiduría. Recibieron mensajes que trajeron para los vivos. Esos mensajes suelen centrarse en ser un buen budista tibetano (tal y como ocurre con las apariciones de la Virgen María en cada siglo, que tienden a centrarse en cómo ser un buen católico practicante).

Los expertos en experiencias cercanas a la muerte encuentran muchos aspectos comunes entre éstas y los *delogs*. Ambos describen la manera en que abandonan el cuerpo físico, se miran a sí mismos y a quienes los rodean, son incapaces de hablar con la gente que ven y viajan a otros sitios utilizando el poder del pensamiento. Cuando los *delogs* reportan que en el otro mundo tenían "un cuerpo de la edad de oro" —es decir, joven y perfecto—, recordamos que algunas personas con ECM recuerdan que una vez que han muerto parecen volver al mejor momento de su vida física, en algún punto entre los veinte y los treinta años de edad. Los parientes muertos aparecen en el otro lado, en la región que los tibetanos llaman el "Bardo de la conversión". Cuando la persona que ha muerto recientemente trata de reunirse con ellos, es alejada hacia el mundo físico porque no es el momento adecuado o porque de alguna manera se ha cometido un error. En ambos casos hay un profundo sentimiento de estar en contacto con Dios o con una luz suprema, después del cual el miedo a la muerte desaparece.

Por lo tanto, existen parecidos importantes entre las personas que han tenido una ECM y los *delogs* del Tíbet. Dado que los *delogs* proporcionan más detalles y recuentos minuciosos, parece justo asumir que la experiencia cercana a la muerte es sólo el comienzo de un despertar que lleva a la persona que ha muerto a través de todas las etapas necesarias para que el alma se revele a sí misma. Si nos deshacemos de la geografía específica del Paraíso cristiano, del Bardo budista, y de los muchas *Lokas* o regiones divinas del hinduismo, la primera etapa del más allá surge ante nuestros ojos con ciertos acontecimientos consistentes.

"Atravesar al más allá"
Cómo comienza la vida después de la muerte

1. El cuerpo físico deja de funcionar. La persona que fallece puede o no estar consciente de ello, pero eventualmente se da cuenta de que ha muerto.

2. El mundo físico desaparece. Esto puede ocurrir por etapas; puede existir una sensación de flotar hacia arriba o de mirar hacia abajo y reconocer lugares familiares conforme desaparecen.

3. La persona que muere se siente ligera, repentinamente liberada de las limitaciones.

4. La mente, y en ocasiones los sentidos, continúan operando. Sin embargo, gradualmente, aquello que se percibe se vuelve no físico.

5. Crece la percepción de una presencia que se siente como divina. La presencia puede estar envuelta en luz o en el cuerpo de los ángeles o dioses y es posible que se comunique con la persona que está muriendo.

6. La personalidad y la memoria comienzan a desaparecer, pero el sentido del "yo" continúa.

7. Este "yo" tiene un sentimiento abrumador de movimiento hacia otra fase de la existencia.

Estos siete aspectos del despertar no son lo mismo que ir al Cielo. Los investigadores a menudo llaman a esta fase la "inter-vida", una transición entre el estado mental de estar vivo y el estado mental de comprender que uno ha muerto. Existen muchos aspectos específicos que cambian de persona a persona. No todos los que tienen una experiencia cercana a la muerte marchan hacia la luz. Algunos pacientes afirman viajar a diversos planetas en el espacio u otros mundos, de acuerdo con sus creencias religiosas. Algunos experimentan una escena de juicio que puede ser muy dura e incluso infernal; sin embargo, también puede ser muy satisfactoria.

La naturaleza de la persona se relaciona en gran medida con lo anterior. Un niño puede regresar del Cielo y afirmar que éste estaba lleno de cachorritos que juegan, un paciente con enfermedad del corazón puede decir que se sentó en las piernas de Dios y que el Todopoderoso le dijo que debía regresar a la Tierra, y un *delog* puede ver cada detalle de la teología tibetana. Estas imágenes dependen claramente de la cultura que reflejan. Huston Smith, experto en las religiones del mundo, afirma que: "Todo aquello que experimentamos en el Bardo es reflejo de nuestras propias invenciones mentales". Se puede sustituir "más allá" por Bardo, dado que los cristianos ven imágenes cristianas, no budistas, así como los musulmanes perciben imágenes islámicas.

Sin embargo, el acto de atravesar al más allá constituye sólo una transición. La realidad total del alma no se ha revelado aún a sí misma. Para los *delogs*, todavía les queda por delante la experiencia de "la naturaleza pura de la mente", como la llaman los budistas. Los *delogs* son muy claros al afirmar que no han ido realmente a ninguna parte, que cada nivel de la jornada existe en la conciencia. Lo que es verdaderamente real no es el Paraíso o el Infierno, sino la "luz clara" que se extiende frente a ellos. Dawa visitó esa brillante luz blanca antes de descender por los mundos intermedios, de regreso hacia su existencia física. Como escribe su hijo: "A pesar del hecho de que los dominios de la existencia cíclica están absolutamente vacíos en la naturaleza, y constituyen meras proyecciones de [las] ilusiones mentales, en un nivel relativo el sufrimiento de los seres que allí se encuentran atrapados, es innegable". Los occidentales discuten si el más allá puede ser tan real como el mundo físico; los orientales declaran que ambos son proyecciones de la mente. Los occidentales limitan el ciclo de la vida humana a un breve lapso entre el nacimiento y la muerte; los orientales aceptan la idea de un ciclo eterno de nacimiento, muerte y renacimiento.

Por lo anterior, existe un amplio margen para esta variación, incluso en la misma travesía: "Como si se tratara de un sueño o una alucinación, los seres flotaban e ingresaban o salían de la percepción de Dawa Drolma como copos de nieve. En un instante ella se encuentra con un conocido que está sometido a los más horribles sufrimientos del Infierno; al siguiente se encuentra con una persona virtuosa en camino hacia el dominio de la pureza. Ocasionalmente Dawa presencia desfiles enteros de seres del Bardo que se marchan hacia los planos de la pureza, conducidos como un rebaño por un gran lama, quien por el poder de sus aspiraciones altruistas ha acudido a salvarlos...".

La riqueza de las expectativas

Si diferentes culturas ven cosas tan distintas después de la muerte, debemos encarar la posibilidad de que nosotros creamos nuestro propio "más allá". Quizá las vívidas imágenes que aparecen ante los ojos de los agonizantes sean proyecciones, una forma en que el alma nos ayuda a hacernos a la idea de que abandonaremos los cinco sentidos. Yo acepto la idea de que el más allá es creado en la conciencia. Sin embargo, como recientemente me dijo un destacado biólogo mientras suspiraba: "En el momento en que comienzas a utilizar la palabra 'conciencia', has abandonado inmediatamente el campo de la ciencia". Puedo citar un comentario publicado recientemente en la revista *Time*, del profesor Eric Cornell, ganador del Premio Nobel de Física: "La ciencia no consiste en conocer la mente de Dios; la ciencia trata de comprender la naturaleza y las razones de las cosas. Lo emocionante es que nuestra ignorancia excede nuestro conocimiento".

Estoy seguro de que muchas personas estarán de acuerdo con lo anterior, sin darse cuenta de que la frase "comprender la naturaleza"

tiene un valor limitado cuando no comprendes la naturaleza humana. ¿Por qué nos excluimos a nosotros mismos del experimento?

Cuando la conciencia no constituye una posibilidad viable, las
explicaciones sólo pueden proceder del materialismo. Las drogas
(por ejemplo, la marihuana, el hashish, el LSD, la quetamina, la
mescalina) pueden inducir al cerebro a experimentar tanto una luz
blanca como un efecto de túnel. También ocurre lo mismo cuando
se coloca a una persona en una máquina de centrifugado y se le
hace girar a una velocidad lo suficientemente alta como para que
la sangre abandone los lóbulos frontales —los astronautas y los
pilotos tienen experiencias similares cuando se los entrena en estas
máquinas. El estrés extremo puede producir alucinaciones; después
de padecer un ataque al corazón, los pacientes hospitalizados en
la unidad de cuidados intensivos son especialmente susceptibles
a este fenómeno.

¿Es acaso posible que la medicina tenga todas las respuestas?
El doctor Van Lommel, quien condujo el estudio holandés sobre las experiencias cercanas a la muerte, no está de acuerdo. Él
analizó a 344 pacientes cuyos corazones se habían defibrilado (es
decir, tenían contracciones nerviosas caóticas, en vez de un pulso
cardiaco regular y normal) en el hospital. Cuando los entrevistó,
unos días después de haber sido revividos, Van Lommel descubrió
que la anestesia y las medicinas no afectaron su experiencia. Sin
embargo, lo que le produjo mayor asombro fueron esos reportes
sobre estados de conciencia cuando no existía actividad cerebral.
Años después de concluido el estudio, esa paradoja todavía lo
llena de asombro: "En ese momento las personas no sólo están
conscientes; sus conciencias son más amplias que nunca. Pueden

pensar con extrema claridad; tienen recuerdos que se remontan hasta su infancia más tierna y experimentan una conexión intensa con todo y con todos los que los rodean. ¡Y sin embargo sus cerebros no muestran actividad alguna!"

Estas observaciones se oponen a la teoría materialista de la muerte cerebral, toda vez que el cerebro ha dejado de funcionar antes de que la experiencia cercana a la muerte dé comienzo, en ese limbo de entre cuatro y diez minutos, cuando la resucitación es posible sin causar daño cerebral permanente. Van Lommel también señala que cualquier otra explicación fisiológica, en caso de ser verdadera, debería aplicarse a todos los pacientes. Él descubrió que 82 por ciento de los pacientes resucitados no podía recordar ninguna experiencia cercana a la muerte. ¿Por qué les privaron sus cerebros de esa experiencia, cuando los cerebros de dieciocho por ciento de los pacientes tuvieron experiencias cercanas a la muerte?

Es posible que la conciencia no se encuentre en el cerebro. Ésa es una probabilidad inquietante, pero consistente con las tradiciones espirituales más antiguas del mundo. ¿Qué ocurriría si la experiencia cercana a la muerte fuera un paso hacia el más allá que todavía está controlado por los recuerdos y las expectativas?

No existe duda alguna de que ir al Cielo constituye una expectativa para la mayoría de la gente en las sociedades occidentales, y por lo tanto considero esencial examinar sus promesas a continuación, para considerar si el Paraíso es la elección que realmente queremos hacer.

3

LA MUERTE CONCEDE TRES DESEOS

ಬಿಡಿ

Después de dos horas de caminar por los bosques, Savitri y Ramana llegaron a una bifurcación en el sendero.

—Si marcháramos por ese camino llegaríamos al castillo de Yama. ¿Sabías que el Señor de la Muerte vive cerca? —preguntó.

Savitri se estremeció.

—Estoy contenta de no haberlo sabido.

—¿De verdad? —Ramana pareció estar realmente sorprendido—. Me encontré con el castillo un día, cuando estaba vagando por el bosque. Tenía curiosidad de encontrarme cara a cara con la Muerte.

Savitri sintió temor tan sólo de recordar algo que detestaba tanto. Ramana la tomó de la mano.

—Ven, puedo contarte esto mientras caminamos —apretó su mano y Savitri se sintió más calmada, como si la fuerza de Ramana la inundara.

—Yo supe inmediatamente que me había tropezado con el hogar de Yama —continuó Ramana—, porque los cráneos estaban colocados sobre picas alrededor de la verja. De manera que me senté y esperé a que mi anfitrión apareciera. Esperé todo ese día y el siguiente. Al día siguiente Yama regresó a casa. Cuando me vio se puso muy inquieto. "Te he hecho esperar afuera de mi casa por tres días completos", dijo. "Ni siquiera la Muerte puede violar el sagrado juramento de la hospitalidad. Por ello te concedo tres deseos, uno por cada día."

"Eso me satisface", le respondí, "porque hace mucho que deseo obtener tu conocimiento, el más sabio de los seres de la creación". Yama se inclinó majestuoso. "Mi primer deseo", le dije, "es conocer el camino de regreso a mi casa. No soy un tonto, y no tengo deseos de permanecer contigo para siempre".

Yama sonrió y señaló hacia el Este. "Encontrarás el camino de regreso al mundo de los vivos si te marchas por ese camino, hacia donde el Sol despunta." "Mi segundo deseo", dije, "es saber si alguna vez has sentido amor".

Yama no pareció tan complacido entonces, pero respondió con reticencia. "El papel del amor es crear; mi papel es destruir. Por lo tanto, no tengo necesidad de amor." Al escuchar eso sentí lástima por Yama, pero él me miró con orgullo, desalentando cualquier intento de mostrar compasión. Él dijo: "Apresúrate ahora y pide tu tercer deseo."

Le dije: "Los grandes sabios afirman que el alma sobrevive después de la muerte. ¿Es verdad?". Una nube oscura cubrió el semblante de Yama. Balbuceó furioso, pero no tuvo más remedio que responderme. "Te diré la verdad", afirmó. "Existen dos caminos en la vida: el de la sabiduría y el de la ignorancia. El camino de la sabiduría consiste en conocer el *yo*. El camino de la ignorancia consiste en perseguir el placer. Dado que nace de los sentidos, el placer es temporal, y todo aquello que es temporal cae bajo el dominio de la muerte. De esa manera, el ignorante cae en mis garras. Pero el *yo* es la luz de la inmortalidad. Brilla eternamente. Pocos son lo suficientemente sabios para ver esa luz, incluso a pesar de que está en ellos mismos y en ninguna otra parte. El *yo* no es otra cosa que la luz de tu alma. Ahora márchate. Satisfacerá a Yama nunca ver tu rostro nuevamente." Y se alejó para alimentar su ira.

Savitri quedó fascinada con esa historia, pero estaba perpleja.

—¿Cómo es posible que no encontremos el alma si es la luz que brilla en nuestro interior?

Ramana se detuvo y miró a su alrededor. Advirtió que había un charco de agua de lluvia en el sendero y condujo a Savitri hacia él.

—¿Ves el reflejo del Sol en ese charco?

Savitri asintió con la cabeza.

—Sí, lo veo.

—Entonces mira.

Ramana pisó el agua, agitando el lodo y descomponiendo la suave superficie del agua.

—¿Todavía puedes ver el reflejo del Sol?

Savitri admitió que no le era posible.

—Esta es la razón por la que la gente no puede encontrar el alma —dijo Ramana—. Está enlodada por la constante actividad y confusión de la mente. Cuando destruí el reflejo del Sol en el agua, no apagué al Sol. Él es eterno y nada puedo hacer para apagarlo. Ahora conoces el secreto del alma, la que incluso la Muerte es incapaz de extinguir.

Savitri se puso seria y meditabunda, y dijo:

—Esto es algo que deseo creer.

—Todavía estás asustada —le dijo Ramana amablemente—, pero debes aprender una cosa: no confíes en los reflejos, al menos si lo que deseas es ver la realidad.

Savitri estaba pensativa cuando continuaron caminando, mientras su mano encontraba suave cobijo en la del monje.

Una cuestión de fe

El peor destino que puedo imaginar en el más allá es el Infierno.
El segundo peor sería el Cielo.

Escribí esas frases en una página de mi cuaderno en el verano de 2005. Las palabras "Paraíso" e "Infierno" inmediatamente tocan una fibra cristiana, pero yo estaba pensando en general. El Cielo es el sitio adonde vas si eres lo suficientemente bueno para Dios; el Infierno es a donde vas si no lo eres. ¿No son ambos sinónimos para "el final"?

El *Vedanta* afirma que el más allá ha sido creado para darnos lo que esperamos. Si eso es verdadero respecto del Cielo y del Infierno, ¿qué clase de expectativas tenemos? ¿Por qué tus malas acciones deben condenarte a una prisión donde la mala conducta es castigada sin piedad o esperanza de indulto? Ésa es una pregunta fácil comparada con la opuesta: ¿por qué la buena conducta nos lleva a una tierra fantástica por encima de las nubes, donde la virtud es recompensada con la indolencia interminable, también sin posibilidad de cambio?

En el verano de 2005 estos temas me eran muy cercanos. La muerte era algo en lo que pensaba constantemente porque mi madre estaba en coma. "De prisa", me dijo una voz con urgencia al teléfono, desde la India. Tomé un avión inmediatamente. De un momento a otro parecía incierto si llegaría a tiempo a su lecho para decirle adiós.

Es difícil imaginar que alguien que amas está muriendo. Mi madre tenía casi 80 años y su salud se había deteriorado gradualmente durante los últimos cinco. Su cuerpo era sólo un recuerdo de lo que había sido apenas seis meses antes. Todos en la familia estaban de acuerdo en que sería una bendición para ella si su sufrimiento llegara al final.

Me encontré pensando en tan sólo una célula del corazón de mi madre. En mi carácter de médico podía imaginar esa célula tan claramente como si se encontrara bajo un microscopio. Cualquier célula de un corazón ha cambiado sus átomos muchas veces a lo largo de toda una vida. El débil corazón de mi madre, tan lleno con las experiencias de su vida, no era un objeto estático sino un torbellino de cambio. Dado que ocurre lo mismo con cada célula, mi madre había estado atravesando la frontera entre la vida y la muerte desde el día en que nació.

Las viejas células del corazón no pueden ir al Cielo y, sin embargo, sobreviven a la muerte física a su propia manera. Todo tu cuerpo hace lo mismo, colocándose a sí mismo en la tumba y surgiendo de entre los muertos miles de veces por minuto, mientras la materia vieja es reemplazada por la materia nueva.

Dado que las moléculas siempre pueden ser reemplazadas, sólo la muerte del conocimiento importa. El conocimeinto es la esencia de la célula, que nadie puede ver o tocar. Cuando millones de átomos de oxígeno salen al exterior en la exhalación y flotan hacia el mundo, lo que permanece es mucho más importante: la manera en que se construye una célula, en que se comporta, en que se relaciona con otras células.

¿Cómo puede saber todo esto una simple hilera de moléculas a lo largo de la cadena del ADN? Cuando morimos vamos en busca de la respuesta, porque es entonces cuando encaramos nuestra esencia más allá de la máscara de la materia. La "esencia" significa una destilación, que hierve algo crudo y se convierte en algo refinado, que se extrae lo puro de entre lo impuro. No hay necesidad de quedar atrapado en la terminología en este punto. La esencia, el alma, el *atman* o el Espíritu Santo, esas palabras son suficientes. Después de la etapa inicial del paso al más allá, el resto del más allá se encuentra por encima de las imágenes y se relaciona con el alma.

Mi madre murió sin volver del estado de coma, unas cuantas horas después de que llegué a su lado. Fue una muerte moderna, sin drama, envuelta en el capullo de los cuidados de un hospital. El momento del duelo llegó, pero el conocimiento de que mi madre estaba ahora en libertad de saber quién era realmente me sirvió de consuelo. Millones de personas piensan de manera diferente y confían aún en la idea tradicional del Paraíso, pero eso está cambiando.

La erosión de la fe tradicional no ha dejado intacta la noción del Paraíso. Después del desastre del transbordador espacial *Columbia* en 2003, en el que la nave espacial explotó en la atmósfera sobre el centro de Texas y mató a los siete pasajeros a bordo, el presidente Bush dijo que estaba seguro de que los astronautas muertos "están ahora en el Cielo". Sin embargo, en Tennessee, encuestadores preguntaron a la gente si estaba de acuerdo, y a pesar de que 74 por ciento de los entrevistados afirmó que creía en el más allá, sólo la mitad (37 por ciento del total) pensaba que los astronautas estaban en el Cielo, y una tercera parte dijo que no sabía la respuesta.

Tan sólo es preciso analizar un indicador importante çomo la asistencia a la iglesia. Mientras 44 por ciento de los estadounidenses afirma que asisten a la iglesia regularmente, las estadísticas confiables demuestran que quizá la mitad de esa cifra es más realista. Todas las religiones importantes se encuentran en decadencia, como ocurre en quince de los dieciocho países más desarrollados. (La única excepción es el fundamentalismo cristiano, que está creciendo en los Estados Unidos y el mundo entero.)

Para tener una idea de dónde te encuentras en el espectro de las creencias religiosas, puedes formularte las siguientes preguntas básicas:

¿CREER O NO CREER?

Lee las siguientes afirmaciones y califica cada una de ellas:

A De acuerdo. Esto es verdadero de acuerdo con mis creencias.

D En desacuerdo. Esto es contrario a mis creencias.

N No tengo opinión. No estoy seguro, o no he pensado en esto.

A D N Yo creo en Dios.

A D N Yo creo que Dios está en el Cielo.

A D N Espero ir al Cielo cuando muera.

A D N Ir al Cielo depende de ser una buena persona.

A D N Ir al Cielo significa creer en lo que la Biblia dice (puedes sustituir la Biblia por el Corán y otras escrituras).

A D N Si crees en Dios tienes mayores posibilidades de ir al Cielo que si no crees en él.

A D N   Dios es misericordioso, pero de cualquier manera creó el Infierno.

A D N   El Infierno es el castigo al pecado.

A D N   Tanto el Cielo como el Infierno son eternos.

A D N   Independientemente de si soy castigado o de si logro la salvación, el resultado será justo.

A D N   Me consuela pensar que no desapareceré cuando muera.

A D N   La prueba científica de la existencia del Paraíso nunca será descubierta.

A D N   Lo que ocurre después de la muerte es cuestión de fe.

A D N   Las experiencias cercanas a la muerte son reales.

A D N   Cuando la gente "camina hacia la luz" y luego regresa, ha atisbado el más allá.

A D N   Las experiencias cercanas a la muerte sobre las que he leído fortalecen mi creeencia en la existencia del Cielo.

A D N   Me encontraré en el Paraíso con los seres amados que he perdido.

A D N   Espero reunirme con mi padre y mi madre cuando muera.

A D N   La comunicación con los muertos es real.

A D N   La reencarnación es real.

Total de respuestas "A"_____

Total de respuestas "D"_____

Total de respuestas "N"_____

Cuenta el número de veces que estuviste de acuerdo, en desacuerdo o en que no tuviste opinión al respecto, e identifica qué categoría es la dominante.

Nivel alto de respuestas "A" (14 a 20 puntos). Eres un *creyente*. Los creyentes se clasifican en dos categorías: aquellos que siguen de cerca los principios de una religión organizada, y aquellos que persiguen la espiritualidad a pesar de haber abandonado la Iglesia. Como creyente, estás seguro de la existencia del más allá y esa certeza te hace sentir cómodo. Sientes que has controlado el miedo a morir. Tu Dios es benigno: un ser superior que cuidará de tu alma cuando mueras. Aquello que sabes sobre las experiencias cercanas a la muerte confirman totalmente tus creencias.

Nivel alto de respuestas "D" (14 a 20 puntos). Eres un *escéptico*. Es probable que tu perspectiva de la vida sea lógica y materialista. A pesar de que no necesariamente eres un científico, confías más en el modelo científico que en los modelos de la fe, hasta el punto de que ambos no pueden coexistir. No crees en la vida después de la muerte y estás conforme con ello. Sospechas que las experiencias cercanas a la muerte son una forma extraña de disfunción cerebral. Podrías cambiar de opinión si encontraras más evidencia convincente, pero hasta el momento no has visto prueba alguna; sospechas que todas las pruebas sobre la existencia del más allá son una fantasía o el cumplimiento de un deseo. Dado que nadie regresa del mundo de los muertos, estás muy seguro de que nunca tendremos información confiable sobre él.

Nivel alto de respuestas "N" (14 a 20 puntos). Eres un *agnóstico* o no aceptas un compromiso. A pesar de la diferencia que existe entre los dos grupos, ambos están de acuerdo en que el más allá puede o no existir. Quizás eres una persona que no piensa en la idea de morir y prefieres esperar hasta que no haya otra opción más que encararla. O bien puedes creer que el más allá, como Dios, nunca será explicado. Las experiencias cercanas a la muerte no te interesan mucho.

Si no obtuviste un resultado entre 14 y 20 puntos en alguna categoría, eres una persona de *mente abierta*. Estas personas creen en nociones espirituales pero también en aspectos científicos o materialistas. Te intrigan las experiencias cercanas a la muerte pero no estás totalmente convencido. Puedes experimentar cierta ansiedad acerca de no tener creencias firmes; es posible que te sientas confundido. Es muy probable que estés cómodo sin certezas porque en tu opinión no debe existir una certeza sobre el más allá. (Ante la perspectiva de ir al Cielo suspiras y piensas que sería bueno, pero no lo das por sentado.)

No debe sorprenderte el descubrimiento de que eres creyente, escéptico o agnóstico. Sin embargo, cuando consideras en qué categoría se encuentran otras personas, quienes están muy alejadas de tu sistema de creencias, quizá resulte inquietante la idea de que *todos podemos estar en lo cierto*.

Los creyentes pueden ir al Cielo (o al Infierno) que se ajusta a su formación religiosa. En el más allá se encontrarán con su versión más apreciada de Dios o de los dioses. Se encontrarán rodeados de ángeles o de *bodhisattvas*. El aspecto emocional de ese más allá puede ser el de la dicha total, si es ése el que ellos esperan, o puede ser más ambiguo, incluso triste. La teología católica considera también la idea de que Jesús y su madre María lloran por el destino de los pecadores.

Incluso, la experiencia puede sentirse como nada. Los escépticos pueden descubrir que el más allá está vacío y carece de sensación consciente. Para ellos, la muerte podría conducir a un largo sueño sin percepción del "yo". La pregunta que surge entonces es: ¿qué tan largo será ese periodo o en qué desembocará?

Para los agnósticos el más allá es problemático. Tal vez perciban que siguen siendo ellos mismos, ocupando una especie de limbo donde las buenas y malas acciones forman una especie de nube que nunca se resuelve de manera decisiva. En esta clase de más allá pueden persistir las mismas preocupaciones y ambigüedades que residen en el centro de la perspectiva agnóstica. Esta descripción corresponde a la del Purgatorio cristiano.

En algún lugar de la división

En tanto los dominios físico y metafísico continúen confundidos, quedaremos atrapados en la división que los separa. Dado que la creencia no es un don de nuestra sociedad, ¿por qué hemos de esperar todos el mismo tipo de más allá? La elección y el condicionamiento deben desempeñar un papel importante respecto del resultado. Considera, por ejemplo, a las siguientes dos personas, cuyas vidas son muy diferentes en muchos sentidos:

Marion nació en el seno de una gran familia católica. Hizo su primera comunión y fue una firme creyente hasta que su madre murió de cáncer en los ovarios antes de cumplir 40 años. Presenciar el sufrimiento de su madre mató algo en el interior de Marion. Dejó de creer en la misericordia de Dios, a pesar de que le costaba trabajo reconocerlo, incluso en su fuero íntimo. Cuando se casó con un hombre que hacía mucho había abandonado su fe, Marion se dedicó a su carrera y a su familia, y juntos lograron tener éxito. Pasaron algunas décadas sin que sufriera ninguna tragedia. Después de que su último hijo abandonó el hogar para ir a la universidad, Marion comenzó a sentirse sola, y pocos años después empezó a albergar algunos sentimientos de culpa que le hicieron reconsiderar su posición y regresar a la Iglesia. A la edad de 52 años, Marion sintió nuevamente la necesidad de tener la fe con la que creció.

Aarón procede de una pequeña familia de judíos no practicantes. Dado que fue hijo único, sus necesidades fueron satisfechas durante su niñez, quizás en demasía, y cuando desarrolló su talento para las matemáticas su padre lo alentó a convertirse en contador, con el fin de tener seguridad financiera. Sin embargo, Aarón decidió estudiar leyes, y al cumplir 30 años se encontraba establecido, con un empleo en un destacado despacho de abogados de Manhattan. A partir de ese momento, Aarón nunca ha mirado hacia atrás. Se casó tarde en la vida con una mujer que también es abogada, y juntos poseen un apartamento en la ciudad y una casa de verano en la playa. No tienen hijos, y cuando descubrió que su mujer lo engañaba, Aarón se recuperó del impacto rápidamente. Arregló un divorcio de mutuo consentimiento que lo benefició tanto como fue posible. Al cumplir 50 años no se ha decidido a casarse nuevamente, y su carrera le deja poco tiempo para considerar esa posibilidad. Hasta donde recuerda, no ha tenido un pensamiento de carácter espiritual desde hace muchos años.

Es obvio que estas dos personas han tenido vidas muy diferentes. Una de ellas es adepta pacífica, el otro es un feroz competidor. Una de ellas dedicó sus energías a educar a sus hijos, el otro a desarrollar su carrera. Las palabras clave para Marion incluyen estabilidad, intimidad, cuidado, cercanía, cooperación, escuchar y paciencia. Las palabras clave para Aarón incluyen independencia, seguridad en sí mismo, competencia, poder, ambición y éxito. Al ser estas dos vidas tan diferentes en sus valores centrales, ¿por qué habrían de esperar el mismo destino en el más allá?

Las elecciones básicas de cada persona, que definen sus vidas, comienzan en el nivel de la conciencia. En ese nivel las decisiones no son sencillas. Dependen de los recuerdos y del condicionamiento, de la cultura y las expectativas. Todos esos ingredientes influyen en lo que ocurre en el más allá. Sólo algunas de esas importantes creencias se relacionan con la religión. Mucho más trascendente es el número infinito de elecciones que realizamos cada día, porque son esas decisiones las que crean nuestra realidad personal.

Aquello que escoges hoy reverberará durante mil mañanas.

4

ESCAPAR DEL LAZO

❧❦❧

Desde el momento en que salió de su casa, Savitri había estado contando los minutos para el regreso de Satyavan de su jornada de trabajo como leñador. Sin embargo, ahora su mente estaba más tranquila, no como resultado de la influencia de la sabiduría de Ramana o del silencio de los bosques. El destino tenía un esquema en la mente de Savitri. El destino la condujo en círculos hasta que estuvo lista para encarar a Yama por cuenta propia.

Antes, sólo podía imaginar a su esposo amado regresando a casa para su perdición; pero ahora no imaginaba nada. Quizás era una buena señal, porque Ramana comenzó a hablar.

—No te prometo que podamos salvar a Satyavan, pero otros han escapado a la muerte.

El corazón de Savitri se alegró.

—Cuéntame.

—Recuerdo a un niño que nació bajo una terrible maldición. Su padre era un gran *rishi*, el sabio más respetado en muchas millas a la redonda. Este *rishi* había deseado tener un hijo durante mucho tiempo, pero su esposa era estéril. Finalmente el *rishi* decidió que exigiría a Dios que le diera un hijo. Sólo los más sabios conocen el secreto de que Dios fue creado para obedecer nuestras órdenes, y que nosotros no fuimos creados para obedecer las suyas.

"El *rishi* invocó a Dios, pero al principio él se rehusó a aparecer. El *rishi* tenía mucha paciencia, y continuó pidiéndole a Dios que le diera un hijo, año tras año. Finalmente, Dios se apareció ante él y le dijo: 'Te daré un hijo, pero debes escoger: ¿quieres tener cien hijos que vivirán lo suficiente para volverse locos, o quieres un hijo que será inteligente pero morirá joven?'

"El *rishi* no dudó en escoger al hijo inteligente, y Dios decretó que moriría en su décimo sexto cumpleaños. Para la alegría incontenible del *rishi* y de su esposa, ella quedó encinta y dio a luz a un niño. Creció y se convirtió en un muchacho extremadamente inteligente, y sus padres lo amaron aún más, sabedores de la maldición bajo la cual había nacido. Tenían el propósito de darle a conocer su destino más adelante. De alguna manera, pasaron los años y ellos continuaron posponiendo ese deber.

"Finalmente llegó el decimosexto cumpleaños del niño, y él todavía no sabía nada. Cuando se hincó frente a su padre para recibir la bendición, el *rishi* le dijo: 'Quiero que permanezcas a mi lado y que no salgas de casa el día de hoy'. Su hijo estaba desconcertado, especialmente cuando vio lágrimas en los ojos de su padre. Permaneció obediente a su lado todo el día, pero el *rishi* fue llamado al exterior por un momento y el hijo aprovechó la oportunidad para escapar por la puerta trasera. Él le debía un sacrificio a Dios por su cumpleaños, que un padre no puede prohibir.

"Cuando el niño llegó al templo se paró frente al altar, sin notar que Yama lo había seguido hasta ahí, cargando el lazo que utiliza para atrapar a sus víctimas. Yama lanzó el lazo sobre la cabeza del muchacho para llevárselo a rastras.

"Sin embargo, en ese mismo momento el muchacho se inclinó ante el altar para dar gracias por el don de la vida. El lazo de Yama atrapó las imágenes sagradas del altar, que se estrellaron contra el suelo. Cuando se rompieron, Dios se irguió, enfurecido ante el insulto. Expulsó a Yama del templo y le otorgó al muchacho un indulto ante la muerte. Algunos afirman que Dios pateó a Yama tan fuerte que lo mató; pero entonces Dios lo revivió, porque se dio cuenta de que la gente estaba tan acostumbrada a morir que no podrían seguir adelante sin él.

Savitri escuchó atentamente la historia. Su intuición le dijo que ese niño no era otro que el mismo Ramana, pero decidió guardarse esa idea para sí misma. En vez de ello, preguntó:

—¿Qué aprendió de todo esto el niño?

Ramana respondió:

—Aprendió que cuando la Muerte venga por ti, hay que dejar que Dios te atrape. Si Dios está en tu interior, el lazo de Yama no acertará nunca. Ése es el secreto para escapar de sus garras.

Entonces pasaron junto a un prado cubierto de flores.

—Descansemos en ese lugar por un momento —dijo Savitri—. He estado tan ansiosa que olvidé lo agradecida que estoy por estar viva.

—Buena idea, Savitri.

Se sentaron bajo la luz del atardecer que hacía que todas las flores brillaran como oro radiante, y Savitri meditó sobre su alma."

El Paraíso de un rishi

La noción del Cielo hace que las cosas sigan siendo humanas, y ésa es la razón por la que ha sobrevivido durante tanto tiempo. La imagen de regresar a casa después de morir, descansar del trabajo y recibir nuestra justa recompensa ofrece consuelo poderoso. (No es difícil que se nos escapen las lágrimas al escuchar el viejo himno religioso, con sus versos dulces y melódicos: "Suave y tiernamente, Jesús está llamando, *Regresa a casa... Regresa a casa*".) Sin embargo, en la era de la duda, las afirmaciones más débiles acerca del Cielo son estas dos, de importancia fundamental:

1. Vamos a alguna parte cuando morimos.
2. El lugar al que vamos es el mismo Cielo o Infierno para todos.

Cuando hablamos de la etapa de transición conocida como "el paso al más allá", podemos ver que la persona que agoniza se hace a la idea, paso a paso, de perder su cuerpo físico y los aspectos múltiples de una personalidad. Sin embargo, ésta es sólo la primera etapa de aquello que comienza. El destino está por delante, el que para la mayoría de las personas religiosas implica un lugar verdadero, no solamente un estado mental.

De todos los destinos posibles, el Cielo es el más fácil. Ofrece el consuelo de que seguiremos siendo los mismos desde el punto de vista físico, con nuestra personalidad intacta. (La gente se refiere a esto de manera más específica. Yo conversaba con una paciente con cáncer de mama que se había sometido a una mastectomía radical. Ambos sabíamos que existía la posibilidad de que ella no sobreviviera; sin embargo, ella era una cristiana devota y la tranquilizaba la idea de que iría al Cielo. "¿Qué esperas ver cuando llegues al Cielo?", le pregunté. "Mis senos", me respondió inmediatamente.

La idea del Cielo se opone al *Vedanta*, que afirma que nuestro destino es encontrarnos con lo desconocido. Después de que desaparecen las imágenes familiares del "paso al más allá", lo inesperado ocurre. La conciencia puede dar un salto creativo. El Cielo convencional del que nos hablaron cuando éramos niños era tan sólo un salto creativo que se ha convertido en lugar común. Podemos aferrarnos a esa idea gastada, pero en una cultura de la duda no creo que esa idea sea fija. La duda tiene la ventaja de abrir nuevas posibilidades.

Una de ellas es la posibilidad de que la muerte sea tan creativa como la vida. Un pintor sabe que está utilizando el pigmento como material, pero la mayoría de la gente no se da cuenta de que está utilizando el material de la conciencia. Si se piensa del todo en la conciencia, lo que viene a la mente es su contenido. Como si se tratara de una habitación llena de muebles, tu conciencia está repleta de ideas y recuerdos, deseos y miedos, apetitos y sueños. Una parte de ese contenido cambia, pero otra es permanente, el mobiliario fijo de la mente. Seguir utilizando esos contenidos una y otra vez no es creativo y, sin embargo, es a eso a lo que esencialmente equivale la idea del Cielo: muebles usados.

Toma una hoja de papel y crea una columna intitulada "Cielo" y otra intitulada "Infierno". Tan rápido como te sea posible, haz una lista de las palabras e imágenes que te vienen a la mente en relación con cada uno de esos dos conceptos. La mayoría de las personas, ya sea porque se consideran a sí mismas creyentes o escépticas, pueden producir una lista parecida a la siguiente:

CIELO

- Arpas
- Nubes blancas algodonosas

- Ángeles
- Casa de Dios
- Paz eterna
- Dicha eterna
- El verdadero hogar del alma
- Paraíso, perdido y recuperado
- Recompensa de los virtuosos
- Gran padre blanco en su trono
- Lindo pero aburrido
- Una sola gran familia nuevamente
- Opio de las masas
- Yo quiero ir allí

INFIERNO

- Demonio, tridente, azufre
- Tormento de los condenados
- Fuego
- Infierno de Dante, círculo tras círculo
- Dolor interminable
- Aterrador, más allá de lo verosímil
- Patas hendidas
- El miedo mantiene a la gente en orden
- Elegancia del mal
- Satanás, la más grande estrella de *rock*, muchacho malo y seductor
- No quiero ir allí

Estas son las palabras que se me ocurrieron al escribir tan rápidamente como me fue posible. Inmediatamente noté dos cosas: mis imágenes son todas de segunda mano, heredadas de la cultura en que vivo. No hay ambigüedad. El Cielo es una cosa, el Infierno es su opuesto. Sin margen para la ambigüedad, el más allá no puede ser creativo. Sin embargo, nuestras mentes prefieren que las cosas sean bien definidas. Todos los cuentos de hadas oponen al bien absoluto contra el mal absoluto. No les decimos a nuestros hijos que, después de que Cenicienta regresó a casa del baile, estuvo tan contenta de volver a ver a sus hermanastras que se convirtieron en las mejores amigas. O que una vez que la zapatilla de cristal se ajustó a su pie decidió tener una cita "de prueba" con el príncipe. A pesar de que han transcurrido varios siglos de teología sobre Satanás y su relación con Dios, nuestras mentes simplifican sus papeles como los del villano y el héroe.

De acuerdo con la creencia católica, vemos a Dios de manera imperfecta mientras permanecemos vivos aquí, en la Tierra. Su reflejo es como el de un espejo, como el de nuestro rostro y nuestro cuerpo ("ver en un vidrio oscuro", de acuerdo con San Pablo). Imaginamos que él es humano. Sin embargo, al llegar al Cielo veremos a Dios directamente como es. Y eso, de acuerdo con la Iglesia, da lugar a una contradicción, porque veremos tanto la imagen "oscura y vaga" que tenemos en nuestra mente, como al verdadero Dios "de acuerdo con su propio ser". En otras palabras, Él será real e irreal al mismo tiempo. Esta contradicción no puede ser resuelta; se trata de un misterio. En este punto el *Vedanta* está de acuerdo. Entonces, ¿cómo podemos encontrar el misterio en el Cielo?

La guerra en el Cielo

El popular escritor británico H. G. Wells escribió: "La doctrina del Reino de los Cielos es ciertamente una de las más revolucionarias que han agitado y transformado el pensamiento humano". Lo que hizo que el Cielo fuera tan revolucionario fue el cambio de este mundo al siguiente, por el cual Jesús es casi el único responsable. De hecho, el Cielo es una de sus más importantes contribuciones.

En el Antiguo Testamento, Dios promete a los profetas y patriarcas un reino en el sentido literal: ellos gobernarán la Tierra en su nombre. Por lo tanto, Dios celebra un pacto, un contrato legal obligatorio con David, de que a Dios "nunca le faltará un hombre que se siente en su trono". Dado que David era el rey, se consideró que esta promesa significaba que el trono de David en Jerusalén sería el trono de Dios para toda la eternidad. Jesús mismo parece haber aceptado esta noción cuando prometió que el Reino de Dios estaba al alcance; sin embargo, sus enseñanzas van mucho más lejos.

En el concepto de Cristo, el Cielo es *presente*: se trata de una experiencia interior que puede ser sentida por el virtuoso. También es *futuro*: el regreso al hogar para estar con Dios, que el virtuoso espera el día del Juicio Final. El Cielo es *personal*: se encuentra "en tu interior". Al mismo tiempo, es *universal*: se trata de un paraje eterno más allá del nacimiento y la muerte, un lugar ubicado fuera del ámbito de la Creación.

Esta enseñanza fue revolucionaria porque Jesús construyó un puente al alma, exhortando a cada persona a encontrar su camino para cruzarlo. Antes, ser virtuoso a los ojos de Jehová era cuestión de seguir el ritual, obedecer a los sacerdotes y no violar los mandamientos divinos. Es cuestión de debate si el Antiguo Testamento se refiere del todo al "más allá". (No resulta necesario decir que los judíos no consideran que el Nuevo Testamento sea un avance respecto del Antiguo Testamento. Conforme el judaísmo evolucionó, llegó a incluir su propia metafísica sofisticada. Sin embargo, para millones de judíos reformistas no existe el más allá. Esto obliga a cada creyente a vivir la vida lo más ajustada a la moral y a la virtud que sea posible, aquí y ahora.)

A partir de las enseñanzas de Jesús, la gente pudo emprender una travesía espiritual, y la urgencia de esa travesía era algo realmente nuevo. El Cielo era el premio que uno debía ganar por medio del esfuerzo propio. La urgencia de ganarse el Cielo ha sido alimentada por el cristianismo hasta nuestros días, y los creyentes más fervientes afirman que nunca debe ser olvidada. Sin embargo, ¿acaso recuerdan que el proceso completo tiene lugar en su interior?

En la cultura moderna, el cristianismo está atrapado por las imágenes literales, como la de que el Cielo es, en efecto, un lugar. No existe un atisbo de la travesía interior y no hay margen para la exploración creativa del alma. La gente termina discutiendo agitadamente acerca de un paisaje imaginario que en realidad se encuentra muy alejado de las verdaderas enseñanzas de Jesús. Las ramificaciones de esta guerra llegan a todas partes. En 2005, una mujer de 41 años de edad con muerte cerebral, llamada Terri Schiavo, se convirtió en el foco de una guerra entre la fe y la ciencia. El padecimiento de la señora Schiavo, conocido como "estado vegetativo persistente", tiene como característica que la persona con muerte cerebral tenga breves periodos en los que parece despertar de manera intermitente conforme cambian las expresiones del rostro, los ojos parpadean y la cabeza posiblemente se mueve. Todos estos son reflejos inconscientes. Si se mira con ojos desesperados, los leves signos pudieran parecer una "conciencia mínima", término médico que implica un ligero grado de esperanza. Los padres de Terri Schiavo vieron que sus ojos se movían cuando volvió de su coma original, e interpretaron esto como signo de reconocimiento de la hija a quien amaban. (Los políticos de la derecha interpretaron estas señales fuera de toda proporción, y afirmaron que la señora Schiavo reía y lloraba, conocía lo que ocurría a su alrededor y podía reconocer a su familia.)

La idea de que Schiavo ya no estaba viva —y que no lo había estado por quince años, desde aquel día de 1990 cuando sufrió un ataque al corazón— fue atacada de manera vehemente por la derecha religiosa. El presidente Bush voló por la noche desde su rancho en Texas a Washington, D. C., con el fin de que una ley urgente del Congreso pudiera "salvar" la vida de una persona en peligro, acción que fue denunciada en algunos círculos como una maniobra política cínica. Las acusaciones de hipocresía se formularon a la ligera. ¿No es acaso la derecha religiosa una defensora implacable de la pena capital, una forma de muerte que ha costado incontables vidas inocentes? Al final, el tubo de alimentación de Terri Schiavo fue retirado por una orden judicial, a pesar de la ley de urgencia del Congreso. Ella falleció dos semanas después, en marzo de 2005. El derecho a terminar con la vida de las personas con muerte cerebral ha sido establecido incluso en la Suprema Corte de Justicia, y fue respetado nuevamente en este caso.

En esta historia, la religión atrapa la mente en una red de posiciones contradictorias sostenidas con firmeza. Aquellos que creen de manera vociferante en el Cielo, ¿no fueron los mismos que negaban a Terri Schiavo la oportunidad de ir allí al tratar de mantenerla viva? Si el Cielo es la recompensa suprema, ¿es la eutanasia un crimen o un don? A la ciencia médica no le importa cuándo el alma entra en el cuerpo o cuándo lo abandona. Si una mujer con estado vegetativo persistente no puede ver, sentir o pensar, entonces remover las máquinas que la mantienen con vida no constituye un cambio importante. Esa persona pasará de la muerte a la muerte, y simplemente experimentará una definición más completa de lo que la palabra "muerte" significa. Finalmente, existe un dilema peculiarmente cristiano: ¿iría Terri Schiavo al Cielo en ese entonces o en el día del Juicio Final? Y en cuyo caso, ¿qué diferencia había si se le permitía morir antes o después? De acuerdo con los fundamentalistas, su cuerpo todavía debía esperar hasta el final del tiempo para levantarse de la tumba y conocer a Dios cara a cara.

El cisma entre la religión y la ciencia es más que la diferencia entre la fe y el materialismo. La ciencia se aleja por sí misma de las cuestiones metafísicas, pero muchas personas asumen que la ciencia desaprueba la metafísica, o incluso que desaprueba todas las cosas invisibles que se asocian con Dios, el alma, el Cielo, el Infierno, etcétera. Esta premisa es escepticismo, no ciencia. En la era de la física cuántica la ciencia no niega la existencia de mundos invisibles, por el contrario. Y no podemos afirmar que Jesús se refirió solamente a la metafísica; además proporcionó muchos consejos sobre cómo vivir en este mundo. Lo anterior nos conduce a un enigma. Las enseñanzas de Jesús cuando les dijo a sus discípulos que debían estar en el mundo, pero no pertenecer a éste, parecen hacer imposible la vida. Si estoy comiendo mi desayuno, ¿cómo podría hacerlo si no pertenezco al mundo? Mi cuerpo físico me ancla a este lugar en cada momento. Sin embargo, el alma se las arregla para estar en este mundo y simultáneamente permanecer con firmeza fuera del tiempo y del espacio. Jesús nos estaba proporcionando una pista sobre el Reino de los Cielos que existe en nuestro interior.

Adonde van los rishis

En muchas ocasiones, Jesús parece como un *rishi* en la tradición del *Vedanta*. Ciertamente existe una verdad en la idea de estar en el mundo pero no pertenecerle. En términos sencillos, él les dijo a sus seguidores más cercanos que dejaran de pensar en sí mismos como criaturas físicas. Jesús se expresa de manera más explícita si lo analizamos más allá de los cuatro evangelios, de acuerdo con el incompleto Evangelio según Santo Tomás, que fue escrito muy pronto, quizás en el mismo siglo en que tuvo lugar la crucifixión, pero que luego fue excluido del canon oficial.

Jesús dijo: "Si aquellos que dirigen os dicen: 'Mirad, el Reino está en el Cielo', entonces los pájaros del cielo se presentarán ante vosotros; si os dicen que está en el mar, entonces los peces se presentarán ante vosotros. Sin embargo, el Reino está en vuestro interior y está en vuestro exterior. Cuando vosotros os conozcáis a vosotros mismos, entonces seréis conocidos, y sabréis que sois los hijos del Padre vivo". Este pasaje muestra cuán profundas son las raíces de la religión, y qué tan compatibles podrían ser las grandes tradiciones de la sabiduría si el dogma no se interpusiera en su camino. Lo que Jesús dice en este punto apoya el punto de vista de que el Cielo se encuentra en todas partes, pero va más allá al afirmar que el Cielo es una experiencia interior, una experiencia de la conciencia. Jesús ve el alma en todas partes y por lo tanto considera que la esencia de la gente radica más allá del tiempo y del espacio. Al igual que los *rishis*, Jesús se sentía cómodo con la vida en la eternidad. ¿Por qué entonces, no lo estamos nosotros?

El concepto de eternidad no puede ser comprendido por la mente en nuestro estado de conciencia ordinario, que está dominado por el tiempo, mientras que la eternidad no lo está. Debe existir un vínculo. De hecho, el *Vedanta* afirma que existe un *continuum*. *Cada cualidad de tu persona es en realidad una cualidad del alma.* Piensa en la siguiente secuencia de palabras:

- ❧ Contento
- ❧ Feliz
- ❧ Emocionado
- ❧ Eufórico
- ❧ Extático
- ❧ Dichoso

Ésta es la clase de *continuum* que los *rishis* tenían en mente. Una persona puede sentirse contenta sin saber que ese estado de ánimo tiene una conexión con el alma. Cuando esa alegría se intensifica, uno está consciente de la felicidad, y si la felicidad es lo suficientemente intensa, se siente la emoción. En algunos pocos momentos podemos elevarnos a un nivel más alto y decir que estamos eufóricos o que hemos alcanzado el éxtasis. Hemos avanzado a lo largo de un *continuum* que puede ser invisible pero es tan real como probar postres cada vez más dulces.

El éxtasis representa el límite de felicidad que puede sentirse de manera individual, e incluso, a este respecto, la raíz latina de la palabra "éxtasis" significa "estar afuera". En el lenguaje común, la gente suele decir "Estaba tan feliz que se sentía irreal, como si le ocurriera a otra persona", o "La amé tanto que era como una experiencia que trascendía mi cuerpo". En el *Vedanta* existe una etapa final en este *continuum:* la dicha. En sánscrito se la conoce con la palabra *ananda.* La dicha es una cualidad del alma. Desde la perspectiva de la vida diaria, ésta no puede ser imaginada. La mente está tan abrumada por la felicidad infinita como la lengua lo estaría si probara algo más dulce que lo dulce.

Incluso a pesar de que se encuentra en el interior de cada uno de nosotros, no es posible alcanzar el Cielo mediante un solo "salto de fe". Como con la dicha, existe un *continuum* para cada cualidad del alma. Todos sabemos esto de manera instintiva. Tomemos por ejemplo la generosidad. El deseo de llevar a cabo un pequeño acto de generosidad, como darle unas monedas a un mendigo en la calle, puede ampliarse a realizar una donación para los necesitados. La generosidad se convierte en un acto religioso cuando grupos basados en la fe se encargan de llevar ayuda a los enfermos de SIDA en África. Podemos ver la esencia de este impulso en Buda, el Compasivo, cuya verdadera naturaleza reside en la generosidad.

Necesitamos que nos recuerden que nuestras mejores cualidades pueden ser universales. El cristianismo afirma que Jesús era único, así como el budismo asegura que Gautama fue único, y sin embargo el *continuum* nos hace pensar lo contrario. Las siguientes cualidades se vuelven más intensas conforme nos acercamos al alma:

❧ Compasión
❧ Fortaleza

- Verdad
- Dicha
- Belleza
- Amor
- Sabiduría
- Poder

Cada acto de generosidad añade otro pincelazo a la pintura; cada introspección te acerca a tu esencia. Tú y yo somos diferentes en miles de sentidos, dependiendo de cómo nos relacionemos con nuestras almas. Un día cualquiera me puede asombrar la belleza del crepúsculo, la sonrisa amorosa de un niño, la verdad repentina de quién soy. Te puede impactar qué tanto merecen compasión los pobres, qué tan sabio es un poema de Keats, qué tan bello es dar algo de ti mismo. Lo que hace que la vida siga siendo fascinante es la constante creatividad del alma. Después de que todo se ha dicho, yo creo en el Cielo, y cuando muera espero estar allí, no en un jardín celestial sino en el espacio descrito por T. S. Eliot en estos famosos versos:

> *No debemos abandonar la exploración*
> *Y el final de nuestras exploraciones*
> *Consistirá en llegar al punto de partida*
> *Y conocer ese lugar por primera vez.*

La verdad, la sabiduría, la belleza y todas las demás cualidades del alma no necesitan de espacios físicos. El amor puro existe incluso en ausencia de la persona que amamos. La verdad espiritual no necesita seguir una cruzada. El alma en toda su intensidad queda al centro del escenario después de que morimos, pero se opaca mucho antes.

"Nunca me casé, y nunca he sido madre, porque soy un hombre", me dijo un escritor adulto alguna vez. Él había emprendido una búsqueda espiritual desde hacía mucho.

Durante algunos años viví en un *ashram*[1] en el occidente de Massachusetts, donde se tenía una orientación hindú, y se hablaba mucho de la Divina Madre. No soy lo suficientemente cristiano para sentirme atraído por la Virgen María. Creo que podría decir que siempre me he orientado más al lado masculino. Sin embargo, me doy cuenta de que el aspecto femenino es importante.

Tengo amigas que se han unido a grupos dedicados a venerar a diosas. Llevan a cabo rituales y danzas bajo la luna llena. Yo he seguido un camino más convencional, básicamente dedicado a la meditación durante varias horas por día. No danzo, no canto, no entono plegaria alguna siquiera. Hice esto durante cinco años. Un día algo muy extraño ocurrió.

Me encontraba sentado, dedicado a la meditación, cuando una sensación de dulzura se apoderó de mí. Comenzó como un sentimiento de calidez en mi corazón, y a continuación adoptó un tono emocional. Ternura, dulzura, amor. Me senté a disfrutarlo, cuando de pronto la intensidad creció. Me pareció que iba a derretirme. En diez segundos esa sensación me purificó. Nada más que el amor. *Yo era la Divina Madre.*

---

[1] La palabra *ashram* significa "lugar de meditación" (*N. del T.*).

¿Cómo puedo explicarte lo que se siente? Imagina que estás mirando a una gran actriz en una película. Ella abraza y besa a sus hijos, y por un momento olvidas que estás sentado en la oscuridad, mirando la escena en la luz de la pantalla. Tú eres ella. Eso es lo que se siente, sólo que mil veces más intenso. Yo no era otra cosa que la Madre.

En momentos inesperados vamos más allá de nuestro lugar habitual en el *continuum* espiritual. No sentimos solamente afecto, pasión, amor romántico o devoción profunda. Nos absorbe el amor universal en sí mismo. Ese hombre me confesó que ahora mira a las mujeres de manera diferente.

Existen como personas ordinarias, pero al mismo tiempo una fuerza totalmente impersonal —la Madre— brilla a través de ellas. Puedo tocar la bocina en el automóvil para indicarle a una conductora que avance más rápidamente mientras dura la luz del semáforo, pero si voltea a mirarme, *puedo verlo. Eso* está haciéndolo todo, y cuando me doy cuenta de lo anterior, tocar la bocina me parece absurdo. ¿Podrías tocar la bocina para apresurar a Dios?

En la forma física sólo podemos absorber cierta cantidad de pureza, pero en ocasiones es posible traspasar ese umbral. Estoy pensando en Santa Teresa de Ávila, la santa española del siglo XVI, quien experimentó el amor divino mientras un ángel clavaba una flecha de oro a través de su corazón. Santa Teresa describió esa experiencia como extremadamente dolorosa y dichosa al mismo tiempo (ésa es la razón por la que tiene el estatus de santa patrona de quienes sufren).

Esto nos lleva de regreso a la paradoja del Cielo, Dios es visible e invisible al mismo tiempo. También lo es el alma. Podemos encontrarla de manera visible por medio de acontecimientos que nos inspiran a sentir amor, verdad y belleza. El recipiente que la contiene —una esposa amada, una pintura hermosa, una frase sabia— se alejará y desaparecerá. Sin embargo su esencia continúa, y esa esencia es lo que nos permite mirar adelante para sentir más amor mañana. Este es el sendero al Cielo.

Para alguien que ha muerto, el sendero está completo. Entonces, ¿qué? Al haber llegado a los dominios del alma, ¿se interrumpe la experiencia? En términos físicos la respuesta es "sí". Los objetos del amor se han marchado. Sólo la esencia es ahora verdadera. Pero como podemos ver, la actividad no ha llegado a su final; por el contrario. El alma se encuentra en mayor libertad para elegir "en el otro lado", y las posibilidades, según dicen los *rishis*, son más interesantes que nunca.

5

El camino al Infierno

ༀༀༀ

—Me pregunto si Yama se engaña a sí mismo —dijo Ramana—. Ciertamente engaña a todos los demás.

—Hablas como si estuviera poniendo en práctica una especie de truco —dijo Savitri. Le comenzaba a pesar haber permanecido tanto en el bosque. Sabía que el tiempo se le acababa.

—Yama está poniendo en práctica un truco —aceptó Ramana—. Tú no hubieras escapado de él si lo conocieras.

Ramana se detuvo, como si hubiera dicho algo obvio.

—Muéstrame cómo funciona el engaño —dijo Savitri.

—Muy bien. Te diré la historia de un mono que se encontraba encerrado en una pequeña habitación en la torre de un castillo. Nada ocurría en la habitación, y el mono estaba inquieto. El mono sólo podía divertirse al ir a la ventana y ver el mundo exterior. Eso lo distrajo durante algún tiempo, pero comenzó a pensar acerca de su situación. ¿Cómo terminó en esa torre? ¿Por qué lo habían capturado y encerrado allí? El ánimo del mono comenzó a decaer. No había nada qué hacer, nadie con quien hablar. Sus pensamientos lo hacían deprimirse más y más. El cuarto parecía empequeñecerse; el mono comenzó a sudar ansiosamente. "No", pensó repentinamente. "No estoy en una habitación. Estoy en el Infierno." Muy pronto su depresión se convirtió en angustia, y la angustia en tormento. El mono vio demonios a su alrededor que le inflingían todo el dolor imaginable. "Es suficiente", pensó el mono. "Estoy en el Infierno eterno." Y así continuó el tormento, empeorando cada vez más. El mono no veía la manera de escapar. Sin embargo, se fue acostumbrando gradualmente a este tormento. ¿Cuánto tiempo transcurrió? No podía recordar. Sin embargo, comenzó a sentirse mejor acerca de su entorno. No era una mala habitación, en realidad. De hecho, era placentero estar a solas y mirar por la ventana todas esas cosas fascinantes que ocurrían en el exterior. Poco a poco los demonios dejaron de atormentarlo y se retiraron. Él comenzó a sentirse mejor, y pronto llegó el día en que se sintió optimista. Se puso más alegre, y entonces... —Ramana interrumpió sus palabras—. No dudo que sabes hacia dónde se dirige la historia... —Savitri asintió.

—El mono va al Cielo.

—Exactamente. Él comenzó a sentirse cada vez mejor, hasta que se imaginó que estaba en el Paraíso, y en vez de ser castigado por los demonios, era consentido por los ángeles. "Ah", pensó el mono, "estoy en la dicha eterna".

—Hasta que se aburrió nuevamente —enfatizó Savitri. Ramana asintió.

—El mono es la mente, que se encuentra a solas en la torre de la cabeza. Conforme la mente se amplía con los placeres y se contrae con el dolor, crea todos los mundos posibles, y constantemente cae presa de sus propias creaciones. El mono creará en el Cielo por algún tiempo, pero entonces el aburrimiento se apoderará de él, y dado que el aburrimiento es la semilla del descontento, lo sacará del Cielo y lo hundirá en el Infierno.

Savitri se sintió desanimada:

—De manera que estamos atrapados —dijo.

—Sólo si estás de acuerdo en estar atrapada. Yo nunca afirmé que la torre estuviera cerrada —dijo Ramana—. Existe un reino infinito afuera de los muros del castillo. Puedes llevar tu mente más allá de las murallas. La libertad existe afuera, y al haberla conseguido, nunca tendrás que volver al Cielo o al Infierno.

El Karma y *los dividendos del pecado*

Hasta ahora he ofrecido una perspectiva del más allá que es abierta, creativa y llena de opciones para elegir. Paso a paso hemos satisfecho nuestras expectativas y tenemos imágenes que corresponden a ellas. Sin embargo, esta visión no incluye un aspecto que pesa en el ánimo de mucha gente: el pecado. En la creencia cristiana, el pecado no puede ser pasado por alto, toda vez que Dios sopesa constantemente nuestras acciones buenas y malas. Debe hacerlo; de otra manera todos irían al Cielo, y su mezcla de gente buena y mala le haría parecerse demasiado a la vida terrenal.

Recientemente vi por televisión una entrevista con un obispo católico, donde preguntaron algo que pudieron haber preguntado a un obispo en la Edad Media: "¿Es verdad que los cristianos creen que esta vida solamente existe para prepararnos para la vida por venir?". El obispo inmediatamente respondió que sí; exactamente lo mismo que un obispo católico hubiera respondido durante el Oscurantismo. En mil años no ha habido cambio alguno en la creencia básica del cristianismo de que el mundo material es un valle de lágrimas, que el pecado dio origen a la muerte, y que el único camino para escapar es alcanzar el Paraíso. "Estaré en paz cuando llegue a ese lugar. Podré relajarme", dijo el obispo. En otras palabras, nuestros sufrimientos aquí y ahora desempeñan un papel muy importante en nuestra imagen de lo que está por venir.

El Infierno es el castigo del pecado, pero también es una extensión del sufrimiento terrenal. Cuando la escapatoria es la última recompensa, quedar rezagado es el castigo final. La teología cristiana básicamente nos dice: "Sé bueno o Dios te dará más de esta vida, pero peor". Los *rishis* védicos consideraban el sufrimiento, no como una cuestión del pecado sino como un asunto relacionado con la pérdida de la libertad. De acuerdo con el *Vedanta*, cualquiera que sea aquello que limita nuestra libertad ahora, continuará funcionando después de nuestra muerte. En ambos casos tú eres un sujeto del poder del *Karma*.

Originalmente, la palabra sánscrita *Karma* significaba "acción", pero su significado pronto se amplió y ahora implica la lucha eterna entre el bien y el mal. (En estas páginas utilizaré "K" mayúscula para referirme al aspecto cósmico del *Karma*, y "k" minúscula para hablar de sus efectos personales.) En el nivel más superficial puedes construir un *karma* bueno al ser bueno y un *karma* malo al ser malo. Esta idea corresponde con el concepto cristiano de escoger entre el bien y el mal, y de ser recompensado o castigado de acuerdo con esa elección. Millones de personas, en Oriente y Occidente, viven bajo esa creencia. Sin embargo, el *Karma* nunca termina; es parte de la travesía continua del alma, no solamente en una vida que conduce de una vez por todas al Cielo o al Infierno.

La trampa consiste en que ninguna cantidad de *karma* bueno

puede hacer que una persona obtenga su libertad. La versión védica del Infierno consiste en nunca encontrar la forma de liberarse de las ataduras, que la hace congruente, de manera extraña, con el Infierno cristiano. El bien perfecto es inalcanzable, y poco a poco el efecto del *karma* convertirá la vida de un santo en la de un pecador, y viceversa. Ésa es la razón por la que la palabra *Karma* podría traducirse mejor como "pegamento" que como "acción".

Puedes comparar el *Karma* con un reloj cósmico en que cada engranaje se encuentra perfectamente ajustado, o con una super-computadora que registra cada acción en la creación. Puedes compararlo con un juez eterno que considera los resultados buenos y malos de cada pensamiento y de cada acción. En realidad el sistema completo —el universo, el cerebro, el "yo" inferior, el "yo" superior, *atman*, Dios— se encuentra vinculado por la fuerza invisible del *Karma*. La ley del *Karma*, que está implícita en todos los sistemas de creencias de Oriente, sostiene que ninguno de nosotros puede dejar de pagar sus deudas, y dado que acumulamos deudas todos los días, no tenemos otra opción que seguir pagando en esta vida y en las siguientes.

Salvarnos del pecado

De acuerdo con los *rishis*, el castigo en el más allá es el resultado de las deudas del *karma* que no han sido liquidadas. Si cometo un crimen y no pago por él en la Tierra, pagaré después con mi sufrimiento. ¿Qué es una deuda del *Karma*? Básicamente cualquier causa que no ha encontrado aún su efecto. Existe un dicho en la India: "El *Karma* espera a la puerta", significa que una persona puede tratar de alejarse de sus acciones del pasado, pero al igual que un perro que duerme a la puerta hasta el regreso del amo, el *karma* puede tener una paciencia infinita. Eventualmente el universo insistirá en reestablecer el equilibrio entre el bien y el mal.

El Infierno es una condición de sufrimiento del *karma*. La gran mayoría de las experiencias cercanas a la muerte resultan ser positivas, pero algunas no lo son. En vez de avanzar hacia una luz benigna y acogedora, algunas personas experimentan las características del Infierno. Ven demonios o incluso a Satanás mismo y escuchan los lamentos de los pecadores durante sus tormentos; una pesada oscuridad reside sobre todo lo que ven. Los investigadores del fenómeno de las experiencias cercanas a la muerte han descubierto incluso que existe una categoría de personas a quienes se refieren como "las almas terrenales", asediadas por sus acciones malignas y sus deseos frustrados. Un testimonio importante de lo anterior fue presentado por un hombre llamado George Ritchie, que tuvo una experiencia de primera mano.

En la experiencia cercana a la muerte que Ritchie sufrió, Jesús le llevó a una gran ciudad en la Tierra donde observó a las almas que espiaban a los vivos por una razón u otra. Un alma terrenal suplicaba en vano que le dieran un cigarrillo. Un joven que se había suicidado pedía perdón a sus padres, sin obtenerlo. En una casa, Ritchie pudo ver el alma de un niño que seguía a una niña viva, y a quien le pedía perdón, a pesar de que la niña no estaba consciente de su presencia. Jesús le dijo a Ritchie que ese niño se había suicidado y que estaba encadenado a cada consecuencia de su acto.

Estos son los fantasmas de un *karma* que no ha pagado sus deudas. Vale la pena recordar que las experiencias infernales no dependen de la muerte. La gente ha visto a Satanás en sueños, en visiones, en su imaginación e incluso en carne y hueso (o al interior de la carne, si crees en la posesión diabólica y en la capacidad de Satanás de apoderarse del cuerpo de una persona hasta que se la exorciza de alguna manera).

Los investigadores de las experiencias cercanas a la muerte se encuentran entre las pocas personas en nuestra sociedad cuyo trabajo consiste en pensar en el más allá, y cuando consideran cualquier experiencia relacionada con el Infierno o con almas atormentadas, ciertos factores crean esas visiones de tormento. Nuestras mentes nos ponen en el Infierno y pueden sacarnos de él. Ya sea que el sufrimiento sea creado aquí en la Tierra por medio del dolor físico, o en el más allá, por medio del tormento psicológico, las causas siguen siendo las mismas, toda vez que pueden ser derivadas de las obras del *Karma*. Cada cultura cree que es imposible escapar de las malas acciones en el más allá, pero los *rishis* se refieren a esta imagen para describir la manera en que es posible escapar de los tormentos en general.

En el nivel material no resulta evidente por sí mismo que "cosecharás lo que siembres". Las malas acciones pueden pasar desapercibidas todo el tiempo, ya no digamos ser castigadas. Todos albergamos la fantasía de vivir una vida en la que podamos hacer cualquier cosa. Esa fantasía es lo suficientemente fuerte como para convertir a los asaltantes de banco en héroes, por ejemplo, al menos en las películas.

Al decir que el *karma* malo algún día afectará a los malhechores, ¿somos culpables de desear el cumplimiento? Los escépticos seguramente dirían que sí, porque si una deuda del *Karma* es pagada más allá del mundo material, no es pagada en absoluto. No es fácil resolver este asunto, pero en términos espirituales podemos advertir la diferencia entre alguien que es maduro —y que por lo tanto ha pagado algunas deudas— y alguien que es inmaduro, y que se encuentra cargado de deudas por pagar. La persona madura desde el punto de vista espiritual, trata de seguir una vida con sentido mediante los siguientes factores:

- *Autovaloración:* yo tengo importancia para el plan divino, soy único en el universo.
- *Amor:* me aman y amo a los demás profundamente.
- *Verdad:* puedo ver ilusiones y distracciones del pasado.
- *Aprecio y gratitud:* atesoro los aspectos convenientes de la creación.
- *Reverencia:* puedo sentir y admirar lo sagrado.
- *No violencia:* respeto la vida en todas sus formas.

Vivir sin estos valores resulta doloroso, y si ese dolor es lo suficientemente intenso, quizá la pena lleva a la persona al Infierno. De manera que el valor de una vida cargada de sentidos demuestra el aspecto oculto de las deudas del *karma:* cuando estás libre de deudas tu vida se vuelve satisfactoria y es digna de ser vivida.

¿Qué ocurre con Satanás?

Los cristianos religiosos se opondrán a que yo haya descrito una imagen psicológica del Infierno que excluye a Satanás. Excluir a Satanás equivale a ignorar el texto bíblico que nos habla del ángel Lucifer, el más cercano a Dios entre todos los ángeles, quien desobedeció a Dios y cayó de la gracia debido al pecado del orgullo, hasta que llegó al sitio más alejado de la Creación, el Infierno. El hecho de que millones de personas crean literalmente en este mito, nos dice mucho acerca de su rechazo a asumir la responsabilidad en el más allá. Preferimos convertir al Príncipe de las Tinieblas en un objeto, en el opuesto todopoderoso a Dios, que entonces se convierte en el agente de todo mal.

Asumir la responsabilidad en relación con el Infierno suena muy mal, pero no asumir la responsabilidad equivale a rendirnos. El Infierno es el sitio más alejado de Dios porque representa el punto más bajo de la conciencia. Las causas de que tengamos experiencias infernales aquí en la Tierra no son solamente psicológicas. No sólo se relacionan con sentirse deprimido o culpable. Cuando estamos desconectados de nosotros mismos, da comienzo la sensación de que merecemos el sufrimiento. El Infierno es el sufrimiento que crees merecer. Cuando las conexiones quedan reestablecidas, no consideramos que merezcamos el castigo: volvemos al flujo de la vida con todas sus propiedades curativas.

Todo aquello que Satanás representa está incluido en nuestra propia autovaloración. De hecho, él es un reflejo masivo de la autovaloración. Satanás es una creación de la conciencia, y como tal aparece y desaparece, evoluciona y cambia su significado.

Satanás es real bajo las siguientes condiciones:

- ❧ La persona siente que merece el castigo en vez del consuelo.
- ❧ Una cultura cree en el mito de Satanás.
- ❧ Los creyentes prestan atención al mito y consideran que tiene valor.
- ❧ La culpa es proyectada al exterior en los demonios, en vez de ser curada en el interior.

❧ Las malas acciones se acumulan sin que tengamos los medios para encontrar el perdón, la expiación o la purificación.

❧ Se asusta a los niños con los demonios y se les dice que tienen poderes sobrenaturales.

Satanás es irreal bajo las siguientes condiciones:

❧ La gente siente que merece curar en vez de ser castigada.

❧ Una cultura está consciente de la manera en que surgen los mitos.

❧ La gente está consciente de sí misma y asume la responsabilidad de sus propias emociones.

❧ Existe una creencia en el perdón, el consuelo y la expiación.

❧ Se cuenta con cauces para las energías negativas (por medio de la terapia, el deporte, el diálogo franco, la dinámica familiar saludable, la educación, etcétera).

❧ Los niños no son condicionados a creer en los demonios y otros seres sobrenaturales.

❧ La sociedad promueve la evolución de la conciencia.

Nuestra cultura ha avanzado más allá de Satanás, porque a pesar de las personas que sostienen interpretaciones literales de la religión, tenemos un siglo de secularismo que nos respalda. Con todo y sus faltas, que pueden ser notables, la cultura secular ha promovido la terapia, desalentado la superstición y les ha dado a las personas la responsabilidad de sus propios destinos, alentando el diálogo de mente abierta en cada área que antes era considerada como tabú. Estos son logros considerables; dejan entrever un crecimiento tremendo en la conciencia. El mal, como quiera que lo definas, permanece incluso cuando Satanás se ha marchado, pero alejar nuestra atención de Satanás lo ha disminuido en gran medida, de la misma forma en que los dioses del Monte Olimpo, otrora tan poderosos que servían para explicar cada fenómeno natural, ahora se encuentran relegados a la Historia.

Al igual que los dioses griegos, Satanás ha vivido más allá del tiempo en que era útil. Cuando las personas encuentran una explicación mejor para cualquier fenómeno, las antiguas explicaciones caen en desuso —la meteorología reemplazó a Eolo, dios del viento, y la termodinámica reemplazó el fuego de Prometeo—. Tenemos el poder de hacer que Satanás crezca o se reduzca. De hecho, tenemos el poder de hacerlo real o irreal, lo que resulta más importante.

Conforme evoluciona la conciencia, Satanás se vuelve más irreal. Yo considero que existen ya millones de personas que están listas para dejar de hablar acerca de los demonios, el pecado y el mal cósmico como la causa del sufrimiento. Están listas para hablar en términos de la conciencia, para hablar acerca de estar desconectados de sí mismos. Hemos pasado muchos siglos pidiéndole a Dios que nos rescate y temiendo a Satanás como el enemigo supremo. Quizá esto fue necesario para nuestra evolución, pero ahora podemos considerar la sabiduría más profunda y más humana de los *rishis*, que nos habla de una realidad, no de un universo partido donde el Cielo y el Infierno son los polos opuestos.

El bien y el mal, nos dicen los *rishis*, son resultado directo de estar conectados con el alma. El alma es el aspecto más real del "yo". Cuando se interrumpe la conexión con el alma, perdemos contacto con la realidad.

El alma se disfraza cuando...

❦ Te encuentras muy cansado o eres víctima del estrés.

❦ Te sacan de tus casillas.

❦ Tu atención está dominada por factores externos.

❦ Permites que otros piensen por ti.

❦ Actúas siguiendo tus impulsos.

❦ Estás influenciado por el miedo y la ansiedad.

❦ Luchas y sufres.

Estas condiciones tienen que cambiar para que la conexión del alma pueda ser reestablecida. La muerte proporciona acceso a los dominios del alma, pero el *Vedanta* afirma que el alma tiene mucho que ofrecer antes de la muerte. La vida es conducida bajo la mirada del alma. Tu parte de la conciencia pura tiene ciertas cualidades universales:

❦ Es constante.

❦ Nunca te pierde de vista.

❦ Está conectada con todas las demás almas.

❦ Comparte la omnipresencia de Dios.

❦ No es alterada por el cambio.

❦ Vive más allá del tiempo y el espacio.

De manera que sólo son los momentos de ternura, amor y tranquilidad los que revelan al alma. En realidad, son esos momentos donde las cualidades propias del alma salen a la superficie, los que resultan más importantes. Dichos momentos tienen lugar muy rara vez en nuestras vidas modernas, pero el alma nunca deja de revelarse a sí misma.

EL ALMA SE REVELA CUANDO...

֍ Te sientes centrado.

֍ Tu mente es clara.

֍ Tienes la sensación de que el tiempo se ha detenido.

֍ Te sientes repentinamente liberado de los límites.

֍ Te encuentras muy consciente de ti mismo.

֍ Sientes que te has fusionado con otra persona, ya sea por el amor o en comunión silenciosa.

֍ Te sientes inmune al envejecimiento y al cambio.

֍ Te sientes dichoso o en éxtasis.

֍ Tienes una intuición instantánea que resulta ser cierta.

֍ De alguna manera sabes lo que va a ocurrir.

֍ Sientes la verdad.

֍ Te sientes muy amado o completamente seguro.

Si sólo existe una realidad, como afirman los *rishis*, entonces la vida no constituye una lucha entre el bien y el mal, sino una intrincada red en la que todas las acciones, buenas y malas, nos aproximan a la realidad o nos hunden más profundamente en la ilusión. El *Karma* hace girar la red. El *Karma* no es una prisión, sino el campo de la selección. El *Karma* hace que nuestras decisiones sean honestas. Cosechamos aquello que sembramos, pero esto dista de significar que estamos atrapados por las fuerzas cósmicas del bien y el mal. El Infierno, como cualquier otro sitio de la conciencia, en última instancia refleja el estado de nuestra propia conciencia, y es posible liberarnos de él, como obtener cualquier otro logro, al acercarnos a la realidad del alma.

6

FANTASMAS

ঙଟଟଟ

—Estoy muy agradecida por todo lo que me has enseñado —dijo Savitri. Se estaba haciendo tarde y, a decir verdad, ella comenzaba a perder la esperanza de volver a casa—. Estoy resignada a vivir sola, y quizá pueda visitarte para aprender más.

—¿Es que acaso hay alguien que se encuentre solo? —preguntó Ramana. El bosque se cubría de sombras púrpuras, y Savitri no pudo leer la expresión en el rostro de su interlocutor.

—Yo me siento sola —afirmó.

—A menudo nuestros sentimientos no son dignos de confianza —señaló Ramana.

De repente escucharon un ruido en los arbustos, a la vera del camino. Savitri dio un salto hacia atrás.

—¿Qué fue eso? —preguntó, mientras la ansiedad volvía a apoderarse de ella.

—Fantasmas —Ramana se detuvo—. Es hora de que los conozcas. Dado que han viajado más allá de esta vida, los fantasmas y los espíritus tienen mucho que enseñar.

Él se quedó quieto y le pidió que guardara silencio. Savitri quedó inmóvil y un escalofrío recorrió su piel. Después de unos momentos alguien surgió de entre la espesura del bosque; una pequeña niña de no más de dos años de edad caminó titubeante hacia ellos, pero sin mirarlos.

—No lo hagas —le advirtió Ramana, quien anticipó que Savitri querría correr a abrazar a la niña.

La pequeña miró a su alrededor confundida, cruzó el sendero y desapareció nuevamente en los bosques.

—¿La reconociste? —preguntó Ramana.

—No. ¿Cómo hubiera podido reconocerla? —Savitri estaba confundida y perturbada por lo que había presenciado. En vez de responderle directamente, Ramana dijo:

—Hay más. Los estás atrayendo —en ese momento apareció un segundo fantasma, que esta vez era una niña de cuatro años de edad. Savitri estaba aturdida.

—¿Conoces esa niña? —le preguntó Ramana.

—¡Soy yo!

Al escuchar eso, el fantasma volteó hacia donde ellos se encontraban y miró por un momento, para luego alejarse.

—¿Y la más pequeña era yo también? —Ramana asintió.

—Cada "yo" que anteriormente dejaste en tu camino es un fantasma. Tu cuerpo no es ya el cuerpo de una niña. Tus pensamientos, deseos, miedos y esperanzas han cambiado. Sería terrible caminar por la vida mientras arrastras a todos tus "yo" muertos. Déjalos partir.

Savitri no pudo decir nada. Una por una, las imágenes de sí misma aparecieron. Pudo ver a la niña de diez años que se sentaba al lado de su madre en la cocina, la niña de doce que se sonrojaba al hablar con un niño, la joven mujer obsesionada por Satyavan, su primer amor. El último fantasma fue el más asombroso, porque

era como una imagen en el espejo, exactamente de su edad y llevando el mismo chal que se había echado sobre la espalda cuando
abandonó su choza.

—Mira, incluso tu "yo" del día de hoy tiene un fantasma —dijo
Ramana.

Cuando esta última figura desapareció en el bosque, Savitri
dijo:

—¿Qué es lo que tienen que enseñarme?

—Que la muerte ha estado contigo en cada momento de tu
vida —respondió Ramana—. Has sobrevivido a miles de muertes
todos los días conforme tus viejas ideas, tus antiguas células, tus
viejas emociones e incluso tu antigua identidad desaparecieron.
Todos vivimos en el más allá en este momento. ¿Qué queda ya por
temer o por dudar?

—Pero parecen tan reales... —dijo Savitri.

—Sí, tan reales como los sueños —dijo Ramana—. Sin embargo, tú te encuentras aquí y ahora, no en el pasado.

Savitri nunca se había visto a sí misma de esa manera, y la visión
le hizo concebir un nuevo valor.

—Aún estoy dispuesta a vencer a la muerte, porque deseo tener
a Satyavan en mis brazos otra vez. Pero si Yama resulta vencedor, no
me aferraré a los fantasmas. Al menos he obtenido esa sabiduría.

El campo de los sueños

Cuando la gente se pregunta si la personalidad sobrevive a la
muerte, la respuesta es que la personalidad no sobrevive incluso
mientras se esté vivo. No somos la misma persona que fuimos

cinco, diez o quince años atrás, y sería muy triste si lo fuéramos. Nuestras personalidades están en constante evolución, transformándose y creciendo. Si la pregunta se torna en: "¿Sobrevive el individuo a la muerte?", entonces la respuesta es: "¿Qué es el individuo?". En realidad, lo que llamamos "yo" cambia día con día, semana tras semana, año tras año. ¿De qué individuo estás hablando; del joven que estaba enamorado y lleno de deseo y romanticismo, o del niño inocente que se maravillaba ante todo? Quizá debamos esperar al que esté senil y agonizante. ¿Como cuál te gustaría sobrevivir?

Quizá ninguno. El *Vedanta* nos dice que el más allá nos proporciona la oportunidad de dar un salto creativo. Conforme nuestras opciones continúan ampliándose, experimentamos una nueva realidad que es más rica que la noción convencional del Cielo. El Cielo es un punto final, donde por definición toda transformación cesa. Las almas lo habitan en un estado dichoso que suena, francamente, como vivir eternamente bajo tutela. ¿Por qué debe volverse inerte la conciencia? La supervivencia en el más allá carecería de sentido a menos que continúaramos respondiendo.

La diferencia más grande es que en el más allá la percepción de los cinco sentidos ya no nos estimula. El mobiliario de la mente ha sido despejado, dejando un espacio que se encuentra tanto en el interior como en el exterior de nosotros mismos. Ésta es la razón por la que Jesús en realidad no utilizaba una paradoja cuando se refería al Cielo "en tu interior" y al Cielo "con Dios Padre". Cuando sacas los muebles de una habitación, el espacio que queda está vacío, pero los *rishis* védicos afirman que el espacio mental es diferente. Está lleno de posibilidades. Cualquier cosa puede nacer allí. Ellos se referían a ese espacio preñado como *Akasha*. El equivalente más cercano en castellano sería "espacio de los sueños", o al menos ése es un buen lugar para comenzar.

Un sueño es como una pantalla en blanco, en la que cualquier cosa puede ser proyectada: cualquier evento, lugar o persona. *Akasha* es eso mismo. Cuando el *Vedanta* nos dice que cada mundo es una proyección de la mente, está describiendo un sueño *akashico*. "Los mundos van y vienen como partículas de polvo bajo un rayo de sol", dice una famosa frase védica. En *Akasha* nos damos cuenta de la transitoriedad de todas las cosas y de la inmensidad de lo desconocido. El sueño *akashico* es cósmico, a diferencia de los sueños personales que tenemos por la noche.

Las experiencias cercanas a la muerte nos dicen que el estado de "atravesar al más allá" —el espacio temporal que precede a la experiencia plena del más allá— todavía se siente personal. La gente reporta haber visto a sus amigos y parientes muertos, por ejemplo. La persona que muere continúa viendo el cuarto en que yace su cuerpo, y los recuerdos y las asociaciones mentales continúan vinculándolo a la existencia física. La posibilidad de dar un salto creativo no se ha llevado a cabo. En tanto continúes sintiéndote como la persona que eras, no te será posible experimentar lo desconocido. Permíteme darte un ejemplo.

Durante una conferencia que ofrecí hace algunos años conocí a Gerald, un hombre que me dijo que había quedado fascinado por los poderes curativos de los chamanes del sudoeste de Estados Unidos. "¿Qué clase de sanación necesitabas?", le pregunté.

"No quisiera decírtelo aún", me dijo. "Volé a Nuevo México y me encontré con un grupo a las afueras de Santa Fe. Éramos cerca de veinte personas. Yo nunca había conocido a un chamán. El nuestro era de una tribu hopi, pero no llevaba ningún símbolo religioso. Era simplemente un hombre viejo muy agradable, con el cabello largo hasta los hombros. Nos saludó a cada uno conforme entramos al salón de reuniones de un motel."

Gerald me dijo que el chamán comenzó por pedir a cada asistente que seleccionara una pareja. "Nos pidió que escogiéramos una persona de la habitación con quien nos sintiéramos cómodos. Yo escogí a un hombre de mi edad que estaba sentado cerca de mí; estaba tan cómodo con él como con cualquier otra persona, considerando que me sentía mal de cualquier manera."

Gerald reveló entonces que había atravesado por un desgastante tratamiento para el cáncer de próstata, que incluyó cirugía y quimioterapia. Había logrado vencer al cáncer por dos años, pero le agobiaba el miedo de que los doctores no lo hubieran eliminado del todo. Su ansiedad siguió creciendo a pesar de que le habían dicho que estaba a salvo. Finalmente, siguiendo el consejo de un amigo, Gerald buscó de manera reticente la ayuda del chamán.

Una vez que seleccionamos a nuestra pareja formamos un círculo. El chamán se colocó en el centro y comenzó a cantar. Nos pidió que no hiciéramos cosa alguna, excepto observar. Después de quince minutos se volvió hacia la primera pareja, un hombre y una mujer. El chamán miró al hombre a los ojos y le murmuró algo. Inmediatamente el cuerpo del hombre comenzó a agitarse y a continuación cayó al suelo, víctima de una especie de ataque.

Con voz insistente, el chamán le decía: "¡Háblame!"Los ojos del hombre estaban en blanco. Entonces murmuró algo acerca de estar congelándose mientras yacía en el suelo, en invierno. Estaba desmayado a consecuencia del alcohol y muriendo.

El chamán asintió. Se volvió a la mujer, que parecía muy conmovida. "¿Eres alcohólica?", le preguntó. "¿Es por eso que has venido aquí?" La mujer se sonrojó y asintió con la cabeza. "Bien, tú cuentas con un espíritu en tu familia, alguien que murió debido al alcohol. Necesitamos liberarlo." El chamán ayudó a la pareja de la mujer a levantarse y le dijo que había hecho un buen trabajo. Y siguió de esa manera, una pareja cada vez, alrededor del círculo.

Gerald observó cómo cada integrante de la pareja era utilizado para invocar al espíritu de alguien que había muerto. En cada caso el espíritu habló de un problema —depresión, cáncer, adicción— que resultó corresponder con precisión al problema que había impulsado a la otra persona de la pareja a asistir a la reunión. Nadie había hablado con el chamán antes de la reunión en el motel. Gerald se asombró cuando su pareja invocó al espíritu de su abuelo, quien había muerto de cáncer pulmonar cuando Gerald era un niño pequeño.

No todos reconocieron su espíritu, y no siempre se trataba de un pariente cercano. En mi caso, yo había escuchado mucho acerca de mi abuelo, quien había sido un ciudadano destacado. Era escalofriante escucharlo suplicar que lo liberaran del dolor, muy escalofriante.

En el caso de algunos de los asistentes, el hecho de deshacerse del espíritu invocado marcó el final del tratamiento, y eso fue lo que hizo el chamán. Gerald permaneció en el sudoeste y se sometió a una serie de sesiones de sudoración medicinal, acompañadas de rituales y cantos. Después de varias semanas el chamán le dijo que el espíritu de su abuelo estaba ahora en paz.

"Casi inmediatamente después de que regresé a casa me sometí a una revisión médica, pero ya no me sentía ansioso. Dejé de tener pesadillas y de despertar sudando a mitad de la noche. Había terminado, tal y como el chamán dijo."

Estoy recordando esta historia para ampliar nuestra perspectiva. El hecho de ser criado en la cultura cristiana no significa que automáticamente la persona que muere se verá llegando a las puertas doradas del Cielo y será saludado por San Pedro. (Ésta tampoco ha sido una de las escenas más comunes reportadas por las personas que han tenido experiencias cercanas a la muerte.) En vez de lo anterior, uno podría encontrarse en el mundo espiritual de los nativos indígenas de las Américas. El paso del alma al más allá sigue senderos que no podemos prever.

La historia de Gerald tiene un final curioso. Un mes después de regresar a casa se marchó de vacaciones con su esposa al medio oeste norteamericano, de donde su familia era originaria. "Nos registramos en un hotel de estilo victoriano, remodelado. Nuestro cuarto estaba decorado con un tapiz de flores y teníamos una cama con cuatro pedestales. Sin embargo, lo que capturó mi atención fue un periódico antiguo que había sido enmarcado y colgado de la pared. Era de principios de siglo y mostraba la fotografía de una brigada de bomberos voluntarios. Exactamente a la mitad, mirando a la cámara, estaba mi abuelo cuando era joven."

"¿Te estremeció esa foto?", le pregunté.

"No, para mí fue una señal más de que el chamán estaba en lo cierto. Estoy contento de que mi abuelo haya sido liberado, donde quiera que se haya marchado."

Akasha

En todas las historias de fantasmas que desean ser libres, lo que los retiene prisioneros es el recuerdo. Ellos continúan recordando cómo era su vida física, y los asuntos sin concluir que están implícitos en esos recuerdos los mantienen presos. El espíritu no puede escapar a la siguiente etapa de la existencia. Por extraño que parezca, esto significa que cuando el más allá se ha vuelto real, el mundo físico se ha convertido en un sueño. Es sólo una cuestión de perspectiva. Cuando te encuentras en tu cuerpo físico, tu perspectiva hace que lo físico sea real. Cuando estás soñando por la noche, el estado de sueño es real. Cuando estás "atravesando al más allá", tanto despertar como soñar son irreales, y *Akasha* —el campo de la conciencia— es real. ¿Qué provoca este cambio de la realidad? El *Vedanta* sostiene que la conciencia queda convencida por sus propias creaciones. Por lo tanto, nada de lo que podamos ver, escuchar o tocar, ya sea cuando estamos despiertos, soñando o más allá de ambos estados, es en última instancia real. Sólo representan perspectivas que están en constante cambio.

Estar completamente libre significa despertar de todos los estados similares al sueño y ser lo que eres: el creador de la realidad. Uno no puede afirmar que todas las personas que mueren lograrán esa clase de libertad absoluta. Es posible que lo adviertan, siquiera por un segundo; es posible que sientan la posibilidad de liberarse de un sueño, pero son seducidos por el siguiente que viene a su mente.

Conocí a una mujer que cuando era niña, al regresar a casa de la escuela, se encontró con su joven prima de Chicago que estaba parada en una esquina, esperándola. Ambas tenían ocho años de edad en aquella época. La prima no habló, y la niña corrió a decirle a su madre que tenía una visita.

Cuando entró a la cocina encontró a su madre, quien lloraba. La pequeña niña le preguntó por qué, y la madre le dijo que había tenido lugar una repentina muerte en la familia. Se trataba de su prima de Chicago, que había fallecido esa mañana. ¿Visitó su prima a la niña como una visión, como una premonición, o simplemente como un acto de la imaginación, una coincidencia? Conforme la mujer contaba la historia, ella veía a su prima como "real". Sin embargo, ¿qué queremos decir por "real", excepto que algo es convincente? Este encuentro con un pariente que ha partido puede ser juzgado como una alucinación o como un evento profundamente espiritual, dependiendo no sólo del evento mismo sino de quien lo analiza.

En el más allá la persona despierta de una perspectiva extremadamente convincente —la existencia física— y encara la posibilidad de liberarse. *Akasha* no es una perspectiva particular; es un campo de juego amplio y abierto que espera a que los jugadores se presenten. ¿Quiénes serán los jugadores?

- ❧ Pueden ser los mismos jugadores que solíamos ser.
- ❧ Pueden ser jugadores que hemos imaginado o que estamos deseosos de ver.
- ❧ Pueden ser seres de otros mundos.
- ❧ Pueden ser emanaciones de nosotros mismos.
- ❧ Pueden ser la encarnación de ideas abstractas.

En diversas culturas del mundo se han reportado todas esas posibilidades. El Cielo cristiano es una obra de teatro *akashica*, un drama de redención con seres de otro mundo, junto con personas conocidas del pasado y una abstracción que llamamos Dios. En la medida en que esas imágenes se materializan en la mente, un cristiano agonizante aceptará que ha llegado al Cielo. El *Vedanta* señala que la verdad más profunda es que la persona que ha muerto ha llegado a un espacio creativo, *Akasha*, que produce cualquier cosa que desea.

Pero, ¿cómo conoce una persona lo que desea? La respuesta se vuelve más complicada. Volvamos a la Tierra y formulemos la misma pregunta. ¿Cómo sabes lo que quieres en este momento? Hasta que aparezca tu próximo deseo, no lo sabrás. Es cierto que desearás algo, porque la mente es un continuo torrente de deseos. Sin embargo, esto no hace que la mente sea predecible. Puedes ser una criatura de hábitos que siempre desea dos huevos revueltos en el desayuno, mientras que yo puedo ser inquieto y desear un desayuno diferente cada día. Ambos podemos perder nuestro patrón acostumbrado debido a un estado de estrés repentino, como ocurre cuando alguien fallece en la familia, cuando perdemos nuestro empleo, cuando se nos diagnostica un problema cardiaco. Repentinamente no tenemos hambre; nuestras mentes desean estar en duelo y no comer. El conflicto impredecible entre los viejos patrones y las situaciones nuevas hace imposible aferrarnos a un deseo.

Cruzando el campo

Tenemos una oportunidad de ampliar las posibilidades, más allá de lo que nuestra cultura nos ha condicionado a creer. Una misma experiencia no puede ajustarse a todas las personas. Nuestros ojos continúan mirando lo que esperamos, incluso cuando utilizamos los ojos del alma, pero el campo de *Akasha* no es un torbellino de imágenes al azar. Se trata de algo más estructurado que un sueño; tiene una especie de paisaje invisible. La estructura de *Akasha* no puede ser descrita en términos físicos; sin embargo, si miramos al interior de nosotros mismos, el aparentemente azaroso flujo de nuestras mentes también obedece a una especie de estructura invisible.

Digamos que alguien se acerca a ti y te saluda por tu nombre. La persona sonríe; hay una mirada de expectativa en su rostro. ¿Cómo respondes? Tu mente hace varias cosas al mismo tiempo. Consulta los archivos fotográficos que ha almacenado, con todos los rostros familiares. Busca un nombre al cual asociar al rostro. Si ninguno de los dos elementos puede ser encontrado inmediatamente, tu mente no se da por vencida aún; tiene recursos de apoyo. La mente piensa en rostros que pudieran ajustarse al de esta persona pero que son más jóvenes o borrosos. Considera nombres de muestra que pueden estimular el recuerdo. Revisa acontecimientos recientes en que este aparente extraño pudiera haber participado. Si ninguna de estas cosas funciona, la mente comienza a pensar qué decir para justificar que no puedas recordarlo.

Todos hemos vivido situaciones parecidas, y estamos tan acostumbrados a asociar nombres y rostros que no nos causa maravilla cuán asombroso es el proceso entero. No sólo puede la mente buscar en sí misma la información con rapidez increíble, sino que además realiza muchas operaciones con planes de respaldo por si fracasan. Esto implica una estructura sorprendentemente compleja, pero invisible.

En el más allá, la misma estructura continúa existiendo. En las experiencias cercanas a la muerte, la persona que agoniza encara repentinamente una situación desconocida, y busca en su interior señales conocidas: familiares que han muerto, voces que reconoce, una luz divina, la presencia paterna (o materna) de Dios. En otras palabras, todos tenemos un mapa integrado que consultar. Este mapa nos prepara para convertir cualquier experiencia inédita en algo significativo. (Mientras escribía este capítulo presentaron un documental especial en la televisión acerca del Cielo, y transmitieron la entrevista con una mujer que estaba segura de haber estado en él. Su experiencia cercana a la muerte tuvo lugar mientras daba a luz; la mujer tuvo una crisis y cayó brevemente en coma. El entrevistador le pidió que describiera el Cielo. El rostro de la mujer estaba desbordante de emoción al recordar. Describió una escalera interminable que subía al Cielo, y a lo largo de la escalera había animales felices. Añadió que el azul del Cielo no tenía igual que pudiera ser encontrado en la Tierra. Para mí, ella eligió interpretar su experiencia al dibujar imágenes similares a las de los libros infantiles.)

Los psicólogos han conducido experimentos para demostrar la manera en que creamos el significado de manera automática. En uno de ellos, un grupo de sujetos se sentó en una habitación frente a una grabadora. Se les pidió que escucharan el registro de alguien que hablaba, y que tomaran notas sobre lo que decía. También se les dijo que la voz de la grabación sería muy suave, toda vez que el experimento se proponía poner a prueba qué tan bien puede escuchar el cerebro las palabras pronunciadas en voz baja.

La grabación fue reproducida a un volumen casi inaudible. Los sujetos se inclinaron hacia adelante y tomaron notas, que después fueron recolectadas. Lo que no se les dijo es que la voz estaba pronunciando palabras sin sentido; simplemente se trataba de palabras escogidas al azar por una máquina. A pesar de lo anterior, cada sujeto tomó notas que tenían sentido, debido a que la expectativa de escuchar palabras con significado los llevó a *crear* el significado.

En el más allá las posibilidades creativas se amplían enormemente. En vez de formular una pregunta —"¿Qué dice la voz de la grabación?"—, la mente tiene una serie de preguntas que formular: "¿Dónde estoy? ¿Qué me está ocurriendo? ¿En qué me he convertido? ¿Qué me espera adelante?".

En el más allá la mente es multidimensional. *Akasha* nos saca de todas las limitaciones espacio-temporales. A decir verdad, siempre hemos sido multidimensionales; sólo que estamos tan convencidos de habitar el mundo material, que nos hemos ajustado a sus reglas. Ahora necesitamos adaptarnos a *Akasha*, donde existe una estructura que no tiene reglas rígidas y donde las posiblidades creativas carecen de un dogma cultural.

El hilo invisible

A decir verdad, las cosas que Ramana le dijo a Savitri no fueron totalmente sorprendentes. Ella fue educada para creer en el alma. Había escuchado cómo el "yo" más alto, el "habitante interior", como le llamó el Señor Krishna, era inmortal. Sin embargo, esas lecciones le parecían remotas.

—¿Cómo puedo saber que tengo alma? —preguntó.

—Tú no puedes saber eso al verla o tocarla —dijo Ramana—. Tu alma podría murmurarte, pero incluso entonces podrías solamente escuchar ecos de tu propia voz.

—¿Así que el alma es quizás una ficción? —preguntó Savitri, con un resentimiento de naufragio.

—El alma no es una ficción sólo porque es invisible —dijo Ramana—. Mira.

Suspendida en el aire, bajo un rayo de luz, podía verse la silueta de una compleja telaraña sostenida entre dos arbustos. Brillaba y se estremecía con la brisa más delicada.

—Una araña ha creado esta red —dijo Ramana—. Puedes ver su obra pero no puedes verla a ella. La araña sostiene un hilo muy delgado que le permite saber cuando algo queda atrapado en la red. ¿A dónde se ha marchado el alma? No importa, en tanto exista la conexión.

Savitri no pudo evitar su propia obstinación.

—Yo todavía podría estar imaginando que tengo un alma.

—Ah, pero esa es la maravilla.

El rostro de Ramana se iluminó súbitamente por la inspiración.

—La naturaleza imagina a las arañas. Imagina a las grandes y a las pequeñas, a las suaves y a las peludas, a aquellas que viven en el aire, en el agua, en la tierra, aquellas que son blancas y negras y de todos los tonos que existen entre ambos extremos. Piensa en las pequeñas arañas que cuelgan de hilos delicados en la primavera mientras gigantescas arañas acuáticas se sumergen hasta el fondo de un estanque y atrapan a los peces. Somos tontos al pensar que la araña es una cosa. Se trata de un torbellino cambiante de cualidades, siempre en mutación, fascinante. El alma es así también. Sin importar cómo la imagines, asumirá esas cualidades y aún tendrá un potencial infinito como reserva. Cuando preguntas: "¿Dónde está mi alma?", la respuesta no es un lugar sino un potencial. El alma está donde quiera que está, donde ha estado y donde estará.

Los ojos de Ramana estaban fijos en la trémula telaraña bajo la luz del Sol, y por medio de su fascinación Savitri comenzó a sentirse también fascinada. Ella no podía saber con certeza si la araña que hizo esa telaraña era blanca, amarilla o roja, grande o pequeña, hembra o macho y, sin embargo, eso no le impidió saber que era real. No tenía idea tampoco de qué aspecto tenía su alma, o qué había más allá de las fronteras de la muerte. Todo lo que tenía era un hilo invisible. ¿Sería suficiente?

—Sí —dijo Ramana—. Has prestado atención el día de hoy. Estás aprendiendo.

Savitri sonrió, todavía con una ligera duda. Repentinamente se sintió muy cansada. Se acostó sobre un montón de helechos y cerró los ojos. Su mente se deslizó en el sueño poco a poco, hasta que olvidó dónde se encontraba o los peligros que había encarado. Eso era suficiente para dormir.

Una telaraña de mundos

El campo *akashico* ha sido interpretado por cada cultura de forma tal que tenga significado para ella. En sí mismo, dicho campo es potencia pura. Sin embargo, los grandes guías espirituales del pasado deseaban enfatizar a sus seguidores que el espacio no es sinónimo de vacío. Lo sabemos porque nuestro propio silencio interno no es un vacío. No es necesario morir para ir más allá de los pensamientos y las imágenes. Cuando las meditaciones de una persona son lo suficientemente profundas, el pensamiento desaparece y deja sólo la experiencia del silencio. Uno podría decir que el silencio es nada, vacío, pero los sabios védicos nos dicen que, de hecho, es un silencio muy rico.

Hemos seguido la travesía del alma hasta el estadio más alto que puede obtener, que es el *Akasha* mismo, la fuente de la creatividad. Diversas tradiciones espirituales consideran este punto final de diferentes formas. He aquí siete versiones que continúan dando forma a la manera en que la gente experimenta su jornada espiritual:

  ❦ El Paraíso
  ❦ La mente de Dios

❦ El mundo espiritual

❦ La trascendencia

❦ La transmigración

❦ El despertar

❦ La disolución

Estas son siete posturas para el alma, y cada posibilidad se ha creado a sí misma. El sueño que comenzó en la Tierra continúa hasta que alcanza su conclusión. Sus ingredientes son tomados de la estructura invisible de la mente, y luego combinados de tal manera que tienen sentido en el mundo *akashico*.

LOS SIETE DESTINOS DEL ALMA

1. *El Paraíso.* Tu alma se encuentra en un mundo perfecto creado por Dios. Vas al Paraíso como recompensa, y permaneces ahí eternamente. (Si eres malo, vas al hogar de Satanás y nunca lo abandonas.)

2. *La mente de Dios.* Tu alma regresa a Dios, pero no a un lugar en particular. Descubres que te encuentras en Dios, conforme el estado atemporal está impregnado por su presencia.

3. *El mundo espiritual.* Tu alma descansa en el ámbito de los espíritus que se han marchado. Se reúne con tus ancestros y con quienes fallecieron antes que tú, y que están reunidos con el gran Espíritu.

4. *La trascendencia.* Tu alma ejecuta un acto de desaparición en que la expresión "persona" se desvanece, ya sea rápida o gradualmente. El alma pura vuelve a unirse al mar de la conciencia del que nació.

5. *La transmigración.* Tu alma está atrapada en el ciclo del renacimiento. Dependiendo de tu *karma*, tu alma se traslada de formas de vida más bajas a otras más sofisticadas, e incluso puede renacer en objetos. El ciclo continúa eternamente hasta que tu alma escapa por medio de una realización superior.

6. *El despertar.* Tu alma llega a la luz. Puede ver con claridad completa por primera vez, y se da cuenta de que la verdad de la existencia estaba disfrazada al ser un cuerpo físico.

7. *La disolución.* La eternidad es la nada. Conforme los componentes químicos de tu cuerpo vuelven a convertirse en átomos y moléculas básicas, la conciencia creada por el cerebro desaparece completamente. Dejas de existir.

Existe una cierta mezcolanza cultural en este punto, dado que una tradición nutre a la otra. La visión musulmana de la eternidad como un jardín paradisíaco, pleno de la atracción sexual de las huríes y frutas exóticas, debe su existencia parcialmente al Jardín del Edén. Los mundos espirituales son comunes en todo el mundo. Los antiguos griegos esperaban encontrarse con las sombras de los muertos al cruzar el río Styx, en el Hades; sin embargo, tras pasar por el filtro del tiempo y de la cristiandad, el Hades se convirtió en el Infierno de castigos, presidido por Satanás, mientras que el sitio griego de los espíritus dichosos, los Campos Elíseos, se convirtió en el Cielo.

Existen mundos espirituales invisibles que se han descubierto en las antiguas religiones de Japón y China. En la época prehistórica los aborígenes se esparcieron del sudeste de Asia hacia Australia y las islas del Pacífico Sur, llevando consigo sus mundos espirituales. Con ellos también llevaron una especie de "tiempo de ensueño" que se relacionaba con el tiempo ordinario, en que los acontecimientos materiales podían ser vistos en función de los acontecimientos espirituales. Sin embargo, los mundos espirituales no pudieron arraigarse en la India, donde las creencias dominantes se clasificaban en relación con tres tipos de "más allá": la trascendencia (reunirse con el mar de la conciencia), el despertar (descubrir que nuestra verdadera naturaleza está en el *atman* o en el alma) y la transmigración (el eterno ciclo de renacimiento).

Sin embargo, el hecho de nacer en una determinada cultura no siempre determina lo que tu alma encontrará después de atravesar al más allá. La vida eterna es algo muy personal.

Conciencia expandida

La creencia común es que nadie sabe realmente lo que ocurre después de que morimos. Sin embargo, los *rishis* formularon la pregunta: "¿Por qué carecemos de la expectativa de saber?". En vez de ser sujeto del conocimiento, es posible que el más allá sea algo que no hayamos estudiado lo suficiente. Y de ser así, ¿por qué no?

En primer lugar, la mente es adicta a la repetición. Hoy perseguimos los mismos placeres que perseguíamos ayer. Incluso, nuestros pensamientos del día de hoy son los mismos que ayer hasta en el noventa por ciento, de acuerdo con algunos estudios. El hábito gobierna nuestras acciones; una serie fija de cosas que preferimos o no determina nuestro gusto. Si tienes miedo de ser pobre hoy, es probable que hayas tenido el mismo miedo desde la infancia. Si piensas perder cinco kilos de peso, es probable que esto refleje una obsesión con el cuerpo que se remonta a algunos años atrás. El aspecto positivo es que los psicólogos señalan que la búsqueda del placer y el deseo de evitar el dolor nos motivan cada día, generalmente, con buenos resultados. Nos sentimos satisfechos por lo que sabemos. De hecho, los *rishis* védicos declaran que el hábito es lo que hace que una persona se sienta real. (En el mundo laboral, cuando alguien pierde repentinamente su empleo, puede ser devastador desde el punto de vista psicológico; sin mencionar que un despido súbito incrementa en gran medida el riesgo de padecer un infarto al corazón, cáncer o un ataque de apoplejía.)

Al mismo tiempo que nos reconforta, la repetición tiene un efecto mortal. Al rehusarse a aceptar algo nuevo, ajusta por la fuerza la realidad y la aprisiona en el molde de lo antiguo. Cada uno vive detrás de un muro, de cuyo otro lado se encuentra el potencial infinito de lo desconocido. El muro sólo tiene pequeñas puertas, y nosotros montamos guardia y permitimos que una experiencia pase pero excluimos otra, determinando que la primera es buena y la otra es mala. Mientras sigamos aceptando la realidad de manera tan selectiva, la libertad constituirá sólo una posibilidad remota.

En este sentido, la muerte es un don porque abre todas las puertas y ventanas. La muerte nos obliga a pasar al otro lado del muro. En vez de ver cosas que conocemos y que hemos coleccionado y etiquetado, debemos comenzar de nuevo. Sin embargo, los *rishis* aseguran que no ingresamos al campo de *Akasha* con las manos vacías. Cualquiera que sea nuestro sueño en este momento, *el sueño continúa*. La conciencia está atada por miles de hilos a los antiguos recuerdos, hábitos, preferencias y relaciones.

Cada vez que alguien insiste en discutir qué ocurre después de la muerte, mi respuesta cobra la forma de una pregunta: "¿Quién eres?". Debes saber dónde te encuentras en este momento, para poder saber dónde estarás mañana, y el más allá es solamente una clase especial de "mañana".

He aquí lo que necesitamos para saber "¿Quién soy yo?":

1. *¿Cuál es tu historia?* Tu historia es más que la lista de los aconte-cimientos que han tenido lugar en tu vida. Se trata de la imagen que tienes de ti mismo, la manera en que te miras, lo que ha dado forma a tu mente, los recuerdos impresos en tu memoria. Tomados en su conjunto, esos elementos de tu historia te per-miten saber en dónde te encuentras en el ciclo de la vida.

2. *¿Cuáles son tus expectativas?* Las expectativas son como semi-llas; una vez plantadas, se manifiestan en aquellas cosas que ganamos o perdemos en la vida. Cuando cobras conciencia de tus propias expectativas, descubres los límites que en silencio te has impuesto a ti mismo. Existe una enorme diferencia entre aquellos que esperan obtener grandes cosas y quienes no tienen esas expectativas.

3. *¿Cuál es tu propósito?* Esto se refiere al significado que estás tra-tando de encontrar. El propósito se refiere a cosas más profundas

que aquellas que esperamos obtener, las cuales principalmente se centran en el dinero, las posesiones, el estatus y la comodidad. Si conoces tu propósito, conoces el proyecto más profundo al que está dedicada tu vida.

4. *¿Cuál es tu destino?* Este punto se refiere a la realización. Las metas humanas son infinitas; se desarrollan, no como un camino que tiene un final, sino como un río que fluye para unirse al mar y que se mezcla con posibilidades todavía más grandes. Si conoces tu destino, puedes concebir una visión más alta de tu realización.

5. *¿Cuál es tu sendero?* Una vez que has identificado tu propósito y tu destino, debe existir una manera de alcanzarlos. La palabra "sendero" ha sido adoptada como un término espiritual, pero de hecho cualquier persona —espiritual o no— sigue cierto camino para alcanzar lo que desea.

6. *¿Quiénes son tus enemigos?* El movimiento hacia adelante nunca se realiza sin encontrar obstáculos. En tu sendero encontrarás obstáculos que te impiden seguir adelante. En ocasiones el enemigo es externo, pero si examinas tu interior profundamente, encontrarás que ese enemigo también es interno.

7. *¿Quiénes son tus aliados?* Todos llevamos con nosotros a otras personas en nuestra travesía. De la misma forma que ocurre con tus adversarios, puedes identificar a estos aliados como seres externos, pero ellos tan sólo reflejan tu fortaleza interior, así como tu oponente refleja tu vulnerabilidad interior.

Ninguna de estas preguntas se refiere al más allá. No están vinculadas con tus creencias sobre el Cielo y el Infierno, o sobre el alma. La razón es que aquello que sabemos en este momento es inmediato y personal: la manera en que nos sentimos, lo que queremos, los seres a quienes amamos. Y eso es suficiente. Las decisiones que tomamos determinan la manera en que la vida avanza. No vamos por la vida tomando decisiones buenas y malas simplemente. Vamos construyendo la persona que somos. La elección misma es como una mano que da forma a la arcilla que constituye a la persona.

Si pensamos un poco, cada uno puede responder preguntas sobre quienes sómos y cuál es el propósito de nuestra vida. Si deseamos elegir lo que ocurre en *Akasha,* todo lo que tenemos que hacer es ampliar esas mismas preguntas más allá del umbral de la muerte física.

🔥 ¿Cuál quieres que sea tu historia después de tu muerte?

🔥 ¿Qué esperas que ocurra a continuación?

🔥 ¿Qué significa el más allá para ti?

🔥 ¿A dónde te llevará tu último aliento?

🔥 ¿Cómo llegarás a ese lugar?

🔥 ¿Quién se interpondrá en tu camino?

🔥 ¿Quién te ayudará en el camino?

Puedes advertir cuán extrañas sonarían esas preguntas si no te las hubieras encontrado en el contexto de la vida diaria. Estamos atrapados entre dos niveles de existencia. Permíteme poner un ejemplo: recientemente conocí a Lydia, una mujer de edad avanzada que se ha dedicado al servicio de un *roshi zen,* o maestro, por más de treinta años. Este *roshi* particular era italiano y no japonés, y se trataba en realidad de una mujer. Lydia mencionó estos hechos inusuales sin explicar la manera en que escogió a su maestra. "Siempre fuimos muy cercanas. No se trata de algo que podamos establecer en términos intelectuales. Tiene que venir de aquí", dijo Lydia mientras colocaba la mano sobre el corazón.

"Pasé algún tiempo con mi maestra en Roma, y tras varios años mi práctica se convirtió en el aspecto central de mi vida. Cada invierno yo iba a Roma para estar con ella y practicar zen con el pequeño grupo que ella reunía en esa ciudad."

"Has encontrado tu sendero", le dije.

Ella pareció tener dudas. "¿Lo he encontrado? La última vez que estaba empacando para ir a Roma, una parte de mí se preguntaba: '¿Por qué estoy haciendo esto? ¿Cuál es el sentido?' Mis dudas me parecieron ridículas al principio, pero luego comencé a despertar a la mitad de la noche asustada, con la mente agitada."

Le pregunté qué ideas le causaban pánico.

"Siempre era lo mismo. Imaginé que me encontraba perdida, solitaria y sin confianza en lo que estaba haciendo. Sin embargo, sé que todo saldrá bien una vez que me encuentre con mi grupo zen, así que me vuelvo a dormir."

Después de décadas de meditación y otras prácticas espirituales, Lydia se conocía bien, pero esos ataques de pánico empeoraron recientemente. Me pidió mi opinión acerca de su significado.

"Posiblemente significan muchas cosas", le dije. "Quizás estás yendo y viniendo de Roma por la fuerza de la costumbre, y tu verdadero compromiso ha terminado. Quizá no has obtenido lo que esperabas del budismo zen. Quizás has alcanzado un obstinado nivel de resistencia que te impide seguir adelante."

Lydia asintió de manera enfática. "Todo eso es verdad. En ocasiones estoy tan disgustada conmigo y con mis costumbres y juicios, que pienso que no he llegado a ninguna parte. ¿Es eso posible?"

"Desde luego que has avanzado", le dije. (De hecho, Lydia tiene una presencia poderosa que fue perceptible desde el momento en que entró en la habitación.) "Sin embargo, solemos poner en una repisa las cosas que hemos logrado desde el punto de vista espiritual, mientras que las cosas en que todavía debemos trabajar se presentan ante nosotros como manchas en el mantel, que atraen la atención incluso cuando el resto del mantel esté limpio."

A Lydia le gustó la analogía, pero todavía estaba dudosa. "Quizás algo en mi interior quiere mantenerme deprimida y llena de juicios, o simplemente no puede superar esa cosa negativa. Y si eso es verdad, ¿entonces qué?"

Le ofrecí diversas maneras de apreciar la situación, las cuales generalmente se aplican a momentos de estancamiento espiritual.

"Eres una persona profundamente espiritual, y eso significa que estás permitiendo que tus problemas más profundos se manifiesten, en vez de esconderlos. Ser espiritual no significa estar cómoda todo el tiempo. Es posible que te encuentres en transición y que esperes ansiosa la siguiente etapa de tu travesía."

"No me había dado cuenta de que tenía tantas opciones. Yo pensé que estaba simplemente...", y la voz de Lydia vaciló.

"¿Fracasando?", le pregunté. "De ninguna manera. La mayor parte de la gente dedica mucho tiempo y esfuerzo a una sola cosa: evitar la verdad dolorosa sobre sí mismos. Tú estás haciendo exactamente lo opuesto."

Ella se sintió mejor, y tenía algo en qué pensar. Muchas personas se resisten a asumir el compromiso de llevar una vida espiritual una vez que descubren que conlleva un estado de fermentación. Todo aquello que es serio y difícil queda pospuesto, a menudo hasta el día de su muerte. Sin embargo, los *rishis* enseñaron que la exploración de uno mismo es la cosa más importante que podemos hacer para prepararnos para el más allá. Todas las tácticas que utilizamos para evitarnos a nosotros mismos quedan disueltas. Eso pone a Lydia en una posición inusual. En efecto, ella experimenta el campo de *Akasha* bajo la forma de su propio silencio interior. En ocasiones, el budismo describe esas prácticas como una muerte consciente. Uno "muere" respecto de los antiguos recuerdos, los condicionamientos, los hábitos y la autonegación; es decir, todas aquellas cosas que la mente utiliza para no verse a sí misma.

Para experimentar el campo de *Akasha* se requiere un estado de conciencia expandida. La conciencia limitada nos mantiene atados a nuestros asuntos cotidianos. Le dije a Lydia que sus cambios de estado de ánimo y su falta de decisión eran síntomas de que su conciencia se balanceaba una y otra vez entre la expansión y la contracción. Cuando su mente no se encontraba en los dominios de *Akasha*, ella se concentraba en la personalidad de su "yo". Los deseos e impulsos diarios asumían el control. Sin embargo, en otras ocasiones su mente escapaba a sus limitaciones. Al verse a sí misma en un estado de conciencia expandida, dejaba su "yo", tanto como le sería posible a cualquier persona.

"Ése es el precio que tienes que pagar", le dije. "Cualquiera que camine el sendero con la dedicación con que tú lo haces se sentirá tembloroso."

Lydia era afortunada porque estaba acostumbrada a esos cambios entre la conciencia expandida y la conciencia limitada. Muchas personas encuentran palabras negativas para referirse a la ampliación de la conciencia. Ellos afirman: "Estoy en el espacio", "Estoy desorientado" o "No sé quién soy". En ocasiones esas etiquetas podrían aplicarse a la realidad, pero los momentos de trascendencia son pasados por alto. Al final de nuestra conversación, Lydia afirmó lo que había aprendido a través de los años de práctica: los dramas que vivimos cambian de manera inesperada, y conforme hacemos nuevas elecciones, la vida del alma cobra forma. El aspecto crítico es *tener* una vida del alma, y eso sólo es posible por medio de la expansión de la conciencia.

Una variedad de opciones

Akasha es el hogar del alma y, por lo tanto, no puede limitarse en forma alguna. El misterio, por extraño que parezca, consiste en la manera en que nos las arreglamos para limitar el potencial desatado de nuestras propias mentes. Las elecciones que hacemos construyen fronteras invisibles que sólo nosotros podemos destruir. Existen encrucijadas constantes en nuestros caminos, que le dan forma a la estructura invisible de la mente, dependiendo del camino que escojamos. Las palabras clave para dichas opciones son:

EXPANSIÓN	CONTRACCIÓN
Expresión	Represión
Autoconocimiento	Negación
Serenidad ante la incertidumbre	Deseo de seguridad
Opinión personal	Opinión recibida
Orientación hacia lo espiritual	Materialismo

Autoaceptación	Culpa, autonegación
Individualismo	Conformidad
Altruismo, desapego	Egoísmo

Estas cualidades no describen los tipos de personas, sino las cualidades de tu propia mente, que se amplía y contrae dependiendo de muchos factores. La mente no es una sola cosa que se mueve en una dirección. Podemos compartir una tendencia a ser más expresivos cuando somos jóvenes, más reprimidos en la edad adulta, pero también podemos haber desarrollado opiniones personales para reemplazar las opiniones que hemos recibido, y que les dan a los jóvenes una sensación de pertenencia. La mente fluctúa de un día para otro, incluso cuando nos sentimos comprometidos con un solo sendero. Es natural que la vida sea "abierta", y de esa manera continuará en el más allá. En el campo de *Akasha* nos encontraremos con ambos aspectos de nosotros mismos, con el individuo que desea ser libre y el conformista que desea mantenerse seguro. El campo de *Akasha* no es más que nuestro propio potencial. ¿Enraizará esta idea?

Durante siglos, las creencias orientales tuvieron poco efecto en Occidente, a pesar de alguna evidencia de que el Antiguo Testamento, por ejemplo, consideraba que la reencarnación era posible. Los gnósticos, una secta de la cristiandad primitiva, aceptaron la reencarnación antes de ser expulsados como herejes. Jesús parece referirse al tema en una ocasión. Los seguidores de San Juan Bautista creían que él era el Mesías o el retorno del profeta Elijah, a quien se conoce como Elías en el Nuevo Testamento. Esto era importante debido a la creencia de que Elías anticiparía la llegada del Mesías. Cuando los discípulos de Cristo le preguntaron al respecto, él respondió: "Elías debe en verdad venir primero y restaurar todas las cosas. Pero yo os digo que Elías ha venido ya, pero no lo conocieron, y han hecho con él lo que han querido... Entonces los discípulos comprendieron que Él les hablaba de Juan el Bautista" (Evangelio según San Mateo, 17:9-13). Sin embargo, en la teología católica la reencarnación fue condenada como una herejía hacia el año 553 d.C. Esta diferencia respecto de lo dicho por Jesús ha dado lugar a rumores de que todas las referencias sobre la reencarnación fueron retiradas de manera sistemática de la Biblia. Independientemente de que sea verdad o no, Oriente resistió.

Una vez que las escrituras de los Vedas comenzaron a ser traducidas a comienzos del siglo XIX, sus ideas empezaron a aparecer en sitios extraños. El *atman,* por ejemplo, se convirtió en la idea popular de la "sobre-alma" que Ralph Waldo Emerson diseminó por Nueva Inglaterra antes de la Guerra Civil norteamericana. Tomando algunas ideas hindúes, el ciclo de Emerson comenzó a redefinir las creencias heredadas de la tradición puritana, descartando los conceptos de pecado y condenación, y la frontera absoluta entre la vida y la muerte que sólo puede ser atravesada por medio de la fe en Cristo. Esto dio origen al movimiento trascendentalista.

Ahora nos enfrentamos a una mezcla políglota de creencias de Oriente y Occidente. El movimiento *new age* es producto de muchas tradiciones, pero la principal es la Teosofía, un movimiento espiritualista que comenzó con las sesiones de espiritismo de los salones victorianos, pero que se fue transformando profundamente por el hinduismo. (De hecho, Mahatma Gandhi conoció originalmente las escrituras de los Vedas por medio de traducciones inglesas de la Sociedad Teosófica en la India.) Fue primordialmente mediante el espiritismo de finales del siglo XIX que la reencarnación comenzó a ser aceptada por la cultura popular.

En contraste, algunas de las versiones del más allá no tienen deseos de yuxtaponerse con otras. Cuando el actor Mel Gibson fue entrevistado acerca de su controversial película *La pasión de Cristo*, con su énfasis en la violencia y su casi total abandono del amor cristiano, él admitió libremente su creencia en un Cielo exclusivo. Gibson fue entrevistado por el periódico australiano *Herald Sun*, y cuando le preguntaron si a los protestantes les estaba negada la salvación eterna, dijo: "No existe salvación para aquellos que están fuera de la Iglesia", en referencia a la Iglesia Católica. "Podemos ponerlo de esta manera. Mi esposa es una santa. Es una persona mucho mejor que yo. De verdad. Ella pertenece a la religión anglicana. Ella reza, cree en Dios, conoce a Jesús y cree en esas cosas. Y no es justo si no va al Cielo, porque ella es mejor que yo. Pero ése es un pronunciamiento de la autoridad. Yo lo sigo."

El fundamentalismo es frecuentemente criticado por su interpretación inflexible y literal de las Escrituras. La gran ventaja de creer en esta clase de exclusividad, como lo hacen millones de cristianos, musulmanes y judíos devotos, es su conveniente simplicidad. Morir es tan simple como ganar un partido de fútbol —o perderlo, en el caso del Infierno—, e igualmente irrevocable. Las buenas y las malas acciones se suman con un peso específico asignado a cada una. Un pequeño robo o un adulterio pueden ser opacados por una penitencia del mismo valor, mientras que otros pecados, como el asesinato, nulifican todas las acciones positivas y te dan un boleto directo a la condenación eterna.

Sin embargo, en el hinduismo tradicional la aritmética de las acciones buenas y malas es infinitamente más flexible. Por cada acción que produce *karma* negativo, enviando al alma hacia niveles inferiores en la próxima reencarnación, existe la oportunidad de equilibrar la balanza mediante *karma* positivo. La reencarnación también permite que el alma experimente un Cielo o Infierno tras otro sin límites hasta que la *Moksha*, o liberación, sea alcanzada. La *Moksha* da fin al ciclo de Cielo e Infierno para siempre, y en ese momento el alma regresa a su estado original de conciencia pura, una gota de dicha en un océano de dicha. En este punto los conflictos sobre religión llegan a su fin. Como todos los vínculos terrestres, nos despojamos de ellos.

De acuerdo con el *Vedanta*, la eternidad no es una especie de *buffet*. Si "Dios es uno", como lo afirman muchas religiones, entonces debe existir un nivel más profundo del campo de *Akasha*, donde los desacuerdos y la multitud de opciones llegan a su fin. La conciencia es conciencia, sin importar quién la interpreta. El *Akasha* existe más allá de la elección, más allá de la mente. Este estado de unidad atrae hacia sí a la persona que muere. A través del magnetismo del alma, uno es atraído hacia la siguiente etapa de un sueño personal, cuya fuente es universal.

8

MIRANDO EL ALMA

ഗ৪৫ഗ

Al despertar, Savitri se dio cuenta de que estaban de regreso en el árbol de banyan del que habían partido originalmente. Se sentó en el suelo, mirando de reojo al Sol que se encontraba sobre sus cabezas. ¿Cómo era posible que estuviera tan alto en el cielo? A continuación miró a Ramana, que se encontraba de pie junto a ella; tenía una mirada misteriosa.

—No hemos partido aún —dijo—. Todavía faltan varias horas antes de que Satyavan regrese a casa.

Al incorporarse con dificultad, Savitri miró al monje como si se tratara de un mago.

—¿Qué hiciste?

Ramana se encogió de hombros.

—Tú estabas exhausta, y dormiste. Yo no soy responsable de que hayas tenido un sueño productivo.

Y sin decir una palabra más Ramana recogió su flauta, exactamente como había hecho antes, y se dispuso a marcharse. En esta ocasión Savitri lo siguió sin detenerse a pensarlo. Esta vez no caminaron por el sendero que subía a la montaña, sino por el que descendía, y después de un rato Ramana dijo:

—Cuando yo era joven había un clarividente viajero que colocó su tienda en las riberas del Ganges. Todos los devotos quieren morir en Benarés. Sus familias vienen al funeral, y un clarividente puede ganarse la vida bien, particularmente éste, dado que su especialidad consistía en predecir el día en que una persona moriría. Pero yo me rehusé a ir.

—¿Por qué? —preguntó Savitri. Ramana rió.

—Yo era diferente, incluso entonces. Solía pensar que es fácil ver el futuro. Yo iría a visitar al clarividente que puede ver el presente. Lo más difícil es ver lo que está aquí mismo.

—¿Puedes explicar lo que dices? —le pidió Savitri.

—¿Has escuchado hablar de Maya?

—Desde luego. Ella es la diosa de la ilusión.

—Así es —dijo Ramana—. ¿Pero qué es la ilusión? ¿Se trata de una especie de magia que esconde de nuestra vista la realidad? Maya es más sutil. Digamos que te muestro un trozo de hielo, una nube de vapor, un copo de nieve. ¿Has visto el agua? Si respondes que sí, entonces has superado a Maya; las formas del hielo, el vapor y la nieve no te han engañado. Acudiste a la esencia, que consiste en que todas esas cosas están hechas de agua. Si tu respuesta es "no", entonces has sido engañada por una ilusión. El hielo, el vapor y la nieve capturaron tu atención, y tú no has visto la esencia. No se requiere de magia para engañarte. Permitiste que tu mente se distrajera. Lo mismo ocurre con el alma: miramos a la gente y vemos todo en la superficie. Esta persona es fea, la otra es hermosa, esta es pobre, la otra es rica, a esta la amo, a la otra la odio. Sin embargo, todas ellas son el *atman*, la misma esencia en un número infinito de formas.

—¿Es eso lo que tú ves? —le preguntó Savitri.

—Sí, y tú también pudiste verlo cuando te enamoraste de Satyavan —dijo Ramana, mientras la miraba con intensidad—. Yo lo sé todo acerca de ti, princesa.

Repentinamente las mejillas de Savitri se sonrojaron. De alguna manera Ramana había descubierto su secreto. Ella había nacido princesa, la hija más querida de un rey rico y poderoso. Cuando le llegó el momento de casarse, Savitri insistió en encontrar al hombre correcto por sí misma, de manera que su padre, a pesar de sus preocupaciones, la envió con un grupo de nobles a encontrar al esposo que su corazón deseara. Savitri y sus guardias viajaron por la densa jungla, y por azar llegaron a la choza de un leñador. Tan pronto como puso sus ojos en Satyavan, quien era humilde y pobre, Savitri decidió casarse con él, sin importar los obstáculos.

Cuando anunció su elección, Savitri desilusionó profundamente a su padre. Sin embargo, tras conocer a Satyavan y al reconocer su buen corazón y generosidad, así como cuán profundamente amaba a Savitri, el rey aceptó reticente la decisión de su hija. Entonces ocurrió algo perturbador. Durante las tres noches anteriores a la boda, Savitri soñó con el Señor Yama, quien le dijo cada noche lo mismo: Satyavan moriría cuando cumplieran exactamente un año de casados.

—Así que tú ya lo sabías —dijo Ramana—. Y sin embargo decidiste casarte con alguien que estaba condenado. ¿Por qué?

—Porque lo amaba —murmuró Savitri.

—¿Y qué es el verdadero amor, sino reconocer el alma de alguien más? Si puedes ver más allá de las ilusiones que Maya pone en tu camino, siempre comulgarás con el alma de Satyavan. Esta conexión nunca puede perderse, sin importar lo que ocurra con su cuerpo.

Ramana tocó a Savitri en la frente, y de manera instantánea ella pudo ver cuerpos ardientes en las piras funerarias en las riberas del Ganges, cuyas cenizas levantaba el viento.

—Los ojos no pueden evitar ver esto —murmuró Ramana—, y sin embargo nunca vieron el alma, así que el acto de no ver nada nos hace creer en la muerte.

Él esperó a que ella comprendiera estas palabras.

—¿Crees que puedes dejar de creer lo que ven tus ojos ahora?

Savitri asintió, y por un instante sintió que el alma de Satyavan se fusionaba con la suya, de la misma forma en que ocurrió el día que se conocieron.

La diferencia entre la vida y la muerte

Creer lo que vemos es adictivo; difícilmente podemos vivir sin ello. Conozco a un hombre de más de 60 años de edad, un corredor de bolsa retirado, quien perdió a su esposa en un trágico accidente. La llanta delantera de su auto golpeó la guarnición y el volantazo causó que su vehículo se volcara en el carril del sentido contrario. Ella murió a consecuencia de una hemorragia masiva en la sala de urgencias, tres horas más tarde. Su esposo quedó en *shock*. No pudo aceptar su repentina pérdida. Después de varios meses todavía tenía un gran dolor psicológico; había quedado obsesionado con la idea de que tenía que hablar con ella o de otra manera viviría en duelo permanentemente.

"Dicen que cuando amas a alguien por suficiente tiempo, esa persona se vuelve parte de ti", dijo.

"Yo creo que es verdad", respondí.

"En el momento en que Ruth se marchó, sentí un vacío en mi interior. Esa es la manera en que yo describiría la pérdida, y duele como el Infierno." Estábamos sentados en su casa, que se sentía demasiado grande para una sola persona. Él debió darse cuenta de ello, porque clausuró varias habitaciones y se había refugiado en un sillón del estudio.

"Estuve en duelo, como si fuera un perro enfermo, durante varios meses después de que Ruth murió", me dijo. "Entonces decidí que me dolía demasiado. Quiero decir, una parte de mi mente me decía, una y otra vez, que Ruth no se había marchado. Comencé a tener conversaciones con ella. Sin embargo, yo no era una de esas personas afortunadas que sienten la presencia de quienes han partido. Yo estaba hablando con... ¿Quién? ¿El aire? ¿Un producto de mi imaginación?" Hizo una pausa por un momento antes de continuar.

"Tomé la decisión de ver a un psíquico. Usted se asombraría de saber cuántas personas puede encontrar en el sur de California que pueden hablar con los muertos en su nombre."

Murmuré algo acerca de la necesidad del sobreviviente de saber qué ha ocurrido con los seres amados.

Sí, estoy de acuerdo. La psíquica que encontré sólo tenía buenas intenciones. Estoy seguro. Me sentí nervioso cuando entré a su casa. No vivía en una tienda de gitanos, o nada similar. Se trataba de una casa normal, y ella tenía el aspecto de cualquier otra persona que pudiera estar a su lado en el supermercado.

La psíquica trató de consolarlo y hacerle poner los pies en la tierra. Le encontró un sillón cómodo con almohadas, puso una botella de agua a su lado, y se sentó frente a él, del otro lado de la mesa de centro. Ella cerró sus ojos y le pidió que permanecieran sentados en silencio. Él podía meditar si sabía cómo hacerlo. El hombre no sabía, así que se sentó con los ojos cerrados, y los abría para mirar a la psíquica cuando le parecía que tardaba mucho en hablar.

"¿Y entonces ocurrió algo?", pregunté.

Ella me dijo que una mujer quería hablar conmigo. También dijo que estaba obteniendo imágenes: dos niños, uno de ellos lejano; una cabaña en las montañas, un gran campo blanco (¿nieve?, ¿un lago congelado?). En efecto, tenemos dos hijos, y nuestra hija vive en Inglaterra. A Ruth y a mí nos gustaba esquiar, y en ocasiones rentábamos una cabaña en las montañas. Todo esto capturó mi atención.

"A muchas personas les gusta esquiar", enfaticé.

Él suspiró. "Lo sé. Eso fue lo que ocurrió. La psíquica siguió mencionando cosas que me parecieron reales, pero usted no estaba allí..."

"Yo no tenía que estar allí. Usted definitivamente pensó que era Ruth", le dije.

"En ese momento sí lo pensé. Quizá porque tenía tantos deseos de que lo fuera", me respondió él.

Él me dijo a continuación —como ocurre con miles de personas que se encuentran en situaciones similares— que la psíquica le proporcionó muchos detalles llamativos. Cualquier persona que contacta un psíquico presenta una imagen llena de pequeños detalles convincentes, como apodos y eventos peculiares que se quedan grabados en la memoria.

Entonces le dije: "Ruth te dijo que se encontraba en un buen lugar y que no debías preocuparte. Estaba a salvo y te dijo varias veces que te amaba. ¿Verdad?".

"Yo sé que suena trillado", dijo el hombre de manera insegura. "Pero se sentía genuino. Yo estaba muy emocional todo el tiempo, cercano a las lágrimas. La sesión tardó quizá cuarenta y cinco minutos. La psíquica me abrazó. La experiencia también había sido emocional para ella; era extraño pensar que habíamos sido extraños uno para el otro tan sólo una hora antes."

"¿Y qué ha ocurrido desde entonces?", le pregunté.

Se encogió de hombros. "Me sentí mejor inmediatamente. Sin embargo, las dudas comenzaron a surgir. ¿Por qué hablaba Ruth solamente de cosas que yo ya sabía? ¿Estaba la psíquica leyendo simplemente mi mente, mi aura o lo que sea? ¿Estaba cumpliendo con un deseo desesperado mío? Ahora no estoy seguro de qué tanto bien me hizo en realidad."

Lo que este hombre no sabía era que yo había tenido una experiencia similar. Hace varios años me pidieron que participara en un estudio universitario para explorar si la comunicación con los muertos era real. Me senté en una habitación hermética y me pidieron que no dijera nada. Todo contacto con el psíquico tendría lugar por medio del líder del experimento. De hecho, había tres psíquicos que se comunicaban con nosotros por teléfono, cada uno de ellos en una parte diferente del país, y les era imposible escucharse o hablar entre ellos.

172 · DEEPAK CHOPRA

Dos de los psíquicos preguntaron: "¿Está Deepak Chopra en la habitación?". Nadie les había dicho quién era yo, ni siquiera si era un varón. No escucharon mi voz.

Los tres dijeron que alguien que había muerto deseaba hablar conmigo. Dos de ellos supieron inmediatamente que se trataba de mi padre, quien había muerto repentinamente dos años antes. Al tercero le tomó un poco más de tiempo analizar la relación conmigo, y entonces afirmó que se trataba de mi padre. Este "padre" conocía mi apodo de la infancia en lengua hindi. Él dijo que era feliz y que yo no debía de preocuparme. Los tres psíquicos transmitieron estos sentimientos generalizados y positivos. El experimento duró dos horas.

Al igual que el hombre que contactó a su esposa muerta, yo pensé que se trataba de una experiencia genuina. Sin embargo, también me quedé con dudas. Mi "padre" sabía cosas que yo sabía, pero nada más. El experimento tenía guías estrictas, lo que lamenté después. No pude formular preguntas o reaccionar a lo que estaba escuchando. Me pregunté por qué la persona que había fallecido no decía más acerca de cómo era la experiencia de morir. También hay preguntas sobre si "Ruth" y mi "padre" deben ser considerados como fantasmas, almas en pena o alguna otra cosa. Para los *rishis* védicos estas entidades eran vestigios de la memoria en el *Akasha*, fragmentos de información que flotaban hasta encontrar un lugar al cual adherirse. "Ruth" y mi "padre" eran tan reales como cualquier otra cosa en el *Akasha*, pero resulta problemático considerarlos bajo el estatus cuasifísico. Yo prefiero ver al "padre" que habló conmigo como aspectos de su conciencia que guardaban una asociación tan cercana conmigo que pudimos comunicarnos.

Los escépticos señalarían que tenemos la costumbre de ver y escuchar a otras personas, un hábito que detestaríamos perder incluso después de la muerte. Por lo tanto, un fantasma es un vestigio creado por la mente. Los creyentes sostendrían la tesis opuesta, que los fantasmas son reales y casi físicos, la encarnación en forma de sombras de la gente que no puede encontrar el camino para abandonar este mundo. Sin embargo, en ambos casos la costumbre y la memoria están funcionando. ¿Fue mi costumbre o la de mi padre lo que nos reunió? Yo creo que fueron ambas, porque cualquiera con quien te relacionas por medio del amor y la intimidad comparte tu conciencia. Estamos uno adentro del otro, como lo demuestra cuán fácilmente puedo recordar la voz de mi padre, su rostro, sus maneras, los patrones de su habla y sus maneras de pensar. En alguna medida he adoptado algunos de esos elementos como propios, lo que borra todavía más la línea que nos separa.

Cuando hablamos con los muertos utilizamos una conexión familiar, que puede ser poderosa o débil. Cuando es débil, vemos y escuchamos a la persona que ha fallecido en nuestras mentes; cuando es poderosa, vemos y escuchamos a esa persona de manera vívida, como si estuviera en el exterior, frente a nosotros. Sin embargo, ni mi padre ni yo nos encontramos afuera del campo. Ese es el punto en que los *rishis* hacen énfasis, una y otra vez, y mi experiencia me dice que es verdad.

Los poderes para transitar al más allá

Navegar con éxito por "el otro lado" significa dominar los poderes que son necesarios allá. Si "el otro lado" es más que una simple imitación de "este lado", esos poderes deben ser diferentes de la fuerza de voluntad, la fortaleza física, y otros apoyos vitales conocidos en el mundo material. Sin embargo nuestros poderes sutiles, al ser parte de nosotros mismos, tampoco pueden ser totalmente extraños. Para la mayoría de nosotros nuestro mundo primario es físico, desde luego, pero estamos utilizando poderes sutiles todo el tiempo, y esos poderes pueden servirnos en el más allá. Si los *rishis* están en lo cierto al afirmar que todos vivimos en el mundo de *Akasha*, tanto en vida como en muerte, entonces los poderes sutiles de la conciencia los unen.

LOS PODERES QUE NECESITAS

Conciencia de ti mismo: el poder de conocerte a ti mismo. Te mantiene centrado.

Voluntad: el poder de abrir tu mente. Permite que la realidad sea percibida a pesar de antiguos condicionamientos y creencias.

Intención: el poder de manifestar deseos. Te conecta con tu propósito.

Discriminación: el poder de hacer distinciones finas. Te guía en los aspectos sutiles de la comprensión.

Aceptación: el poder de no oponer resistencia. Te permite integrar la realidad contigo mismo.

Para verdaderamente conocer algo tan profundo como lo que ocurre después de la muerte, tu mente debe invocar esos poderes. Esa es en realidad la única cosa que nos separa de los *rishis* védicos: ellos utilizaron esos poderes sutiles al máximo, y nosotros los invocamos en un grado mucho menor. Posponemos la travesía del alma hasta la muerte. Sin embargo, los poderes sutiles son necesarios en la vida cotidiana, para nosotros y para aquellas relaciones que amplían nuestros horizontes.

Tienes que estar centrado y *consciente de ti mismo* con el fin de no manipular a los demás o permitir que otros te manipulen.

Tu *voluntad* de ver más allá de tu propio ego da lugar a que las relaciones crezcan.

En vez de permitir que las relaciones fluctúen por los caprichos del ánimo, tienes *el propósito* de enriquecerlas y profundizarlas.

Tu pareja te llena constantemente de deseos, necesidades y opiniones (y tú haces lo mismo con ella). Debes *discriminar* los elementos de esta influencia exterior que son positivos para ti de los que son neutrales o abiertamente negativos.

Al haber prestado atención a lo dicho en los párrafos previos, puedes *aceptar* con plenitud a tu pareja sin que presente una amenaza para tu integridad o tu crecimiento personal.

Ahora reemplaza la palabra "relación" por "alma". Todas las cosas que constituyen una relación también se aplican a tu alma. Esas habilidades serán cruciales si el más allá te lleva al reino del alma, como todas las tradiciones espirituales afirman que ocurre. Tú y yo podemos identificarnos con todas las experiencias que tienen lugar en el más allá porque nos son familiares. Conforme crezco, también desarrollo mis poderes.

Cobraré mayor conciencia de mí mismo conforme la frontera entre el "yo" y lo que "no es yo" se disuelva. El ser comenzará a abarcar mucho más de la realidad conforme la frontera se disuelva. Me sentiré libre.

Tendré mayor voluntad para cambiar y evolucionar. Mis antiguas creencias serán puestas a prueba y cambiarán de ser necesario. Me sentiré curioso y fascinado.

Confiaré en mi intención de conocer la verdad, sin importar lo que revele. Me sentiré en control.

Descubriré que soy capaz de discriminar capas muy delgadas de la naturaleza. Los mundos sutiles no quedarán ocultos para mí porque ya están en mi interior. Me sentiré conectado.

Aceptaré mi propia verdad conforme se desarrolla. Esto pondrá fin al miedo y a la duda. Me sentiré realizado.

He hecho mucho énfasis en el sentimiento porque para muchos de nosotros la razón de vivir consiste en alcanzar sentimientos de seguridad, amor, felicidad y realización. Nos conectamos con el alma a través de esos deseos, y estamos motivados a avanzar hacia el dominio sutil del alma por esa misma razón. Para algunas personas esto constituye un motivo suficiente, pero la mayoría requerimos de un punto de ruptura, momento crítico, antes de poder poner todas nuestras conexiones sutiles a funcionar.

"Mi esposo y yo teníamos problemas", me dijo una mujer de más de 40 años a quien me referiré como Kate.

Me prometió trabajar menos y pasar más tiempo con su familia, pero eso no mejoró mucho las cosas. Continuó deambulando por la casa, y en vez de escaparse para tomar un trago se escapaba para revisar su correo de voz. Con el fin de obtener paz mental, acepté la sugerencia de una amiga y aprendí la misma técnica de meditación que ella utilizaba. Esta técnica consistía en sentarme a solas en una habitación silenciosa dos veces al día, por entre diez y veinte minutos, y repetir un *mantra*.

Las primeras veces se quedó dormida, pero su maestra le aseguró que era un signo positivo. Su cuerpo tenía mucho estrés que liberar.

> La segunda semana fue mejor. Mi mente se tranquilizó y permanecí despierta. Mi respiración se regularizó y adoptó un ritmo suave y lento. Me sorpendí un día que tuve la sensación de que no estaba respirando del todo. Aún más me sorprendió la ocasión en que tuve el impulso de sentarme en el suelo y adoptar una posición parecida a la de loto. Yo nunca había tomado una clase de yoga; mi cuerpo parecía saber qué hacer.

Kate se sintió bien con todo esto, y comenzó a estar más centrada en su vida diaria, menos sujeta a los arrebatos de ira e irritación. Las cosas mejoraron de manera considerable en su matrimonio.

> Una noche, mientras me estaba quedando dormida, noté un débil brillo azulado. Mis ojos estaban cerrados, y al principio pensé que era el destello de las luces de la habitación, del tipo que puedes ver cuando miras directamente el *flash* de una cámara fotográfica. Sin embargo, esto era diferente. El color azul que veía parecía magnético. No podía dejar de prestarle atención. Entonces abrí los ojos en la oscuridad, y todo el cuarto estaba lleno del mismo resplandor azulado, que tenía chispas o destellos dorados.

Le dije a Kate que esa era una experiencia común para los *yoginis*. Ella estaba percibiendo la luz que emana de un nivel sutil de percepción. Le pregunté cómo lo sentía.

"Tranquilizador. Seguro. Pero además, la luz era fascinante. Me atrajo hasta que consideré que podía mirarla para siempre."

"Lo que demuestra", le dije, "que estás fascinada por tu propia conciencia. El alma, se ha dicho, se muestra ante nuestros sentidos sutiles como un brillo luminoso y cubierto de perlas."

"¿Es esta experiencia algo que yo debo tratar de repetir?", preguntó Kate.

"No hay una forma realista de hacer eso", le dije, "dado que tu experiencia fue espontánea. Es como tratar de repetir la primera impresión o el primer beso".

Al advertir que se veía un poco desilusionada, le dije que una de las trampas clásicas para los exploradores del espíritu era la tentación de repetir un momento de experiencia destacada. Tenemos ese impulso. ¿Lo has notado en ti mismo? La sorpresa que nos produce un atardecer arrobador, un delicado momento de intimidad, una comida soberbia; quisiéramos repetir todo esto. Sin embargo, nunca es exactamente lo mismo, porque lo que hace que ese momento sea especial no es el atardecer, el gesto amoroso o la buena comida. Se trata de que hemos atravesado repentinamente al mundo sutil.

Le expliqué a Kate acerca del *continuum* de la experiencia que nos conduce de la felicidad a la dicha, de la intimidad física a la unicidad del alma. Ella se había permitido moverse de un lado a otro en este *continuum*. La meditación es una manera suave de liberar nuestras amarras. No es tan poderosa como para llevar tu percepción a un nivel nuevo; se trata de la llegada gentil de sensaciones más sutiles —como el brillo azulado que Kate vio—, acompañada por sentimientos y opiniones más sutiles. La felicité y le prometí que habría más momentos culminantes en su futuro.

A través de nuestros breves viajes por el mundo sutil podemos anticipar qué tan agradable puede ser el más allá. En ese sitio los poderes sutiles parecen naturales. La paz y la realización nos viene por medio de la comunicación directa con el alma.

9

Dos palabras mágicas

ᘒᖆᕯᕳᘒ

—¡Mira! ¿Puedes ver eso? —dijo Ramana. Señaló hacia adelante, adonde Savitri pudo percibir un poco de humo sobre las copas de los árboles.

—¿Un fuego para cocinar? —trató de adivinar.

—Acércate y averígualo. Yo esperaré aquí a que regreses —Ramana se sentó cómodamente sobre un tronco.

De manera que Savitri marchó hacia el fuego a solas. Pronto notó que algunos de los árboles se habían quemado, y vio carretas despedazadas y otros signos de destrucción. Finalmente se encontró en medio de una aldea desierta. Los soldados de un reino cercano la habían invadido y sembrado la desolación en el país. Todas las casas de esta aldea habían sido reducidas a cenizas ardientes excepto una, que estaba intacta.

Savitri se acercó a la puerta, donde estaba sentada una anciana.

—Todo lo que nos rodea ha sido destruido —dijo Savitri, al inclinarse ante ella—. ¿Cómo es que no destruyeron tu casa?

La anciana respondió:

—Todos los hombres de nuestra aldea estaban lejos, peleando. Cuando los soldados llegaron con sus antorchas para saquear mi casa y prenderle fuego, les dije: "Vengan, vengan, ninguno de ustedes es lo suficientemente valiente para entrar. Todas las personas que están dentro de la casa tienen la fiebre escarlatina. Ayúdenme a atender a mi familia enferma". Al escuchar eso, los soldados se asustaron mucho, se rehusaron a acercarse y huyeron.

Savitri hurgó en su *sari* y encontró una pequeña moneda, que le dio a la anciana. Volvió sobre sus pasos hasta que encontró el sitio en que Ramana esperaba.

—¿Por qué me enviaste a ese sitio? —preguntó Savitri.

—La anciana ahuyentó a un ejército con sólo dos palabras: *fiebre escarlatina* —le respondió—. Los sabios saben que a la Muerte se le puede ahuyentar también con dos palabras: *yo soy*.

—No comprendo —Ella quedó más confundida cuando miró al cielo y se dio cuenta de que el humo había desaparecido.

—La aldea era simplemente un símbolo —dijo Ramana.

—¿Un símbolo de problema y dolor?

—No, de lo efímero. Comprende esto, Savitri: nada es permanente en esta vida. Las posesiones vienen y van, así como las personas. De alguna manera nos las arreglamos para aceptar tantas pérdidas. ¿Cómo? Al aferrarnos a la noción de que nosotros somos permanentes, de que nuestro mundo durará para siempre. Pero esa es la manera equivocada. La Muerte es codiciosa y quiere destruirlo todo, de manera tan devastadora como un ejército invasor. Tan sólo extiende tus brazos y di *yo soy*. La Muerte se retirará porque no hay nada que pueda destruir. *Yo soy* carece de posesiones, de expectativas, de algo a qué aferrarse. Sin embargo, se trata de todo lo que eres y de todo lo que necesitarás en este mundo o en el que viene.

Ramana habló con aplomo sereno, y esto ayudó a Savitri.

—La anciana mintió cuando dijo *fiebre escarlatina*. Tú debes decir la verdad cuando afirmes *yo soy*. Creo que estás casi lista —dijo amablemente Ramana.

—¿Cómo puedo hacer que eso sea verdad? —preguntó Savitri.

—No es difícil. Cuando estés contenta, observa tu interior e identifica quién está experimentando la felicidad. Cuando estés triste, observa tu interior e identifica quién está experimentando la tristeza. Son lo mismo. Existe un pequeño punto inmóvil que lo observa todo, que es testigo de todo. Permanece al lado de ese punto inmóvil siempre que te sea posible. Préstale atención, en vez de pasarlo por alto. La familiaridad es tu aliado más importante. *Yo soy* es tu ser. No hay nada extraño acerca de simplemente ser. Al principio ese punto pequeño e inmóvil no te proporcionará mucha experiencia; sin embargo, puede crecer sin límites. Cuando mueres y finalmente no tienes nada a qué asirte, *yo soy* llenará todo el universo. Los sabios han repetido esta verdad, una y otra vez, en todas las épocas. Sin embargo, no debes aceptar una verdad de segunda mano. Encuentra el *yo soy* en tu interior, y se ampliará hasta llenarte. Cuando eso ocurra, estarás a salvo. Tu ser será lo mismo que tu alma.

La eternidad

Cuando todas las imágenes han desaparecido en el nivel más sutil, la persona que fallece llega a la eternidad. La eternidad es la fuente del alma. Los *rishis* afirman que por fin las ilusiones han terminado y la realidad comienza. El hecho de que no podamos ver la eternidad mientras estamos vivos, debido a que se extiende en todas direcciones a nuestro alrededor, es una limitación que los *rishis* se esforzaron en superar.

Mientras más ilimitada sea tu visión, más real será tu existencia.

Sin importar cuán inspiradora pueda sonar la frase anterior, también nos deja intranquilos, porque somos nosotros quienes estamos acostumbrados a vivir en un ámbito con fronteras. "Hace muchos años me interesé en la espiritualidad", me dijo una mujer, "pero me disgustaba toda esa palabrería acerca del Uno. Yo no podía relacionarme con ella. Yo sabía que la forma en que me criaron, bajo la creencia de un Dios paternal sentado en el Cielo, era muy estrecha. Pero al menos podía comprenderla. Yo no podía comprender la unicidad". Considero que esta reacción es muy natural. Al final de la travesía no hay seres amados, no hay destino físico, no hay memorias del plano material. Incluso la frase budista "Luz clara" es sólo una metáfora, porque la eternidad no es luz y no es clara.

Imagina lo que esto significa. Conforme te acerques a la eternidad no sentirás estar vivo o muerto. No serás masculino o femenino. Un momento durará lo mismo que un siglo, y el pasado se mezclará con el porvenir. ¿Hemos terminado en un lugar que es tan incomprensible? De ser así, también carecería de importancia.

La eternidad te proporciona más libertad de la que la mente puede concebir. La ausencia de imágenes significa que no necesitas ya de imágenes. La ausencia de seres amados significa que no necesitas ya de relaciones amorosas. Estás de regreso en la fuente, pero con una diferencia. *Lo has experimentado todo.* La creación te lo ha mostrado todo. La mente que poseemos ahora puede retroceder, pensando que debe estar presenciando la peor pesadilla. Sin embargo, los *rishis* que llamaron a esta etapa como la *Moksha*, o liberación, la celebraban. Sólo el alma liberada puede escoger *cualquier cosa*. No hay lucha, y el mecanismo completo del placer y el dolor se detiene.

¿Cómo te sentirías si te encontraras libre y sin fronteras? ¿Sin nombre? Si tratas de aplicar cualquier palabra al alma eterna —buena, santa, amorosa, verdadera—, los *rishis* responden con la palabra *netti*, que en sánscrito significa "no es eso". De hecho, en algunas escuelas del *Vedanta*, el camino espiritual es llamado *netti, netti*, por el cual tú repites constantemente "no es eso, no es eso", hasta que por un proceso de eliminación llegues a la esencia. Eso es también a lo que se refiere la travesía al más allá. La persona que fallece se da cuenta, paso a paso: "Esto solía ser yo, pero ya no lo soy más".

Como suele ocurrir, una persona que dio un informe detallado sobre su experiencia cercana a la muerte llegó a describir la eternidad muy de cerca. Este relato, ahora famoso en la literatura sobre experiencias cercanas a la muerte, proviene de un artista llamado Mellen-Thomas Benedict, quien murió de un tumor cerebral en 1982. El hecho de que haya estado muerto por hora y media, tan sólo para regresar a la vida, no resulta verosímil de acuerdo con los estándares occidentales. En el budismo tibetano se lo consideraría un *delog*, y las experiencias de Benedict son tan detalladas como las que han sido proporcionadas por los *delogs*. Me referiré a ella en detalle porque la travesía de Benedict prácticamente suministra una enciclopedia sobre el más allá.

Benedict se encontró afuera de su cuerpo, y consciente de que su cuerpo yacía en la cama. Su percepción se amplió en gran medida —él era capaz de ver por encima, alrededor y debajo de su casa— y sintió que era envuelto en la oscuridad, pero pronto se hizo evidente que estaba frente a una luz brillante; avanzó hacia ella, consciente de que si la penetraba estaría muerto.

En este punto Benedict tomó una decisión impresionante. Pidió que la experiencia se detuviera, y así ocurrió. El hecho de que él haya encontrado una manera de controlar lo que ocurre después de la muerte no sorprendería a un *rishi*, pero es un acontecimiento casi único en la literatura relacionada con las experiencias cercanas a la muerte. Benedict pidió que la experiencia se detuviera con el fin de poder hablar con la luz. Conforme lo hacía, la luz cambió continuamente de forma, en ocasiones adoptando formas parecidas a Jesús o Buda, en otras adoptando un patrón complejo como un *mandala* o como imágenes arquetípicas y signos, tal como lo describió. La luz le dijo (o para ser más preciso, transfirió información a su mente) que la persona que fallece recibe un grupo de imágenes que se ajusta a su propio sistema de creencias: imágenes cristianas tal y como las ven los cristianos, imágenes budistas para los budistas. La persona que muere puede ingresar en la experiencia y darle forma, tal y como Benedict hizo (la luz explicó que el suyo era un caso raro: la mayoría de la gente sigue adelante sin formular una pregunta).

El hecho de que Benedict viera tantas imágenes cambiantes podría estar relacionado con su inmersión en el mundo de las religiones y tradiciones espirituales del mundo, después de que le fue diagnosticado el cáncer. A continuación, Benedict cobró conciencia de que lo que veía, era en realidad la matriz del Ser Más Alto, a quien describió como un "*mandala* de almas humanas"; es decir, un patrón cósmico de conciencia. Se dio cuenta de que cada persona tenía un Ser Más Alto que incluye a su alma y que la conduce de regreso a la fuente. Estos términos, casi sin cambio, suenan muy parecido al *Vedanta*. Este parecido origina la duda, toda vez que Benedict pudo haber recibido la poderosa influencia de su lectura reciente de las escrituras hindúes. Por otra parte, la experiencia se desarrolló en su totalidad de manera espontánea y real, de acuerdo con su perspectiva.

Al mirar la matriz de almas, Benedict cobró conciencia de que todas estaban conectadas, que la humanidad formaba un ser, que cada uno de nosotros es un aspecto del todo. Benedict fue atraído hacia la matriz, a la que describe como hermosa. Ésta irradiaba un amor generador y de sanación que lo abrumó. La luz le dio a entender que la matriz del alma forma un nivel de energía sutil que rodea a la Tierra y vincula a la gente. Benedict había pasado una década participando en temas de desarme y ecología, lo que lo había tornado profundamente pesimista. Ahora se enfrentaba, según él, con la belleza pura de todas las almas humanas, y estaba asombrado.

A Benedict lo maravilló que ningún alma contuviera la maldad, y la luz le dijo que las almas no pueden ser malas en sí mismas. Por debajo de cada acción humana está la búsqueda del amor, y cuando la gente comete malas acciones, la causa de raíz es la carencia de amor. Cuando preguntó si eso significaba que la humanidad podría salvarse, Benedict escuchó una "explosión de trompetas", que fue acompañada por una luz espiral, y se le dijo que nunca olvidara la respuesta: los seres humanos ya estaban salvados, sin importar cuán difíciles parecieran los predicamentos presentes.

Benedict estaba experimentando un éxtasis hondo cuando fue llevado más profundamente hacia la luz, y alcanzó otro ámbito que era más sutil pero también mucho más vasto. Él pudo ver "un enorme torrente de luz, vasto y lleno, en lo profundo del corazón de la vida". Cuando preguntó qué era eso, la luz dijo que era el río de la vida y que debía beber de él para solaz de su corazón.

Alentado por una curiosidad sin límites, Benedict pidió a la luz que le revelara la totalidad del universo, "más allá de la ilusión humana". La luz le dijo que se montara en el torrente de la vida, y cuando lo hizo pasó por un túnel, por el que escuchó "suaves explosiones sonoras". Su velocidad se aceleró más allá de la velocidad de la luz conforme abandonó el sistema solar, pasó por el corazón de la galaxia y conoció muchos mundos y formas de vida, todo ello a gran velocidad. En este punto Benedict hizo un descubrimiento importante: lo que parecía ser un viaje a través del espacio era en realidad la expansión de su propia conciencia. La aparición de galaxias y cúmulos estelares era producto de su conciencia al pasar de una frontera a otra en el espacio-tiempo.

Benedict describió galaxias enteras que desaparecían en un punto, que todas las formas de vida hacían patente su existencia, y que vio una segunda luz que contenía todas las vibraciones del universo. De acuerdo con los *rishis* védicos, existen vibraciones primordiales de las que emerge la creación, lo que significa que Benedict estaba presenciando de hecho la operación de la conciencia misma. Él encontró su propio lenguaje para describir esta etapa, y señaló que establecía una "interfase" con el holograma del universo.

Al pasar al interior de la segunda luz, experimentó un cambio profundo hacia el silencio y la inmovilidad totales. Se dio cuenta de que podía ver el infinito. Estaba en el vacío, o en la "pre-creación", como él la llamó, y su conciencia era ilimitada. Estaba en contacto con el absoluto, lo que no constituyó una experiencia religiosa sino un estado de conciencia sin fronteras. Percibió que toda la creación se generaba a sí misma, sin principio ni fin. En vez de un Big Bang, un evento singular que hubiera creado al universo, Benedict percibió millones de Big Bang que generaban constantemente nuevos universos. Dado que estaba más allá del tiempo, esto ocurría simultáneamente en todas las dimensiones.

Después de alcanzar esta epifanía cósmica, la travesía de Benedict lo hizo volver, paso a paso, hasta que despertó en la cama de su casa con la convicción inalterable, ahora familiar en la literatura relacionada con experiencias cercanas a la muerte, de que la muerte era una ilusión.

Benedict dio por sentado que a su regreso a la Tierra sería como un bebé, en una nueva encarnación. Sin embargo, cuando abrió sus ojos todavía tenía el mismo cuerpo, que había estado muerto por más de una hora de acuerdo con el trabajador voluntario que estaba presente (no había máquinas de monitoreo ni médicos). El voluntario, que había estado llorando a su lado, aseguró que Benedict había mostrado todos los signos de estar muerto, incluyendo una creciente rigidez gélida en su cuerpo. Un estetoscopio reveló que su corazón no latía. (Esta afirmación es tan descabellada desde el punto de vista médico que podría llevar a un escéptico a desestimar el resto de la historia de Benedict.)

A pesar de que al principio estaba muy desorientado, Benedict se sintió mejor que en ningún otro momento de su vida. Pasaron tres meses antes de tener la oportunidad de recibir una nueva revisión de escáner de su cerebro, por la que estaba comprensiblemente nervioso; sin embargo, recibió buenas noticias. Todas las señales de malignidad habían desaparecido, lo que el oncólogo explicó como una remisión espontánea, un raro ejemplo de malignidad que desapareció por cuenta propia. Esto deja de lado el hecho de que la literatura médica no conoce de "remisiones de la muerte", y que la remisión de tumores cerebrales avanzados, de acuerdo con lo que yo sé, constituyen el evento más inusual.

Mi propia perspectiva es que todo aquello que tiene un punto final también tiene un punto de inicio. Para Mellen-Thomas Benedict la conciencia pura se convirtió en el fin último de una travesía fantástica. Para los *rishis* es el punto de inicio para vivir en el presente. Uno de los aspectos más genuinos de la experiencia de Benedict es que encontró el gran valor en el presente: "La gente está muy ocupada tratando de convertirse en Dios, hasta el punto de que deberían darse cuenta de que ya son Dios y de que Dios se convierte en nosotros. Eso es lo importante". Sus conceptos de que el vacío está en todas partes, de que el ámbito invisible lo contiene todo, de que Dios les ha dado a los seres humanos todas las ventajas posibles, resuenan de espiritualidad verdadera.

Viajar por tres mundos

Un materialista obcecado podría considerar que es imposible viajar a mundos inmateriales; sin embargo, de hecho viajamos a otros estados de conciencia todo el tiempo. De acuerdo con los *rishis*, nos desplazamos entre tres niveles de conciencia que incluyen toda la experiencia:

La conciencia está llena de objetos físicos.

La conciencia está llena de objetos sutiles.

La conciencia está llena de la nada, excepto de sí misma: conciencia pura.

En cada estado el alma tiene un aspecto diferente. En el mundo físico el alma se centra en torno a las emociones y el idealismo. Tiene una connotación de calidez del corazón, amor y devoción a Dios. Miramos a nuestras almas para recordarnos que tenemos una chispa divina en nuestro interior y, sin embargo, no basamos nuestras vidas en ella. La chispa se enciende y apaga.

En el mundo sutil el alma es espíritu y denota santidad, cercanía a Dios y libertad respecto de las limitaciones de la existencia física. El alma no ofrece ya solamente comodidad: se trata de la dicha que la pena estaba ocultando. El alma es ahora constante; su guía puede ser seguida con claridad, sin confusión. El sentimiento primario es la atracción: uno es atraído de manera inexorable hacia lo divino.

En el ámbito de la conciencia pura, la fusión es completa. Uno ve que el ser y el alma son la misma cosa. Dado que no existe aquí y allá, el alma carece de ubicación. Existe en todas partes y en ninguna al mismo tiempo. Uno no busca ya la bondad del alma, la santidad o la pureza. Simplemente lo es.

Después de la muerte la persona experimenta la dimensión sutil de manera automática; sin embargo, para los *rishis* cada dimensión está incluida en las demás. La aparición de los ángeles en la Tierra es posible, incluso a pesar de que están consignados al ámbito de los objetos sutiles, y de la misma forma es posible el viaje del profeta Mahoma al cielo en un caballo blanco. Cada uno de esos acontecimientos implica un cambio de la conciencia. Al mismo tiempo, cada estado de conciencia tiene sus propias cualidades particulares y es percibido en su realidad separada.

LOS TRES MUNDOS: UN MAPA DE LA ETERNIDAD

1. *La conciencia de los objetos físicos.* Éste es el mundo de las cosas concretas que verificamos mediante los cinco sentidos. Sigue un tiempo lineal. Aparecemos ante nosotros mismos como cuerpos separados en el tiempo y el espacio. Una vida ocupa un número limitado de años entre dos eventos absolutos: el nacimiento y la muerte.

Las leyes que obedecemos en esta dimensión son estrictas. La gravedad, la velocidad de la luz y la conversión de la materia y la energía (que no pueden ser creadas o destruidas), forman el fundamento de todas las leyes naturales.

Si éste es tu mundo primario, tú tienes ciertos *poderes* que te permiten explorarlo. Esos poderes incluyen la fortaleza física, la fuerza de voluntad, la razón, la expresión de las emociones, la sexualidad y la autoridad personal. En la medida en que utilices esos poderes de manera completa, serás más y más exitoso. Al mismo tiempo, es más probable que te encuentres vinculado a esta dimensión de la conciencia como a la realidad única.

En este mundo, *Akasha* se percibe como un espacio físico repleto de una infinidad de cosas materiales.

El *alma* se siente personal, pero sólo es posible verla de reojo.

2. *La conciencia de los objetos sutiles.* Éste es el mundo de los sueños, la imaginación y la inspiración en todas sus formas. Confirmamos la existencia de este sueño mediante la intuición, al detectar cualidades como el amor y la belleza, y al sentir una presencia sutil en nuestro interior y en el exterior, que no se encuentra disponible para la verificación mediante nuestros

cinco sentidos. Una vida en esta dimensión dura tanto como pueda ser imaginada.

Las *leyes* del mundo sutil son fluidas. Los eventos pueden ocurrir hacia adelante o hacia atrás. Las estructuras invisibles pueden existir por un periodo prolongado (por ejemplo, como mitos y arquetipos), pero incluso entonces el tiempo no los ata de manera tan estricta como en el mundo físico. La gravedad y la velocidad de la luz no son ya absolutos.

Si éste es tu mundo primario, tienes ciertos *poderes* que te permiten explorarlo. Estos poderes incluyen la imaginación, la memoria, la capacidad artística, la sensibilidad espiritual, las capacidades curativas y la intuición. Mientras más ejercites esos poderes, más exitoso serás. Sin embargo, puedes también encontrar que estás separado del mundo físico y que no puedes viajar por él tan bien como alguien sin intuición y sin sensibilidad espiritual. Esto te preocupará hasta que descubras que el mundo sutil es capaz de apoyarte.

Akasha se siente como un sueño, lleno de memorias e imágenes, arquetipos y dioses, espíritus y seres etéreos.

El *alma* se siente como una fuerza que te guía de regreso hacia la fuente. Puedes sentirla constantemente.

3. *Conciencia pura.* Éste es el mundo de la conciencia que está consciente de sí misma. No existen objetos, grandes o sutiles. Podemos verificar este mundo mediante la frase *yo soy.* La existencia se convierte en su propio final, en su propia recompensa. En tanto experiencia, la conciencia pura comienza con una mente silenciosa; ésta se enriquece y cobra significado mientras más dura la experiencia para la persona.

Las *leyes* de este mundo se aplican a la creación misma. Las semillas de cada objeto y evento se gestan aquí, y aquí se encuentra la posibilidad del tiempo, del espacio y de los objetos físicos. También existe la posibilidad de la mente, aun sin pensamiento o imágenes. A pesar de que está libre de todo aquello que es visible, la conciencia pura está ansiosa de dar a luz; los místicos nos dicen que está preñada de Todo Lo Que Es.

Si éste es tu mundo primario, no necesitas poderes para desplazarte en él. El flujo del tiempo y la expansión del espacio son acontecimientos neutrales para ti; van y vienen en el interior de tu ser. Tú eres su testigo sin ataduras, aunque si lo deseas puedes invocar cualquier cualidad —amor, compasión fortaleza, verdad— y experimentar su totalidad.

En este mundo *Akasha* se siente como si no hubiera sido creado. Los conceptos como el nacimiento y el deceso, la vida y la muerte, no tienen importancia. Sólo existe la existencia misma. El ser constituye una experiencia que lo incluye todo.

Siempre debemos mantener en mente que el más allá no es un "después", como pensamos comúnmente. Las tres dimensiones de la conciencia son espacio siempre presente.

Al incluir el mundo de los objetos físicos, *Akasha* es tridimensional. Nuestros ojos pueden escudriñar el paisaje y decirnos dónde nos encontramos. El "arriba" y "abajo" son direcciones fijas que nos permiten orientarnos desde el punto de vista físico. El "antes" y el "después" son puntos fijos en el tiempo que nos permiten orientarnos y saber en dónde nos encontramos en nuestras vidas.

Al incluir el mundo de los objetos sutiles, *Akasha* tiene fronteras mucho más vagas. Éstas pueden cambiar en un instante y flotar libremente en el espacio de los sueños. Debido a la ausencia de dimensiones fijas, la experiencia se mide en términos de su intensidad. Las emociones son sublimadas, los sueños se vuelven más vívidos, y la presencia de los ángeles y otras entidades etéreas se siente directamente. Con la experiencia, *Akasha* se convierte en un espacio cómodo de acuerdo con sus propios términos, como lo es ya para los artistas, las personas de gran intuición o las que son profundamente espirituales.

Al incluirse a sí mismo, *Akasha* es existencia pura. Se siente increíblemente seguro porque existe unidad con todo. Cualquier experiencia viene del interior, un solo punto a partir del cual la creación emana como un rayo de energía o una compuerta abierta al infinito.

El *alma* es impersonal. Es Ser, sin cualidades agregadas.

Cambiar tu lealtad

Hasta ahora hemos utilizado la metáfora de la travesía para describir lo que ocurre en el más allá. La mayoría de la gente espera abandonar el mundo físico por un mundo "superior". Los *rishis* védicos señalarían que el verdadero cambio es un cambio de lealtad. Al morir, abandonamos nuestra lealtad por la "conciencia llena de objetos físicos", y la dirigimos a la "conciencia llena de objetos sutiles". En el *Vedanta* eso es lo que realmente significa ir al Cielo.

El cambio de lealtad parece fácil desde la perspectiva de los *rishis*. Sin embargo, resulta terriblemente difícil para la mayoría de la gente en Oriente u Occidente, porque el mundo físico es muy convincente. La duda surge cuando pensamos en el otro mundo, a pesar del hecho de que habitamos en nuestros sueños todo el tiempo. Un ejemplo perfecto de dichas dudas y de la ansiedad que provocan se encuentra en *Hamlet*, de Shakespeare.

En el famoso soliloquio de *Hamlet*, "Ser o no ser", Hamlet se pregunta si debe cometer suicidio de cara a su tragedia abrumadora. Él no puede obedecer al fantasma de su padre y matar al usurpador del trono, su tío Claudio. Está atrapado por la agonía, y se siente derrotado por muchas cosas: su conciencia, su sentido de cobardía y fracaso, su disgusto ante la traición sexual de su madre, y la profundidad de su depresión que linda con la locura. Incluso, a pesar de que cometer suicidio pondría fin a su sufrimiento, Hamlet se detiene a pensar las cosas de manera lógica, descomponiendo el problema como la mente racional acostumbra hacerlo.

> *...morir, dormir;*
> *Dormir, quizá soñar, he ahí el obstáculo;*
> *Porque ese sueño de muerte en el cual los sueños se tornan,*
> *Al liberarnos del torbellino de la vida,*
> *Debe otorgarnos un respiro.*

Dejando de lado la grandeza de la poesía, el príncipe de Dinamarca está atrapado entre el mundo físico y el sutil, y no puede convencerse a sí mismo de que confía en ninguno de ellos. Para reproducir el argumento en castellano moderno: ¿Constituye la muerte el final, o es algo parecido a dormir? Si se parece al acto de dormir, ¿significará el final de mis problemas, o me quedaré atrapado por las pesadillas? Quizás estos sueños sean peores que estar vivo, incluso cuando la vida esté en su punto más doloroso. No puedo hablar con nadie que haya vuelto de la muerte, por lo que me es imposible resolver este problema. Me quedo con la duda, y la duda es suficiente para aferrarme a la vida.

Esto es a lo que se refiere el *Vedanta* acerca de cambiar tu lealtad; si no tienes éxito, quedarás atrapado por la duda inquietante. El secreto es que *tienes que dominar el mundo sutil para despojarte del físico*. En este momento dependes del pensamiento racional. Pasas de un evento a otro de manera lineal. Tu fortaleza física te permite manipular objetos y sentirte seguro de que podrás defenderte. Tu fuerza de voluntad y tu fortaleza de carácter te apoyarán para lograr metas en el largo plazo.

Ninguno de esos poderes tiene importancia en el mundo sutil, y por lo tanto no proporciona apoyo alguno en el más allá. Además, el umbral entre la realidad física y la sutil es desconcertante. Nosotros experimentamos eso en nuestros sueños. Durante el sueño puedes levantar una casa tan fácilmente como si fuera una pluma, viajar hacia atrás en el tiempo, o sentirte totalmente desamparado en una situación aterradora, sin importar cuán duro luches para salir de ella. La larga historia del aprendizaje de Carlos Castaneda con Don Juan, el hechicero yaqui que se convirtió en su maestro espiritual, es básicamente la de una educación dirigida a aprender la manera de navegar por el mundo sutil, en que Castaneda se retrata a sí mismo como una persona llena de ansiedad y dudas.

En un episodio Don Juan toma a Carlos Castaneda de la mano, y juntos saltan sobre un árbol muy alto. Cuando aterrizan, Castaneda se siente enfermo y desorientado, a punto de vomitar (el vértigo es la condición más frecuente que afecta al aprendiz, junto con el miedo). Don Juan pregunta: "¿Cuál es la diferencia entre saltar por encima de un árbol como acabamos de hacer, y saltar por encima de un árbol durante el sueño?". Entonces responde a su propia pregunta: en un sueño puedes saltar cómodamente sobre un árbol porque eso resulta natural en el mundo de los sueños. Tú sabes que vas a despertar, y cuando despiertas te das cuenta de que todos los acontecimientos en tu sueño fueron solamente impulsos neuronales en tu cerebro. No había un árbol verdadero; recuerdas el mundo entero del sueño como una ilusión.

La razón por la que no puedes saltar sobre un árbol en el mundo físico es que no te das cuenta de que puedes despertar. Un mago es alguien que ha aprendido a despertar completamente, así que para él resulta natural saltar sobre un árbol. Todo eso ocurre bajo la forma de impulsos neuronales en el cerebro. No hay un árbol "verdadero". Sin embargo, si crees que el árbol es real, debes aceptar las limitaciones de un mundo como ése.

Uno puede darse cuenta de repente del enorme desafío de desviar la lealtad respecto del mundo físico. ¿Implica acaso ser capaz de saltar sobre los árboles? Ese sería un caso extremo (aunque no se trata de algo que no hayamos escuchado: los ámbitos católico e hindú están llenos de santos que levitan, y una monja en Egipto incluso tuvo que ser rescatada del aire, por encima de un árbol). El hecho de que tan pocos de nosotros exploremos jamás el misterio de la vida después de la muerte es un testimonio de nuestra lealtad fija. Sin embargo, hay momentos en que nos damos cuenta de que ya tenemos el poder de pasar de un nivel de conciencia al siguiente sin la ilusión del sueño. Permíteme poner un ejemplo.

"Hace treinta años encontré un interruptor en mi cabeza que me permitía cambiar la realidad." El hombre que dijo lo anterior es Harold; tiene aproximadamente 60 años y es un editor independiente retirado. Nos conocimos en una convención de libros de *new age* hace dos años. "Yo nací con un defecto cardiaco congénito que me puso en riesgo de morir joven", siguió diciendo Harold.

Eso es algo a lo que me acostumbré mientras crecía. Sin embargo, mis problemas del corazón me llevaron al hospital después de terminar mis estudios universitarios, y me convertí en un candidato para recibir un marcapasos.

Desafortunadamente hubo complicaciones; una infección, todo género de problemas. Una noche, durante la peor etapa, estaba en mi cama del hospital. Una enfermera vino a tomar mi temperatura, y al marcharse olvidó apagar la luz. Me sentía irritado, pero estaba demasiado somnoliento para levantarme. Entonces las luces se apagaron.

Al principio no pensé que eso fuera inusual, a pesar de que podía ver el interruptor de la luz y no vi que nadie lo accionara. Unos segundos después la luz volvió a encenderse. Luego se apagó. A continuación se encendió. Yo no me asusté, pero permanecí en mi cama, mirando la luz. Era obvio que nadie manejaba el interruptor, pero yo podía incluso escuchar el zumbido de los bulbos fluorescentes al encenderse y apagarse. De repente tuve la idea más extraña: *soy yo.*

En ese momento perdí el sueño; sentí una extraordinaria claridad. ¿Ha escuchado antes una cosa semejante? ¿Encender y apagar las luces con la mente?

Le dije que yo había escuchado cosas aun más extrañas, y le pregunté si se había repetido el episodio. Él respondió:

No por mucho tiempo. Te hablaré de lo que ocurrió hace un mes. Se trataba de una calurosa noche de verano en Nueva

York. Mi vuelo tenía cuatro horas de retraso, me sentía furioso. Había perdido todas mis conexiones de vuelo, y estaba allí parado, mientras esperaba impaciente a que mi maleta saliera del carrusel. En ese momento tuve esta idea: "Han perdido mi valija". En efecto, todos tomaron su equipaje, pero mi valija nunca apareció.

Así que acudí a la oficina de equipajes perdidos, y comencé a hablar con una empleada a la que no le importaba gran cosa. Entre bostezos, llamó por teléfono a alguien para averiguar si había valijas que hubieran quedado sin cargar en el avión. Luego me dijo con voz aburrida que debía llenar un formulario. Nada fuera de lo normal hasta ese punto.

Al borde de tener un ataque de cólera, Harold tuvo una idea vaga. "Es tan fácil estar enojado como contento. Puedes hacer de esta una situación positiva."

Lo que vi con mi mente fue un interruptor invisible. Y yo sabía que si lo accionaba, todo cambiaría. Así que lo hice. La empleada sonrió y dijo que volvería a llamar para averiguar acerca de mi equipaje. Quiero decir, ella actuó como si no hubiera hecho eso mismo anteriormente. Llamó por teléfono y a continuación me dijo que mi valija había sido localizada. Albergué entonces una extraña sensación de logro. En ese momento una chica bien parecida que estaba formada en la fila detrás de mí nos dijo que su maleta se había perdido en el mismo vuelo. Entonces tuve una idea: "Tú debes encontrar tu equipaje también". Un momento después la empleada dijo que habían encontrado otra valija junto a la mía. Se trataba del equipaje de la chica, desde luego.

"¿Encuentras una relación entre esto y lo que ocurrió en el hospital hace treinta años?", le pregunté.

"¿Tú no la encontrarías? Después del incidente en el aeropuerto he utilizado el interruptor un par de veces más. La primera vez para obtener un asiento en un vuelo que estaba completamente lleno, y la segunda para cambiar de cuarto en un hotel cuando dijeron que no podían hacerlo."

"¿No ocurren cosas similares todo el tiempo sin la participación de poderes especiales?", le pregunté. Harold pareció divertido. Esto era diferente. Él podía decir que él mismo lo había causado.

Muchas cosas resultan impactantes acerca de su experiencia. Por una parte, implica un cambio deliberado de la conciencia. Se sintió de manera especial, incluso horripilante. Hizo que Harold se mirara a sí mismo bajo una luz nueva. Amplió la posibilidad de lo que puede hacer la mente y, sin embargo, de alguna forma "accionar el interruptor" pareció normal en ese momento. Finalmente, una vez que la experiencia había concluido, se desvaneció y fue olvidada. ¿Podemos decir entonces que Harold realizó un viaje al campo de *Akasha*? El *Vedanta* diría que Harold experimentó un cambio en la conciencia, y que cuando eso ocurrió, el mundo "exterior" cambió con ella. Ésta es también la manera en que funciona el traslado al más allá, por medio de un cambio interno que crea un ambiente externo diferente.

Es importante comprender que los ámbitos de objetos físicos, objetos sutiles y conciencia pura constituyen en realidad un solo ámbito (*Akasha*) percibido en tres aspectos diferentes. Esto se evidencia en un fenómeno como el de la sanación por medio de la fe, que reúne la conciencia pura (Dios), un acontecimiento sutil (la plegaria) y el cuerpo físico. La luz que ven frecuentemente quienes son curados es una energía sutil, que también puede ser percibida como una carga eléctrica o nerviosa en el cuerpo, un ataque, un éxtasis o un vértigo. En su libro *El toque de sanación de María*, Cheri Lomonte cuenta la siguiente historia.

Dawn J. era una católica devota que en su juventud había implorado en sus plegarias tener una visión de la Virgen María. Poco después de que abandonó la casa de sus padres, recibió una visitación verdadera. Esto le provocó sentimientos de asombro y humildad; difícilmente se sintió merecedora de recibir a la Madre de Dios en su carne. Sin embargo, Dawn llegó a considerar que había sido elegida como mensajera.

Poco después, un compañero de trabajo le pidió que lo ayudara con un asunto personal. Él estaba preocupado por su esposa, quien había comenzado a visitar una casa en el Bronx donde una estatua de la Virgen María espontáneamente había empezado a exudar aceite aromático. Dawn aceptó intervenir y visitó la casa. Sin embargo, cuando entró, percibió un poderoso aroma de rosas, y cuando le mostraron la pequeña estatua, que exudaba una cantidad constante de aceite, quedó convencida de que se trataba de un milagro genuino.

En consecuencia, visitó en varias ocasiones la casa, y en cada una de ellas sintió la presencia divina en el aceite aromático. Durante una de las visitas la dueña de la casa le dijo que las paredes y el mobiliario habían comenzado a exudar también aceite, que ella limpiaba con bolitas de algodón. Dawn recibió una bolsa de algodón para llevar a su casa. Algún tiempo después supo que el bebé de tres meses de edad de una amiga estaba gravemente enfermo con meningitis de la espina vertebral, y que estaba en la unidad de cuidados intensivos de un hospital. Dawn sintió un poderoso impulso de utilizar el aceite bendito para sanarlo. Con permiso de los padres, entró en el cuarto del hospital y encontró al bebé decaído y casi inconsciente. Su cuerpo estaba en una incubadora con el fin de alimentarlo y proporcionarle medicina. Era una visión dolorosa.

Dawn tomó una bolita de algodón empapada en aceite y suavemente lo frotó por la espina vertebral del bebé. Se marchó, y al día siguiente se enteró de que el bebé estaba fuera de peligro. Dos días después estaba durmiendo y alimentándose de manera normal y lo habían mandado a casa con sus padres. El doctor a cargo del caso consideraba que se trataba de una recuperación milagrosa. Dawn la atribuyó al toque de sanación de la Virgen María.

Desde luego, la religión católica está llena de historias similares pero, ¿qué debemos pensar de esta historia en particular? Para mí demuestra que los tres ámbitos de la conciencia no se encuentran simplemente yuxtapuestos; participan activamente uno del otro. El plano físico es representado por la estatua, el aceite y el cuerpo del bebé. El ámbito sutil está representado por la visión de María, la fe de Dawn y la presencia divina que era posible sentir en el aceite. El ámbito de la conciencia pura está representado por lo divino. No ofrezco esta historia como si se tratara de un hecho establecido; la autora que la reprodujo no realizó un proceso de investigación para demostrar que era verdadero. Ella dependió de la sinceridad de las personas que se la contaron, quienes no tenían nada que ganar, y que describieron sus propias experiencias. Mi único propósito en este punto es señalar la posibilidad de que exista un principio unificador, el campo de *Akasha*, que incluye un amplio rango de fenómenos.

En algún lugar los ángeles de *Akasha* podrían mirar alrededor y decir: "Esto es real". Lo mismo podría ser percibido por los espíritus de quienes han muerto, por los grandes seres espirituales y por las almas que "atraviesan al más allá". El paisaje del más allá puede ser tan complejo como cualquiera lo desee, en tanto recordemos que los dioses, las diosas, los espíritus y las almas se convierten solamente en una cosa: la conciencia que se crea en su interior.

10

SOBREVIVIR A LA TORMENTA

༄༅

Savitri confiaba en Ramana, pero conforme pasaban las horas, una vez más comenzó a preocuparse por el tiempo. Sólo podía pensar en el fuerte cuerpo de Satyavan enfriándose y muriendo bajo la mirada de Yama. *Lo perdería todo*, pensó Savitri. Ramana se dirigió a ella.

—¿Es eso lo que temes, perderlo todo? —parecía no tener problema para leer sus pensamientos.

—Desde luego —dijo con tristeza Savitri.

Ramana señaló hacia adelante en el camino. A un lado del sendero había una pequeña capilla rústica, que alguien había erigido en el bosque. Los troncos de pino del altar albergaban una imagen de Vishnú. Sabedora de que Vishnú es el aspecto de Dios que mantiene la vida, se adelantó presurosa, y recogió algunas flores silvestres para ofrecerlas en el altar. *Ésta debe ser una señal*, pensó. Ramana esperó, mientras Savitri se inclinaba ante el altar y le imploraba a Vishnú que la ayudara. *Haría cualquier cosa*, imploró.

Cuando levantó sus ojos, el dios Vishnú estaba realmente de pie frente a ella. Savitri quedó paralizada por el miedo.

—¿Harías cualquier cosa por mí si yo salvara a tu marido? —le preguntó.

Con fervor, Savitri respondió que sí.

—Entonces ve al río y tráeme agua para beber —dijo Vishnú.

Savitri corrió tan rápidamente como le fue posible. No podía ver a Ramana, pero recordó haber pasado el río y sabía que estaba cerca. Se arrodilló junto al agua y se preguntó qué podría utilizar para llevar el agua, cuando vio que alguien más estaba en la ribera. ¡Se trataba de Satyavan! Llena de alegría, Savitri corrió hacia él, dejando escapar las lágrimas. Satyavan la abrazó y le preguntó qué ocurría.

Entre sollozos, Savitri lo informó del peligro en que se encontraba.

—Entonces no debemos regresar a casa —declaró Satyavan. Tomó a Savitri tiernamente de la mano. Caminaron a lo largo del río hasta que encontraron un lanchero que tenía su embarcación en la playa.

El lanchero los saludó cordialmente y les dijo que había estado pescando. Señaló hacia una isla a la mitad del río.

—Esa es mi casa —dijo. Rápidamente, Satyavan hizo un trato con el lanchero para convertirse en su ayudante. Él y Savitri fueron llevados a la isla, donde comenzaron una nueva vida.

Savitri estaba muy contenta, porque después de unos días se hizo evidente que Yama no los había perseguido. Su esposo aprendió a pescar y vivieron juntos en paz en la isla. Los años pasaron. Tuvieron dos hijos que llenaron de alegría sus corazones. Entonces, una gran tormenta cayó una noche sobre la isla. Los vientos aullaban, y las aguas del río subieron más de lo que lo habían hecho jamás. Al amanecer todo había desaparecido. Savitri se salvó al atarse a un árbol con una cuerda. Al amanecer se dio cuenta de que Satyavan, su casa y sus hijos habían sido arrastrados por el río.

Se las arregló para encontrar un bote y remó hasta la playa, pero estaba tan devastada que todo lo que pudo hacer fue tumbarse en la arena y lamentarse. De repente sintió una sombra que se extendía a su lado. Pudo ver al Señor Vishnú.

—¿Recordaste llevarme el agua? —le preguntó.

Savitri bajó la vista y se asombró al percatarse de que llevaba el mismo *sari* que portaba aquel día, años atrás, cuando Vishnú había aparecido ante ella por primera vez. Conforme se inclinó para recoger un poco de agua, su reflejo en el río mostró a la misma joven.

—¿Qué ocurrió? —preguntó perpleja. Vishnú respondió:

—Conmigo no existe el tiempo, porque yo estoy más allá de la muerte. El tiempo es el campo de la ganancia y la pérdida. En tanto estés en el tiempo, constituye una ilusión pensar que puedes prevenir la pérdida, que es tan sólo otra palabra para referirnos al cambio.

—¡Entonces Satyavan debe estar vivo! —exclamó Savitri—. ¿Puede salvarse?

Vishnú había comenzado a desaparecer. Savitri trató de asir su imagen, pero todo lo que consiguió fue asir el aire. Cuando se dio vuelta, pudo ver a Ramana de pie detrás de ella, en el sendero.

—Mira —le dijo Ramana—. Sea lo que fuere lo que temes perder, no es real. La Muerte no puede tocar lo que es real. En cierta manera, éste es un don de la Muerte.

—No puedo ver eso —dijo Savitri, descorazonada.

—Cuando mueras serás obligada a perderlo todo y, sin embargo, algo permanecerá. Se trata del alma, que es real. Por lo tanto, debes celebrar la pérdida. Los atavíos de la existencia pueden caer en cualquier momento; la esencia siempre permanece. Y esa esencia eres tú.

VIVIR MÁS ALLÁ DE LAS FRONTERAS

El más allá no es solamente un misterio que debe ser resuelto. Se trata de una oportunidad de ampliar la vida más allá de las fronteras. Como la describieron los *rishis*, la conciencia comienza en un estado libre de conciencia pura y luego cae, plano tras plano, hasta que alcanza el mundo físico. Cada nivel se encuentra en tu interior. En cualquier momento puedes colocarte en el sitio que quieras; la elección de las fronteras —o de la libertad— te corresponde de manera exclusiva. Por lo tanto, las travesías al Cielo y al Infierno son eventos cotidianos, no posibilidades remotas. Esto es difícil de aceptar para muchas personas, porque desean un "yo" fijo y confiable que les proporcione estabilidad en un mundo inestable. Sin embargo, no existe separación entre el observador y el observado. Los mundos interior y exterior están cambiando constantemente.

Después de la muerte, la experiencia se transporta al ámbito de lo sutil, que presenta su variedad infinita. Sin embargo, ya estamos en contacto con experiencias sutiles todos los días. He aquí algunas de las etiquetas que podemos aplicar a nuestros viajes por el mundo sutil:

- Sueños
- Imaginación
- Mitos
- Arquetipos

- ❧ Epifanías
- ❧ La "sombra"
- ❧ Conciencia colectiva
- ❧ Creación numinosa (ángeles, demonios, santos, *bodhisattvas*, deidades)
- ❧ Visiones sagradas
- ❧ Deseos y anhelos
- ❧ Inspiración

En alguno de los términos incluidos en esta lista se encuentra todo aquello que los *rishis* denominaron "conciencia llena de objetos sutiles". Tú no puedes verte a ti mismo como una persona completa sin tomar en cuenta estos submundos. Son destinos en el futuro, pero también aquí y ahora. La "sombra" puede ser un término que no resulta familiar; se refiere a las fuerzas ocultas que nos influyen como si se encontraran más allá de nuestra voluntad. La sombra del ser en la psicología de Jung es una región del inconsciente donde almacenamos energías que se convierten en nuestra versión de lo oscuro, lo maligno, lo vergonzoso o de seres adversarios. Es difícil imaginar la manera en que la sombra puede ocupar el mismo espacio que los seres luminosos, que son numinosos e incluyen ángeles y deidades. Estamos tentados a destinar lugares distintos para cada uno, pero no existen divisiones físicas en el ámbito de lo sutil y, por lo tanto, no hay fronteras entre el Cielo y el Infierno, entre la luz y la sombra. El acceso a todo el mundo sutil está siempre abierto. Puedes imaginar y soñar, y también puedes experimentar la presencia de espíritus de personas que han partido, ángeles o dioses.

Por lo tanto, el primer paso para cualquiera que desee entrar en los submundos de la conciencia consiste en despojarse de las reglas inflexibles sobre lo que es real e irreal. Muchas culturas han considerado que la barrera entre la vida y la muerte es permeable. Nosotros insistimos en convertirla en una muralla, y detrás de esa insistencia se encuentra en gran medida el miedo inconfesable. Equiparamos todo el ámbito de lo sutil con el dominio de la muerte, lo cual dista de ser verdadero.

"Mi hijo murió cuando tenía sólo 22 años de edad", me dijo recientemente una mujer.

Tenía un tumor cerebral, y yo estaba en su casa el día que murió. Conmigo se encontraban su hermana y su nueva esposa. La muerte de Tom fue pacífica, y esa noche las tres permanecimos despiertas, hablando de él. Debimos haber platicado hasta muy tarde, porque nos quedamos dormidas junto a la chimenea.

A la mañana siguiente, su esposa estaba muy emocionada y nos dijo que Tom se le había presentado en un sueño y le había dicho que estaba bien. Su hermana respondió que Tom también se le había presentado en el sueño y le había dicho lo mismo. Voltearon a mirarme y sí, yo también había tenido el mismo sueño. Todas sentimos que Tom estaba presente de manera tan vívida que no había parecido un sueño; era él en realidad.

En este ejemplo uno puede ver un corte entre diversos niveles del mundo sutil: sueños, espíritus que se han marchado y la conciencia colectiva. En este caso, "colectivo" significa que la conciencia es compartida por tres personas, a pesar de que el término pueda ampliarse mucho más. Esta clase de mezcla es más común de lo que pensamos. Las fronteras, después de todo, son arbitrarias. Einstein, cuya reputación descansa en el pensamiento racional, declaró que el germen de la teoría de la relatividad le llegó mientras soñaba despierto. ¿Debemos llamarlo un sueño, una visión o una inspiración? ¿Debemos considerar el hecho de que Tom tranquilizara a sus familiares como real o ilusorio, inspirador o simplemente como una proyección del duelo que necesitaba un desahogo?

Los *rishis* védicos se propusieron conocer el mundo de lo sutil. Al profundizar en las explicaciones que nos legaron podemos comenzar a navegar por este nivel de la realidad que se encuentra más cerca del alma. Hemos llegado a los suburbios de la inmortalidad, que no son enteramente eternos, pero que tampoco están atados al tiempo o al espacio.

Las cinco koshas

Las experiencias cercanas a la muerte, el budismo tibetano y *el Libro de la Revelación* están de acuerdo en una cosa: en el momento de morir tendremos un aspecto hermoso. El "cuerpo de oro" del Bardo tibetano y el cuerpo perfecto que se levanta de la tumba el día del Juicio Final, están intactos por la edad y la decadencia. Cuando la gente es visitada en sueños por quienes se han marchado, generalmente aparecen en el mejor momento de sus vidas, alrededor de los treinta años, en vez de hacerlo como niños o como fantasmas sin cuerpo. Las apariciones de la Virgen María nunca parecen ser las de alguien de edad avanzada, sino las de una mujer encantadoramente joven y luminosa. Por otra parte, en los relatos sobre experiencias cercanas a la muerte que se relacionan con el Infierno (mucho más raras que aquellas que se relacionan con caminar hacia la luz), los condenados nunca se ven jóvenes y saludables. Son viejos, enfermos, cubiertos de cicatrices, deformes, o una combinación de esas características. Las visiones de la recompensa y el castigo nos ofrecen imágenes totalmente opuestas.

Los *rishis* no estaban satisfechos con imágenes simples o idealizadas. Veían la totalidad del mundo sutil como una proyección de la conciencia y se enfocaban en las *koshas*, o divisiones de la conciencia pura. La palabra *kosha* se traduce como envoltura, capa o sobre, pero es más fácil pensar en la conciencia pura como un punto que envuelve cinco cuerpos a su alrededor, como las capas de una cebolla. (Uno también puede pensar en términos de las vibraciones que avanzan desde las más graves hasta las más altas.) Las cinco capas son:

1. El cuerpo físico.
2. El *Prana* (aliento sutil o fuerza vital).
3. La mente.
4. El ego y el intelecto.
5. El cuerpo de la dicha.

Las cinco *koshas*, al operar al unísono, dan lugar al ser; o, para decirlo de manera más precisa, al sistema del ser. Tú y yo tenemos múltiples capas porque somos inseparables de nuestras cinco *koshas*. El hecho es que cada capa posee sus propias reglas que nos proporcionan una estructura correspondiente al mundo de lo sutil. El más allá es una travesía tan sólo en el sentido en que lo es el sueño; en ambos casos estamos distrayendo nuestra atención de una *kosha* y enfocándola en otra. Nuestra travesía tiene lugar en los confines del sistema del ser.

Las *koshas* también son compartidas. El universo tiene sus propias capas. Experimentar la presencia de un ángel o del espíritu de alguien que ha partido, por ejemplo, es posible debido a las incontables generaciones que han ayudado a crear ese submundo. La realidad compartida no es mística. Consideras tu cuerpo físico como totalmente tuyo, pero incluso eso es compartido; el aire que respiras hoy contiene millones de átomos de oxígeno que fueron respirados en China, por ejemplo, tan sólo hace unos días. Absorbes las ideas que flotan a tu alrededor en los medios masivos de comunicación, y en algunos momentos tienes una inspiración, tan sólo para descubrir que alguien más ha tenido la misma idea de manera simultánea. (En mi carácter de escritor, estoy al tanto de ocasiones en que un libro o una idea brillante fue anticipado por dos o tres escritores diferentes con pocos días de diferencia.)

Así que la analogía de la cebolla compuesta de diversas capas se viene abajo en algún punto. Una *kosha* no es una posesión individual. Es un ámbito dinámico con sus propias leyes y experiencias, un ámbito al que podemos ingresar a solas o con otros.

Annamaya Kosha (el cuerpo físico): el cuerpo físico es el aspecto más separado del sistema del ser. Al nacer, la mayoría de los bebés se parecen mucho desde el punto de vista fisiológico, pero a la edad de 70 años no hay dos cuerpos que sean remotamente parecidos. El tiempo ha hecho que cada uno de ellos sea único. Este hecho material subraya en gran medida la separación en el mundo, conforme la gente lucha por obtener su porción de alimento, dinero, posesiones y estatus. Ellos desean promover el bienestar del cuerpo físico, mejorar su encanto y belleza, y protegerlo de la amenaza de las lesiones y la muerte.

En este nivel la primera conciencia es la biología. Opera de manera silenciosa, sin voz, conforme organiza una gran cantidad de funciones corporales. Pero incluso aquí, si observamos lo que ocurre al nivel celular, resulta que nuestra conciencia trasciende las fronteras. Las células cooperan, se comunican, intercambian funciones, realizan actos de sacrificio propio, mantienen el equilibrio, están conscientes de su ambiente, se adaptan al cambio y saben que sobreviven al ser parte de un todo más amplio.

Cada *kosha* revela el Todo y la separación al mismo tiempo. Si consideramos la *Annamaya Kosha* como el mundo físico, es obvio que nuestros cuerpos se encuentran aislados unos de otros, lo que nos mantiene en la separación al resaltar la ilusión de que debemos luchar y competir con los demás cuerpos aislados. Sin embargo, esta *kosha nos acerca al Todo* por medio de la cooperación, la seguridad física en los grupos sociales, y los deseos compartidos de tener alimento, refugio, sexo y comodidad física.

Pranamaya Kosha (aliento sutil o fuerza vital): *Prana* significa vitalidad. En el individuo, el *Prana* es el aliento que mantiene la vida al unirnos de manera rítmica con la Naturaleza. Inhalamos todo lo que necesitamos para mantenernos vivos, y luego exhalamos hacia donde es necesario a continuación. No existe un equivalente occidental para *Prana*, excepto una tradición denominada vitalismo que se centra en la "fuerza vital". Cualquiera que sea el nombre que le des, una inteligencia sutil y flotante mantiene al cuerpo físico.

En este nivel la conciencia es la fuerza de unidad que mantiene la Naturaleza intacta. Los seres humanos reconocen que están unidos con todos los seres vivientes. La conciencia no reconoce niveles superiores o inferiores de vida; orquesta la diversidad en el Todo.

Cuando te sientes conectado a formas de vida que forman parte de un ecosistema —las mascotas, un viejo árbol, la Luna llena, una tormenta de truenos—, te asumes parte del flujo de vitalidad que mantiene unida a la Naturaleza. Cuando cobras conciencia de la increíble inteligencia que une cada célula del cuerpo, no es posible que sigas diciendo "Yo poseo esto". No puedes poseer la vida y, sin embargo, tampoco puedes evitar estar en su centro. Aun así, en este nivel la separación parece dominar todavía al Todo, lo que constituye la razón por la que los seres humanos continúan destruyendo el ecosistema sin darse cuenta de que están destruyendo parte de su propio sistema del ser.

Esta *kosha nos mantiene separados* por medio del desequilibrio, un ecosistema perturbado, la contaminación y la sobrepoblación urbana.

Esta *kosha nos mantiene cerca del Todo* por medio de la vitalidad, la convivencia con otros seres vivos, el equilibrio en el ecosistema y la empatía.

Manomaya Kosha (la mente): la raíz de la mente consiste en las ideas y los pensamientos individuales. Tú sabes quién eres por medio de lo que piensas. Este es el nivel en que procesas la información del mundo para darle significado. La mente incluye emociones, sensaciones, recuerdos y otros usos del cerebro. Los *rishis* comprendieron que la mente está organizada en su propio cuerpo invisible, un cuerpo de recuerdos personales y creencias que protegemos del daño tan ferozmente como protegemos nuestros cuerpos físicos.

En este nivel la conciencia se encuentra a sí misma en juego en el cosmos sin fronteras, toda vez que la mente puede volar a cualquier parte e imaginar lo que sea. Tu mente está en libertad de interpretar el mundo de la manera en que lo desee, y desafortunadamente algunas de esas formas incluyen la ignorancia del ser. Es imposible limitar la mente, sin embargo, muchas personas temen su don de libertad. En este nivel nos topamos con las fronteras que hemos creado: las creencias, los miedos y los prejuicios. Las "esposas forjadas en la mente" de las que habló Blake, crean la separación y la represión donde no necesitaban existir.

La mente es más colectiva que individual. Yo puedo referirme a "mi mente" cuando quiero hablar de mis recuerdos y pensamientos únicos, pero obtenemos el 90 por ciento de nuestros pensamientos de la sociedad y sus productos. Una gran cantidad de recuerdos es compartida, y la materia misma del pensamiento —el lenguaje— es una creación colectiva. Por lo tanto, los *rishis* afirman que la mente es la primera *kosha* en que el Todo predomina sobre la separación.

Esta *kosha nos acerca al Todo* por medio de creencias compartidas, el condicionamiento social, la religión, las opiniones que hemos recibido y los valores comunes.

Esta *kosha nos mantiene en la separación* por medio de las creencias que nos dividen en los ámbitos de la política y la religión, los prejuicios, la idea de "nosotros contra ellos", el nacionalismo, las fronteras mentales arbitrarias del miedo y el odio.

Vigyanmaya Kosha (el ego y el intelecto): éste es el nivel de identidad dominado por el "yo, mi, mío". La sociedad asigna un valor positivo para alguien con un impulso egoísta poderoso y la voluntad de tener éxito, pero en los círculos espirituales la reputación del ego es mala. Las personas que emprenden búsquedas espirituales a menudo sienten que es su deber "matar el ego" y controlar sus impulsos. Sin embargo, si observamos el "yo" sin prejuicios contra el ego, este nivel del ser le proporciona existencia a la identidad, y no esas cosas externas que nuestros impulsos egoístas nos llevan a buscar.

La identidad no es una pizarra en blanco por mucho tiempo. Se llena de vínculos y asociaciones que dependen de lo que elegimos para identificarnos. La *Vigyanmaya Kosha* es ese nivel en el que operan el mito y los arquetipos, y que nos proporcionan historias y modelos con los que nos identificamos. Los dioses ponen en juego nuestros deseos primarios, búsquedas, guerras y amores. El ego también nos proporciona el conocimiento acerca de la identidad misma, de lo que significa ser humano: yo no puedo saber quién soy sin la familia y la sociedad.

En este nivel la conciencia está centrada en sí misma, y se la enfoca por medio del "yo". Nada es más universal y, sin embargo, el ego nos separa cuando los deseos de una persona chocan con los de otra. Es justo afirmar que este choque se desarrolla en la mente, no en el ego mismo. Cuando nos referimos al ego, generalmente hablamos de la "ego-personalidad", que está llena de deseos individuales, sueños, creencias, gustos y preferencias. *Vigyan* está más cerca de la unidad que eso. En este nivel el Todo predomina sobre la separación, como puede verse al analizar los mitos y arquetipos compartidos en el mundo.

Esta *kosha nos acerca al Todo* por medio del sentido de que formamos una humanidad, las búsquedas heroicas y los hechos míticos, y la necesidad de respeto, dignidad y valoración interna.

Esta *kosha nos mantiene en la separación* por medio de la enajenación personal, la ansiedad, la soledad y las emociones reprimidas que dan lugar a la vergüenza y la culpa.

Anandamaya Kosha (el cuerpo de dicha): para los *rishis* la dicha era más que un sentimiento de éxtasis. Era una vibración básica o sonido de fondo del universo, el estado originario del que se desprende toda la diversidad. Es posible imaginar un más allá en que nadie tenga un cuerpo, donde no exista la necesidad de respirar, donde la mente no procese ya información alguna. Sin embargo, debe existir un sentido, así sea remoto, tanto del ego como de la dicha. El ego afirma: "Esto me ocurre a mí". La dicha afirma: "Siento la chispa de la creación". *Ananda* es la posibilidad de que la creación se manifieste, y en tanto habites el cuerpo de la dicha, ésta es una experiencia dinámica e intensa, no sólo potencial.

En este nivel la conciencia es la alegría de vivir. En vez de enfocarnos en cualquier cosa del mundo externo, nuestra atención reposa en la presencia numinosa que ha sido descrita como la luz dorada que emana de cada partícula de la Naturaleza. En la dicha percibes que esa separación es sólo un velo delgado. Detrás del velo resplandece la luz de la conciencia pura. Las prácticas de devoción que incrementan el sentido personal de alegría pueden alcanzar niveles tan profundos como el éxtasis. Sin embargo, la dicha misma está más allá del sentimiento de felicidad o incluso de alegría, aunque se encuentra en forma diluida y puede ser experimentada como ambas. Se trata de la conexión vibrante que permite que la conciencia pura entre en la creación.

Esta *kosha revela el Todo de manera tan completa* por medio del amor, la alegría y el éxtasis, que la separación no tiene ya atracción alguna. Uno puede decir que *Anandamaya Kosha* es el Ser puro mezclado con tan sólo un toque de individualidad, apenas lo suficiente para permitir que alguien viva en forma física, y cualquiera que sea la forma que adopte en el más allá. Sin esta capa delicada te disolverías en el Ser y te convertirías en la dicha misma, sin alguien que la experimente.

No es difícil que puedas verte a ti mismo en múltiples dimensiones, una vez que las *koshas* han sido descritas.

La *dimensión física* contiene la acción. Vives aquí cuando te ves como un cuerpo separado en el tiempo y el espacio.

La *dimensión pránica* te conecta con otros seres vivientes. Vives aquí cuando puedes verte como una parte de la red de la vida, una criatura de la naturaleza.

La *dimensión mental* organiza la realidad por medio del pensamiento. Vives en esta capa cuando puedes verte a ti mismo como la suma de tus ideas, deseos, anhelos, sueños y miedos.

La *dimensión del ego* define tu identidad única. Vives aquí cuando puedes verte a ti mismo en términos del "yo, mi y mío".

La *dimensión de la dicha* reserva la realización más alta por medio del amor y la alegría. Vives aquí cuando puedes verte a ti mismo mezclándote con todo por medio del poder del amor y cuando no tienes otra sensación que el éxtasis.

Sin embargo, hacer que esas dimensiones resulten más familiares no las reúne de manera automática. Cada *kosha*, como hemos visto, puede acercarte más al Todo o incrementar tu tendencia a permanecer separado y aislado. Los *rishis* consideraban que el Todo era la única realidad y que, en comparación, cada experiencia en la separación es un sueño. La meta de la vida es encontrar la unidad, o *yoga*, y esto puede lograrse, según ellos, al enfocarte en cada *kosha*.

El cuerpo físico: El *yoga* utiliza posturas físicas (denominadas *asanas*) que combinan el equilibrio, la fuerza y la conciencia del cuerpo para proporcionarnos la conciencia física.

El cuerpo pránico: el *yoga* utiliza ejercicios basados en la respiración suave y relacionada con la conciencia de ti mismo *(Pranayama)* para proporcionarnos la conciencia del flujo de *Prana.*

El cuerpo mental: El *yoga* utiliza todo un campo de discriminación *(Viveka)* para proporcionarnos la conciencia sobre la manera en que funciona la mente. *Manomaya Kosha* es, por lo tanto, el nivel de evolución de la conciencia, tanto para mí como para ti y todos los seres humanos como un Todo. Establecemos nichos individuales en la conciencia colectiva, y conforme una oleada de la evolución pasa a través de la humanidad, cada uno de nosotros decide montarse en la ola o ignorarla, aceptarla o defenderse de ella.

Ego: el *yoga* utiliza la atención en sus diversas formas, como la contemplación y la meditación *(Dhyana)* para proporcionar a la persona la conciencia del "yo soy" que constituye la base de toda experiencia.

El cuerpo de la dicha: el *yoga* utiliza periodos sostenidos en un estado profundo de silencio *(Samadhi)* para llevar la sutil vibración de la dicha a la superficie de la mente, y lograr que una persona cobre conciencia de que el sonido de fondo del universo se encuentra presente en cada experiencia.

He delineado muy brevemente el carácter del *yoga* como forma de vida, pero no es posible esperar que una persona moderna típica cambie repentinamente su lealtad de manera tan drástica. Esto hace que el "después" del más allá también esté demasiado alejado como para trabajar en él; debemos crear más unidad en el "ahora". No se suponía que el *yoga* fuera específicamente hindú o que perteneciera principalmente a la antigüedad, pero desafortunadamente es esa la manera en que ocurrieron las cosas, lo que nos ha dejado con un nuevo desafío. ¿Cómo podemos aceptar el hecho de que vivimos en cinco mundos, y utilizarlo para redefinir la vida como un Todo?

En casa en la Conciencia

Tú y yo parecemos vivir primordialmente en el mundo físico; sin embargo, nuestra conciencia común comienza en la conciencia pura, y conforme viajamos hacia esta vida, capa tras capa a través de dimensiones diferentes, cada una de ellas nos proporciona un nuevo sentido del ser. Poseemos un sistema del ser completo. Los *rishis* lo estudiaron y llegaron a varias conclusiones:

- La conciencia pura está siempre presente en todo, sin importar qué mundo ocupe o qué forma asuma.
- El mundo físico tiene la menor cantidad de conciencia pura porque ésta se encuentra dominada por cosas físicas y la ilusión de la separación.
- Mientras más te acercas a la conciencia pura, más poderosa es.
- El cambio en nuestra conciencia en los niveles sutiles produce el cambio en todas las *koshas* al mismo tiempo.

Si seguimos estos principios, podemos ganar el mismo nivel de maestría del que disfrutaban los sabios, o al menos una parte considerable de él.

He expresado mis opiniones sobre este asunto en internet, y he dicho que basar la vida personal en la conciencia es la mejor ruta para dominar al mundo físico. Sin embargo, las respuestas que he recibido han sido más bien escépticas. Muchas personas han dicho, en efecto: "Habla todo lo que quieras acerca de la conciencia, pero tenemos que lograr que la gente deje de destruir al planeta", o: "La conciencia está muy bien, pero no pondrá fin a la guerra y el terrorismo". O bien: "Buena suerte al utilizar la conciencia para detener una bala". En otras palabras, esas personas estaban colocando la *kosha* física en primer lugar, y daban por sentado que las cosas materiales sólo pueden ser influidas por medio de la acción directa.

¿Cómo puede uno probar que la mejor manera de cambiar la realidad es por medio de la conciencia? En el nivel físico la acción parece estar muy separada de la conciencia. El concepto budista de la inacción parece muy místico, hasta que te das cuenta de que significa "acción en la conciencia". La acción en la conciencia adquiere muchas formas. La resistencia pasiva de Ghandi fue una forma exterior de la inacción que tuvo un enorme efecto en la conciencia; llevó toda una época histórica a su final. Las ideas poderosas también están en la conciencia, y no hay duda de que han cambiado el mundo, desde la invención griega de la democracia hasta las modernas teorías de la relatividad. Conforme nos acercamos a las *koshas* más sutiles, toda la acción tiene lugar en la conciencia.

Permíteme que simplifique las cosas para formular algunas sugerencias sobre la acción en cada una de las cinco *koshas*:

Annamaya Kosha, el cuerpo físico: nutre y respeta tu cuerpo. Aprecia su increíble inteligencia interna. No le temas o lo manches con las toxinas. Dedica tiempo para realmente estar en tu cuerpo. Llévalo afuera y déjalo jugar.

Pranamaya Kosha, el cuerpo vital: acude a la Naturaleza y húndete en el sentimiento de que es tu hogar. Respeta y nutre el ecosistema. No lastimes a otros seres vivos. Considera la Naturaleza sin temor u hostilidad. La clave en este ámbito es sentir reverencia por la vida.

Manomaya Kosha, el cuerpo mental: desarrolla usos positivos de la mente. Lee y aprecia lo más fino de la expresión humana. Cobra conciencia de que te encuentras en un Todo, y permite las ideas que privilegian el Todo sobre la separación. Ofrece resistencia a las ideas basadas en el "nosotros *versus* ellos". Examina tus reacciones automáticas y tus creencias de segunda mano. Encuentra cada oportunidad para dar la bienvenida a las señales de tu ser más alto.

Vigyanmaya Kosha, el cuerpo del ego: encuentra una visión, ve hacia la búsqueda. Descubre tu lugar en un patrón más amplio de crecimiento. Busca las maneras de evolucionar personalmente. Celebra las grandes tradiciones del espíritu y la sabiduría que unen a las culturas. Sé tan humano como puedas en todas las formas, siguiendo los dictados de la frase: "El mundo es mi familia".

Anandamaya Kosha, el cuerpo de la dicha: desarrolla tu propia forma práctica para trascender y encontrar la dicha. Tú ya conoces la frase: "Sigue tu dicha"; ahora ponla en práctica por medio de alguna clase de ejercicio "de ola alfa", como la meditación y la relajación profunda. Dedícate a descubrir el verdadero aspecto de *Samadhi*, el silencio de la conciencia profunda. Experimenta con tu propio ser en tanto constituye una razón para estar aquí.

11

GUÍAS Y MENSAJEROS

❦

—¿He aprendido lo suficiente? —preguntó Savitri. Podía sentir que estaba comenzando a cambiar. Muchas cosas que alguna vez consideró reales eran ahora como fantasmas, mientras que las cosas más reales eran invisibles.

—Creo que sí dijo Ramana—. Vete a casa.

—¿Vendrás conmigo?

Él negó con la cabeza mientras sonreía.

—No me gustaría asustar mortalmente a Yama.

Savitri sintió un vuelco en el corazón.

—Pero, ¿cómo he de regresar? No sé dónde estoy.

—Eso es lo que tú crees —Ramana señaló hacia la parte más espesa del bosque; Savitri pudo ver un enjambre de luces que, de no ser porque apenas era la tarde, podrían haber sido luciérnagas. Ramana señaló ese punto con un gesto.

—Adelante—le dijo—. Yo sé que piensas que no estaré contigo, pero eso es sólo otro producto de tu imaginación —al notar su reticencia, Ramana inclinó la cabeza—: Todo será como será.

Savitri recordó que esas habían sido exactamente las palabras que le había dicho Yama. Permaneció ahí por unos momentos hasta que la silueta de Ramana desapareció en el corazón del bosque. Entonces caminó hacia las luces centelleantes. Éstas se hicieron más grandes, y Savitri se dio cuenta de que estaba mirando un grupo de *devas*. (Un *deva* es lo mismo que un ángel, pero también puede ser un espíritu de la Naturaleza.)

—¿Quiénes son ustedes? —preguntó—. ¿Son *devas* de los árboles?

En la India, los *devas* habitan en todos los niveles de la Naturaleza para infundir vida. Sin embargo, en vez de responder, las luces se alejaron velozmente. Savitri sintió claramente que le temían. Con su voz más suave les pidió que regresaran. Una de las luces dijo:

¿Por qué hemos de regresar si lo que quieres es matarnos? La voz no provenía del exterior, sino del interior de la cabeza de Savitri. Estaba impactada.

—¿Matarlas? Yo nunca haría eso. —La luz respondió:

—Lo estás haciendo ahora mismo. Somos los *devas* que te han sido asignados y, sin embargo, mira qué débiles estamos —Savitri respondió:

—Dime cómo he hecho tal cosa, porque si alguna vez los he necesitado, es ahora. —La luz dijo:

—Tú has estado colmada por una pena secreta. Sientes ansiedad con respecto a la muerte. No pensaste en nosotros y nunca nos llamaste. Esa es la manera en que estás tratando de matarnos.

Savitri nunca había pensado así sobre los *devas*, ni sospechaba que necesitaran su atención. Sin embargo, la mención misma de la muerte la llenó de miedo, y cuando eso ocurrió las luces se hicieron más pequeñas y débiles. Savitri exclamó:

—¡Esperen! ¡No me permitan que las mate!

—No puedes hacerlo. Somos inmortales. El peligro no reside en que puedas lastimarnos en realidad, sino en que interrumpas nuestra conexión contigo. Necesitamos de tu amor y tu atención, y a cambio te ayudaremos.

—¿Cómo? —preguntó Savitri.

—Por medio de la inspiración. Nosotros portamos mensajes. Podemos dejar que nos veas, como ocurre ahora, y eso te ayudará a conocer tu lugar en el plan divino.

—¿Está previsto en el plan divino que Satyavan muera? —inquirió Savitri. Los *devas* habían comenzado a acercarse, pero ahora se dispersaron y alejaron de ella. Savitri recobró la compostura y tomó aliento, implorando tener esperanza y valor. Las luces se acercaron cautelosas.

—El plan divino es la vida misma. El plan incluye a todas las criaturas en su sitio. El sitio de los humanos es, en primer lugar, en la eternidad, y en segundo lugar, aquí en la Tierra. La muerte, como la pausa entre dos bocanadas de aire, consiste en la manera de atravesar de un hogar a otro —le respondieron.

Savitri se sintió inundada de gratitud, lo que atrajo aún más a las luces. Comenzaron a brillar iluminando su camino. Savitri se dio cuenta de que no se encontraba perdida. De hecho, su choza estaba muy cerca, y con paso decidido se dirigió hacia allá, siguiendo el rastro de las luces titilantes.

Cómo crear un ángel

El acto de trazar una línea clara entre lo real y lo irreal es contrario a la manera en que funciona la conciencia. Si me dices: "Tengo un ángel guardián", puedo interpretar la frase por medio de varios estados de conciencia. En este sentido, es posible que te refieras a cualquiera de las siguientes ideas:

❦ Imagino que tengo un ángel guardián.

❦ Mi religión me enseña que tengo un ángel guardián en el Cielo.

❦ He leído mucho acerca de la mitología de los ángeles, y el mito que a mí me sedujo es el de un ángel guardián.

❦ Puedo ver a mi ángel guardián y siento su presencia.

❦ Tener un ángel guardián es un deseo que abrigo.

❦ He visto a mi ángel guardián en un sueño.

Ciertos estados de conciencia, como los sueños y la imaginación, son aceptados en nuestra sociedad; sin embargo, se acercan a otros estados que las personas de la sociedad moderna consideran superstición, como el hecho de ver a los espíritus que han partido y tener visiones sagradas. Aun así, he conocido a muchas personas que me han contado que los santos aparecen ante ellos durante la meditación, y otros que han sido visitados por *gurúes*, el arcángel Miguel, Jesús, Buda, los antiguos lamas tibetanos y las encarnaciones de sí mismos. El acceso no te será negado.

Otras culturas se sienten más cómodas que nosotros al explorar la dimensión sutil; nuestra tendencia es separar de manera tajante esa región y el mundo físico y formular entonces juicios arbitrarios como los siguientes:

❦ La gente que puede ver ángeles imagina cosas.

❦ Los sueños son una ilusión, así que todos los demás fenómenos sutiles también lo son.

- Si puedes ver o escuchar algo que no es físico, seguramente estás alucinando.
- Ver a un dios o un ángel equivale a ver un OVNI: se encuentran más allá de la experiencia normal.
- Las visiones sagradas son el resultado de enfermedades del organismo, como la epilepsia o la esquizofrenia paranoide.

Sin embargo, la creación en la conciencia es nuestro don más grande, y aquello que creamos continúa evolucionando. Si abres tu mente sin prejuicios a tu papel como creador, obtienes mucha libertad. El génesis no necesariamente es un evento remoto que dio origen al universo. Puede ser un evento constante que se renueva a sí mismo en cada momento.

Una gran obra de arte puede comenzar en un sueño, en una visión o en un momento de inspiración. Se gesta en los ámbitos invisibles de la imaginación, pero a continuación el artista comienza a darle forma en arcilla o en un lienzo. La *Mona Lisa* necesitaba una audiencia, y esa audiencia tenía que pensar que la pintura era importante. La obra tuvo que inspirar a quienes la veían con su belleza, como en efecto ocurrió, y obtuvo fama, aprecio y comprensión. Eventualmente, si una obra de arte es suprema, toda una cultura la adora. La palabra "ángel" puede sustituir a "Mona Lisa" sin que ocurran muchos cambios. Al ser una obra de arte, un producto humano, la *Mona Lisa* no alienta nuestra naturaleza escéptica; pero dado que no podemos vernos a nosotros mismos en el proceso de crear ángeles, no aceptamos fácilmente esa idea. El siguiente paso, en consecuencia, consiste en analizar ese proceso en detalle.

La proyección

El mecanismo por medio del cual los ángeles son creados se denomina "proyección". En el campo de la psicología, este término es frecuentemente utilizado de manera peyorativa, como sinónimo de asignar un estado subjetivo a un objeto que se encuentra en el exterior. En vez de aceptar sus propias emociones negativas, por ejemplo, las personas frecuentemente las proyectan en los demás. Consideremos estas frases familiares:

- *No creo que me ames ya.* Simplemente lo estás proyectando. Desde luego que te amo.
- *Hay un ruido allá afuera. Estoy seguro de que es un ladrón.* Siempre piensas que los ruidos son producidos por algo peligroso. Lo estás proyectando.
- *Si asisto a la fiesta la próxima semana sin haber perdido cinco kilos, todos van a pensar que soy fea.* Deja de proyectar eso. Te ves bien.

La proyección puede ser complicada. Una sociedad que se siente amenazada puede proyectar fantasías fuera de control. Los fundamentalistas musulmanes proyectan una imagen de Occidente que es corrupta, inmoral y decadente, mientras los fundamentalistas cristianos proyectan una imagen del Islam como algo bárbaro, fanático y ajeno al verdadero dios. La proyección es "exitosa" cuando ya no podemos ver la realidad, sino que hemos creado una versión falsa basada en el miedo, la hostilidad, la ansiedad o la inseguridad, cualquier emoción negativa por la que nos rehusamos a asumir la responsabilidad. La proyección también puede ser positiva, como cuando una persona está enamorada y aprecia la perfección en el objeto de su amor, a pesar de que para sus amigos y familiares el ser amado continúa siendo una criatura ordinaria de carne y hueso.

Los *rishis* védicos decían que la proyección es el mecanismo por el que la conciencia crea la realidad. Todos estamos familiarizados con este concepto porque la industria cinematográfica depende por completo de la proyección. En Hollywood, una estrella es un actor que ha atravesado la línea que divide la realidad y la proyección. Cuando Tom Cruise se detiene a ayudar a un automovilista que está cambiando un neumático, o cuando Jennifer Aniston sale con un pretendiente, estos acontecimientos se convierten en noticias a nivel mundial. ¿Por qué? Porque las estrellas están proyectadas en una dimensión sobrehumana. Un acto insignificante se vuelve importante más allá de la razón. Si tú o yo ayudamos a alguien a cambiar un neumático, no se trata de una hazaña de heroísmo; si una mujer joven sale con un pretendiente no significa que la diosa del amor haya llegado a este mundo. La proyección es la receta para convertir lo humano en sobrehumano, y lo natural en sobrenatural. He aquí algunos de sus ingredientes:

- ℰ *Simbolismo.* Nuestra proyección debe representar algo más profundo e importante.
- ℰ *Deseo.* Nuestra proyección debe satisfacer un deseo o necesidad que no puede ser satisfecho directamente.
- ℰ *Fantasía.* Nuestra proyección debe operar en el ámbito donde las limitaciones físicas no tienen lugar.
- ℰ *Mito y arquetipo.* Nuestra proyección debe tener un significado universal.

❧ *Idealismo*. Nuestra proyección debe conectarnos con valores más altos.

Estos requisitos sólo pueden ser satisfechos en la conciencia del creador. Un bombero que rescata a un niño de un edificio en llamas no es un héroe. Es simplemente un hombre vestido con un traje a prueba de fuego que corre hacia las llamas como parte de su trabajo. El heroísmo es creado al proyectar los ingredientes necesarios:

❧ El bombero *simboliza* un padre protector.

❧ Él satisface nuestro *deseo* de ser rescatados del peligro.

❧ En el ámbito de la *fantasía*, él es más poderoso que el fuego. Lo derrota en un combate personal.

❧ Él se ajusta al *mito* del gran guerrero y del príncipe que acude a rescatar a la heroína en desgracia.

❧ Lo *idealizamos* como heroicamente masculino. Los bomberos no sólo hacen su trabajo, sino que además cumplen con nuestro ideal de masculinidad.

Sin la proyección no podríamos ver a los bomberos de la manera en que lo hacemos, y ellos tampoco podrían verse a sí mismos así. Éste es un buen ejemplo de la manera en que primero creamos la proyección y luego participamos en ella. Constantemente la sociedad se encuentra atrapada entre el surgimiento y la caída de sus proyecciones. Los deportistas famosos que consumen drogas se convierten en héroes caídos; los soldados en batalla se internan en el Infierno; las actrices de cine son diosas hasta que se da a conocer su próxima relación extramarital, lo que las convierte en destructoras de hogares. La gente a quien admiramos ha aprendido cómo manipular los símbolos, fantasías, ideales y mitos. Con los productos más exitosos en el mercado también se hace esto.

Sin embargo, estos ejemplos superficiales de la proyección esconden un poder profundo que se encuentra en el interior de todos. Nuestra cultura ha sido construida con base en la proyección, y en este momento tú y yo estamos continuando ese proceso. *La proyección crea el significado.* Por sí mismos, los acontecimientos carecen de significado hasta que les asignamos valor. Piensa en el gran número de muertes que vemos en las noticias de la televisión. Algunas de esas muertes parecen carecer de sentido para nosotros porque son muy remotas. Sin embargo, si asignamos valor a una persona todo cambia. Algunas frases —"el hijo de alguien", "la víctima de cáncer", "un soldado que amaba a su país"— nos proyectan un significado positivo. Otras frases —"insurgente", "convicto prófugo", "miembro de la mafia"— cambian el significado al lado negativo. Por ejemplo, podría tratarse de la misma muerte, dado que todos son "el hijo de alguien". Reaccionamos a la información (que a menudo ha sido "empacada previamente", incluyendo su interpretación) de manera tan rápida, que perdemos de vista el poder que ejercitamos como creadores.

Todo lo que es real en un nivel de conciencia es irreal en otro.

Si deseas crear un ángel debes proyectarlo. Pero para lograrlo debes tener un estado de conciencia que acepte a los ángeles como reales. En la India existe una región específica llamada *Devaloka*, donde viven los ángeles, pero no es lo mismo que el Cielo. *Devaloka* es frecuentemente representada como el Cielo —un sitio en las nubes donde flotan los seres etéreos— pero se comprende que todas las *Lokas*, o los otros mundos, son capas de la conciencia. Por lo tanto, los ángeles son parte de todo sistema del ser.

Los *rishis* nos dicen que toda proyección afecta todas las *koshas*. Mientras estamos creando en el mundo material, estamos afectando cada nivel de conciencia, y por lo tanto cada nivel de creación. El significado nunca está aislado. Los ángeles existen porque han sido proyectados en la conciencia. Al igual que la película requiere una imagen, un proyector y un espectador, lo mismo ocurre con los ángeles. En términos del *Vedanta*, se requieren tres elementos:

❧ El observador o espectador es *rishi*.
❧ El proceso de proyección es *devata*.
❧ El objeto proyectado es *chhandas*.

Los espectadores de una película son los *rishi*, la máquina de proyección es el *devata* y las imágenes proyectadas en la pantalla son las *chhandas*. No es tan importante recordar estos términos; sin embargo, los sabios de la Antigüedad descubrieron una regla universal de la conciencia, llamada "tres en uno". Si tú desempeñas cualquiera de esos papeles —como espectador, como objeto observado o como proceso de observación— los desempeñas todos. Estas palabras, que suenan modestas, tienen el potencial de revolucionar el mundo.

Si estás observando distraídamente al mundo, éste tiene poder sobre ti, porque tú eres pasivo y el mundo hace todo para ti. Si te involucras en el proceso —al atravesar por un divorcio, al manejar el auto camino al trabajo, al cocinar los alimentos—, estás un poco más cerca del poder, pero el proceso tiene su propia dinámica y puede abrumarte. Si eres el objeto que está siendo observado —un hombre rico, una mujer hermosa, un predicador, un criminal—, esas etiquetas objetivas te proporcionan estatus y significado, pero te has entregado a los demás, quienes hacen las etiquetas y las asignan a la gente. Sólo en la unidad de los tres papeles logramos tener poder total como creadores.

En el nivel del alma los tres niveles están arropados en la unidad. Paradójicamente, esa es la razón por la que Dios es creador y es su propia creación. Una vez que proyecta su creación al exterior, la unidad la convierte en diversidad. Éste es el equivalente en el *Vedanta* del Big Bang. Cuando el creador comienza a mirarse a sí mismo, instantáneamente se da un estado de "tres en uno". Un observador *(rishi)* somete a un objeto *(chhandas)* al proceso de observación *(devata)*. Tan pronto como los tres elementos surgen, el universo entero surge con ellos; la materia dispersada por el Big Bang es tan sólo una faceta de un mecanismo invisible en que el creador repentinamente descubre lo que es posible, y lo posible se vuelve verdadero en una variedad infinita. No debemos sorprendernos de que el universo entero contenga solamente cuatro por ciento de toda la materia y energía visible; el restante 96 por ciento se denomina materia oscura, cuya función parece ser la de mantener al universo mistreriosamente unido. El "Creador" no necesariamente es una persona; puede ser también el campo invisible del que surge todo lo visible y se organiza.

El estado de "tres en uno" no tendría importancia si no afectara nuestra realidad cotidiana, pero lo hace. Ver es suficiente para crear. El efecto del observador, como se denomina en la física, literalmente crea la materia. Se requiere un observador para hacer que el estado invisible de energía de un electrón se convierta en una partícula específica localizada en el tiempo y el espacio. Antes de que este efecto tenga lugar no existe el electrón; tan sólo está la posibilidad de que exista. Nuestros ojos no pueden detectarlo, pero estamos inmersos en un océano de posibilidades. Todo electrón posible que pudiera existir jamás se encuentra aquí y ahora. Extraemos electrones del océano de posibilidades simplemente al observar. De alguna manera los *rishis* védicos comprendieron este hecho asombroso. ¿Cómo? Debido a que observaron el proceso por sí mismos, no con electrones, sino mediante el surgimiento y la desaparición de los acontecimientos, que son tan fluidos que para los *rishis* no eran más que un sueño.

¿Es posible creer lo anterior? La cosa más aterradora acerca del efecto del observador es que cuando ves un solo electrón, todos los demás electrones son afectados. Esto tiene sentido solamente en un universo donde no existen electrones aislados, sino una red vasta de cargas, posiciones, giros y puntos, que es exactamente la perspectiva a la que está llegando la física teórica. Los sabios védicos se llamaron a sí mismos *rishis* (observadores), porque para ellos todo vuelve al observador, a quien mira. Observar es el acto creativo más importante.

El efecto devata

El misterio de la creación está en la separación que existe entre el observador y lo observado. Los ángeles existen en ese espacio; son quienes procesan la conciencia y son, por lo tanto, los sirvientes de Dios, utilizando un término bíblico. *Devata*, la palabra sánscrita que designa este proceso, tiene su raíz en *deva*, que significa "ángel". Los *devas* son más que mensajeros; son agentes de la creación. Llevan a cabo la voluntad del creador, y toda vez que el creador no hace otra cosa que observar, los *devas* representan el aspecto activo de observar que se encuentra oculto. Sería justo afirmar que todo lo que hemos dicho acerca de la proyección corresponde en realidad con el efecto *devata*, la capacidad de la conciencia de convertir los impulsos invisibles en realidad física. El efecto *devata* regula todos los niveles de la realidad y, por lo tanto, los ángeles aparecen en todas las *koshas*.

En la *dimensión física* los ángeles aparecen como visitantes y guías. Entregan los mensajes de Dios para ofrecer ayuda en tiempos de crisis.

En la *dimensión vital* los ángeles mantienen la Naturaleza al inyectar vida a la creación. Sirven como creadores de la forma; dan a cada objeto viviente una conexión esencial con la Naturaleza.

En la *dimensión mental* los ángeles aparecen en las visiones y los sueños. Ellos encarnan la mente de Dios y la conectan con nuestras ideas.

En la *dimensión del ego* los ángeles sirven como guías personales y guardianes.

En la *dimensión de la dicha* los ángeles rodean a Dios y lo alaban constantemente. Ellos encarnan la alegría en su estado más alto.

Todos estos niveles comparten la necesidad de comunicación. El impulso creativo debe caer de un nivel al siguiente. Los ángeles en realidad son los símbolos de la forma en que la información es transmitida y organizada. La realidad que se encuentra más allá del símbolo constituye el efecto *devata*. Permítame poner un ejemplo concreto que puede acercarnos a comprender esta realidad oculta.

Conozco a una mujer que se gana la vida con la ayuda de los ángeles. Su nombre es Lily, y cobró conciencia de la existencia de los ángeles el día que cumplió tres o cuatro años. "Mi madre apagó la luz para que yo pudiera soplar las velas de mi pastel de cumpleaños. Miré alrededor y noté a estas personas que se encontraban de pie alrededor de la habitación. Ellos no se encontraban allí cuando las luces estaban encendidas. Los señalé, pero descubrí que nadie más podía verles. Sin embargo, me hicieron sentir muy contenta."

El primer encuentro de Lily fue el más físico. Después de que su madre le hizo perder el ánimo de ver "gente" donde no había nadie, los ángeles desaparecieron rápidamente. Sin embargo, Lily estaba consciente de su presencia, y conforme creció aprendió a adaptarse a ella. Eventualmente "los tipos", como ella les llamaba, se convirtieron en imágenes que podía ver al cerrar los ojos, y en voces que podía escuchar al formular preguntas.

"Sus voces no eran constantes", afirma. "Nunca los consideré alucinaciones. Yo tenía que invocarlos conscientemente, y cuando lo hacía me sentía cómoda por tener una sabiduría que me guiaba. Sé que la mayoría de la gente no tiene contacto con sus propios guías, pero yo también puedo ver los suyos. Todos los tenemos."

Esta capacidad, que los *rishis* dirían que pertenece al mundo "de la conciencia plena de objetos sutiles", apareció y desapareció a lo largo de la vida de Lily. En gran medida parece depender de dónde se encuentre. Poco después de terminar sus estudios universitarios tuvo un breve matrimonio con un hombre que le hizo perder el deseo de ver a "los tipos", y después de su divorcio Lily tuvo un empleo como gerente en una oficina por quince años, en los que necesitó poca guía. Sin embargo, eventualmente fue guiada hacia ideas relacionadas con el tema de la sanación.

Los tipos me dijeron que yo podía sanar emocionalmente a las personas, y que ellos me ayudarían. Al principio esto me puso nerviosa. Sin embargo, comencé a notar qué doloroso es para mucha gente cuando tienen que enfrentarse con sus viejas heridas. Los tipos me dijeron que no era necesario que fuera de esa manera. Ellos me enseñarían la manera de liberar las energías contenidas del dolor y el trauma. Yo podía aprender a hacer eso sin que la persona sintiera ninguna presión. Eso me atrajo profundamente.

Para la época en que cumplió cuarenta años, Lily había comenzado su labor de sanación. Comenzó con algunos amigos con quienes podía hablar con libertad acerca de "los tipos". Conforme profundizó en el trabajo, empezó a utilizar los términos "guías más altos" y "ángeles" para describir lo que veía.

En muchos sentidos soy una persona convencional. Cuando no estoy sintonizando el nivel en que trabajo, mi vida es completamente ordinaria. Me tardé años en pensar en "los tipos" como ángeles, pero ellos me mostraron al Arcángel Miguel. Yo invoqué la presencia de Cristo para que me ayudara. Le digo a la gente que está conectada de manera energética con Dios. Se ha vuelto muy natural porque puedo ver aquello de lo que hablo.

Más allá de las fronteras de la realidad, con las cuales generalmente estamos de acuerdo, las personas como Lily existen y siempre lo han hecho. Lily nos conduce a un punto crítico en nuestras investigaciones. No importa si tratamos de resolver la discusión sobre si los ángeles son reales o no, si están aquí en la Tierra o muy lejos en el Cielo. Nuestra propia conciencia regula lo que es real e irreal; hemos ingresado en nuestra proyección personal. Si esta proyección consiste solamente en objetos físicos, excluyendo los objetos sutiles, de cualquier manera también es nuestra creación. Tú y yo existimos no sólo como observadores, observados o procesos de observación, sino como los tres elementos al mismo tiempo. Negarlo es negar nuestra totalidad y el poder que constituye un derecho de nacimiento.

> Yo tengo varias maneras de ver a la gente. Los veo desde el punto de vista físico pero también siento su energía. Cuando voy al interior, veo su energía como un campo de luz que los rodea. Esa es la realidad básica, pero si lo pido puedo ver a sus ángeles y a otros seres etéreos. Algunos de ellos son muy negativos. Han sido atraídos hacia la persona por las creencias negativas. Puedo ver a la gente como era en sus otras vidas, y puedo verla en el futuro de manera ilimitada. Todo ello es muy fluido, pero todo es accesible.

Hace veinte años no conocía a nadie con un poder de visión sutil como el de Lily; actualmente conozco a muchos. Cada uno de ellos ha aprendido a ignorar la frontera que la sociedad establece entre un nivel de vida y otro. En el nivel del alma estamos en libertad de hacer lo que queramos con el potencial que se nos ha dado. Los ángeles no son absolutos; han cambiado a lo largo de la historia, conforme la imaginación humana se ha transformado. Esta proyección creativa se remonta a milenios en el pasado y continúa hasta nuestros días.

Cuando mueras, ¿qué tanto de lo que ocurra será tu elección y qué tanto quedará al capricho de las fuerzas externas? Lily misma se ha expresado claramente sobre este punto. Ella y "los tipos" podrían trabajar juntos sin la interrupción ocasionada por la muerte física. De esta manera, Lily está haciendo conscientemente lo que todos hacemos inconscientemente. Gracias al efecto *devata, somos* el proceso de creación. Por medio de nosotros, los dioses, los ángeles y las almas cobran y pierden existencia. Lily afirma:

> Cuando comencé a realizar esta labor, gran parte de mi vocabulario era cristiano porque desde pequeña me sentí muy cerca de Jesús. Entonces comencé a sentir su presencia como la presencia de Cristo, sin ninguna imagen en mi cabeza. Descubrí que existe un nombre esotérico para el Cristo universal que es Sananda, y "los tipos" me dijeron que podía utilizarlo cuando quisiera relacionarme con el Cristo cósmico. Actualmente, incluso el nombre Sananda se ha vuelto abstracto, como un campo de luz compasiva.

Le pregunté a Lily qué sigue para ella. "Esa es la gran pregunta, ¿no es así? En algún nivel sé que no necesito realmente a los tipos. Ellos son solamente aspectos de mí misma. Si lo deseara, simplemente me preguntaría qué necesito hacer y confiarían en mi propia capacidad. Esa es la siguiente etapa."

Si ella sabe todo eso, le pregunté qué le impide avanzar a la siguiente etapa ahora mismo. "La costumbre, quizás un poco de miedo al que no me he enfrentado. Debes recordar que 'los tipos' han estado conmigo toda la vida. Creo que me aferraré a ellos hasta que me sienta lo suficientemente cómoda para estar por cuenta propia."

Todos estamos en alguna etapa en que asumimos la responsabilidad de participar en la creación. Los dioses y las diosas, los ángeles y los seres etéreos existen porque han sido creados a partir de la materia prima de la conciencia. El taller en que esta creación tiene lugar es *Akasha*, el campo de la conciencia. Los artesanos a cargo son aquellos con la suficiente conciencia para hacer el trabajo. Me gustaría proponer la idea de que incluso si no te sientes capaz de crear a un dios, puedes al menos enseñarte a crear un ángel.

Una vez entrevisté a un hombre con capacidades de sanación notables, y era muy modesto al respecto. El hombre me dijo: "Yo podría enseñarte a hacer lo mismo al cabo de unos cuantos días". Cuando le respondí que lo dudaba, me dijo: "De hecho, es muy sencillo. Lo difícil es deshacerte de la creencia de que *no puedes sanar*". Lo mismo es verdadero en prácticamente todos los aspectos. Pasamos toda la vida proyectando un sueño, entrando en él y creyendo que es real. Si puedes verte a ti mismo como la persona que está haciendo las tres cosas, repentinamente el mundo de los ángeles se vuelve tan real como el mundo de los objetos sólidos.

12

EL SUEÑO CONTINÚA

༄ঌৡও

¿Cómo termina la historia de Savitri? El Sol ya se había ocultado detrás de las copas de los árboles cuando corrió de regreso a su choza y miró por la ventana del frente. Yama todavía estaba sentado en el suelo; las largas sombras de los pinos lo cubrían. Savitri se armó de valor, rezó una última plegaria y salió a enfrentarlo.

¿Y entonces? Según una versión, Savitri fingió dar la bienvenida a Yama. El Señor de la Muerte estuvo tan complacido que le concedió un deseo. Savitri le pidió el don de la vida, lo que confundió a Yama. "Tú ya estás viva", señaló. Sin embargo, Savitri insistió y Yama le concedió el deseo. Savitri se levantó entonces y dijo: "Tú me has dado la vida, pero yo no puedo vivir sin Satyavan". En ese punto el Señor de la Muerte había sido vencido por su ingenio, y debió otorgar el perdón a su esposo.

Sin embargo, no todos quedaron satisfechos con una trampa tan sencilla. Yo puedo decirte lo que creo. Savitri había conquistado todos sus miedos, así que salió al exterior y danzó ante Yama. Su danza fue tan exquisita que cuando terminó con su cabeza descansando sobre el regazo del Señor de la Muerte, le murmuró, como un amante le murmura al otro: "El tiempo no es lo suficientemente largo para satisfacer mis deseos por ti".

A lo que el encantado Yama respondió: "Pero tenemos la eternidad para estar juntos". Savitri sacudió la cabeza: "Si eres todopoderoso, agrega un segundo a la eternidad para que pueda yo amarte más de lo que nadie te ha amado. Eso es todo lo que pido".

A Yama nunca le habían ofrecido ninguna clase de amor, y ciertamente no lo había hecho una mujer joven que tendría muchas razones para temerle. De manera que le concedió a Savitri un sólo segundo más, y por lo tanto fue derrotado. ¿Cómo?

Un segundo para los dioses son cien años para los mortales. En ese segundo extra Satyavan regresó a casa y abrazó a Savitri. Se metieron a su choza y vivieron como siempre. Tuvieron hijos y envejecieron juntos. Con el paso del tiempo el padre de Savitri, el rey, se rindió y los recibió de regreso en el palacio. En su vejez, Savitri se preguntó si había pedido demasiado tiempo, porque sobrevivió mucho después de que Satyavan dejó este mundo. Ella pasó sus años finales meditando y se convirtió en una iluminada, de manera que cuando concluyó ese segundo extra, Yama se sorprendió al descubrir que Savitri no lo había engañado después de todo. Ella realmente lo amó como uno ama la totalidad de la vida, y no sólo un aspecto aislado.

Este final es bello y consolador. Me gustaría que me leyeran cuando ya no me quedaran días. Siguiendo el espíritu de Savitri yo he escrito una nota, que dejaré a mi familia: "No importa qué suceda, no lloren por mí. Estoy bien y los seguiré amando sin importar lo que ocurra. Éste es el camino en que viajo".

De vez en cuando leo esas palabras. De alguna manera, como Savitri, no he ganado más que un segundo adicional de existencia. Será suficiente.

La reencarnación

Crear un ángel no constituye el logro más alto de la conciencia. La creación de una nueva vida a partir de la nada sí lo es. Esta capacidad es conocida como "reencarnación". La noción popular de la reencarnación es simple: morimos y volvemos como otra persona. Pero, ¿cómo es que el alma se reviste de una nueva personalidad para volver a nacer? En una cultura como la de la India, donde la reencarnación tiene bases sólidas, la gente desea saber por qué nacen con ciertas tendencias *karmicas*, y grupos enteros de la sociedad —astrólogos, sacerdotes, filósofos, gurúes— tienen como razón de su existencia tratar de explicar la manera en que el *karma* se afianza al alma y da origen a una nueva vida plena de experiencias.

La mayoría de la gente está consciente de que los tibetanos esperan que sus líderes religiosos, incluido el Dalai Lama, reencarnen como un bebé que dará señales de su identidad. Estos bebés casi siempre nacen en el Tíbet, pero existen casos en que aparecen en Europa; por ejemplo, hace cerca de diez años la búsqueda de un gran lama condujo a los investigadores tibetanos a una familia en España. En la India las figuras religiosas destacadas son frecuentemente consideradas en correspondencia con sus predecesores ilustres; Mahatma Ghandi ha sido vinculado por sus seguidores con los grandes gurúes del pasado. ¿Quién puede decir qué correspondencia es válida? El tema se complica.

Existen algunas tribus de indígenas americanos en que nacen cinco o seis niños que tienen recuerdos vívidos de haber tenido la misma madre en una vida previa. En Japón existen casos similares de niños que recuerdan experiencias idénticas en una vida pasada durante la Segunda Guerra Mundial, como si el alma de un solo soldado se hubiera fragmentado en diversas partes, y cada una de ellas hubiera nacido de manera separada. Los expertos en "la regresión del alma", que lleva a una persona a recordar una vida tras otra, afirman que las memorias se mezclan y son absorbidas. Por esa razón, un gran personaje, como Cleopatra o Napoleón, afecta los recuerdos de toda una sociedad, y la gente de vidas posteriores recuerda a Napoleón cuando, de hecho, su vida simplemente fue afectada por él de alguna manera poderosa.

La gente puede quedar fascinada por el juego: "¿Quién era yo en una vida previa?" o, incluso: "¿No es verdad que te conocí en una vida anterior?" Sin embargo, he conocido a otras personas que se tapan los oídos cuando escuchan la palabra "reencarnación", y les molesta la idea de que pudieran volver a nacer bajo la forma de un cerdo o un perro. La reencarnación ofende a la teología cristiana, que no permite que exista una segunda oportunidad para lograr la redención después de esta vida. La reencarnación es más cercana al perdón. Los errores pueden ser corregidos; vidas enteras pueden ser redimidas, no en el Cielo sino al utilizar un nuevo cuerpo y repetir los mismos acontecimientos que produjeron el fracaso, el pecado o la falta de realización en la primera oportunidad.

Sin la reencarnación podríamos tener la idea errónea de que el universo está gobernado por la muerte. Apenas unos cuantos milisegundos después del Big Bang, 96 por ciento de toda la materia y la energía que había surgido del vacío colapsó en él. La fracción restante todavía pasa una y otra vez de la existencia a la inexistencia, pero lo hace tan rápido que la materia parece ser sólida y permanente. De hecho, todos los objetos sólidos son transitorios; cada partícula que existe se encuentra en oscilación para entrar y salir del vacío, y da la ilusión de solidez debido a que nuestros sentidos no son lo suficientemente rápidos para percibir la vibración. La nueva partícula que surge nunca es exactamente la misma que desapareció, y ésta es la manera en que la naturaleza maneja el tiempo, el lugar, la carga eléctrica, el *spin* y otras propiedades básicas que requieren simultáneamente del cambio y la estabilidad.

Lo mismo ocurre en tu caso y el mío. Existimos como resultado fluido del cambio y la estabilidad. Nuestros cerebros parecen ser los mismos de un momento a otro, pero la actividad de nuestras neuronas nunca es exactamente la misma. Un cerebro es como un río en el que no podemos sumergirnos en las mismas aguas nuevamente. El ADN reencarna cuando los genes de un padre se dividen a la mitad, en un acto de suicidio creativo, para unirse con los genes de la madre. El hecho mismo de que el ADN pueda replicarse a sí mismo no implica la muerte de las células de la madre, pero produce material genético nuevo que conduce a la creación de carne nueva. De hecho, la raíz de la palabra reencarnación significa carne, palabra derivada del latín *carneus*.

Los seres humanos tenemos sentimientos ambiguos acerca de estar hechos de carne. Nos beneficia como mamíferos pero el tema se complica cuando consideramos la dimensión del espíritu. Al ver cómo la carne envejece, entra en decadencia y nos traiciona con sus enfermedades, podríamos no estar contentos ante la idea de obtener un cuerpo nuevo después de la muerte; para algunos, el hecho de haber tenido un cuerpo podría ser suficiente. Ciertamente, el cristianismo adopta esa posición debido a que considera que la carne ha sido corrompida por el pecado y, por lo tanto, es mucho mejor estar arropado en el alma después de la muerte que someterse al reciclaje.

Por diversas razones, Oriente se las ha arreglado para vivir más cómodamente con la idea de la reencarnación. Si el universo se está reciclando constantemente a sí mismo, nosotros seríamos el único aspecto que no participaría en dicho reciclaje, lo que no tiene sentido. Por otra parte, desde el punto de vista psicológico, si puedo regresar en un cuerpo nuevo, podré cumplir los deseos y las ambiciones que quedaron truncados en esta vida, lo que resulta reconfortante. Aún más reconfortante es la posibilidad de encontrar a los seres amados que he perdido (o que nunca tuve, si mi amor no fue correspondido). La reencarnación ofrece la esperanza del avance social: alguien que es esclavo en esta vida, podría regresar como un aristócrata en la siguiente. Finalmente, el sistema cósmico de nacimiento y renacimiento contiene un impulso evolucionista: paso a paso, cada alma se eleva en el trayecto del progreso del alma hacia Dios.

Quizá no se trate de una cuestión de creencia, de Oriente contra Occidente. La reencarnación podría ser una cuestión de elección. La conciencia es útil. Le damos forma de acuerdo con nuestros deseos. En vez de constituir la palabra final, la negación de la reencarnación por el cristianismo podría ser simplemente una elección colectiva. Habiendo considerado todos los factores de importancia, un gran sector de la humanidad afirma: "Yo no deseo regresar a este lugar", mientras otro dice: "Yo sí". Lo que podemos decir con certeza es que la naturaleza depende del mecanismo del renacimiento.

Elegir el regreso

Los *rishis* establecieron que cada aspecto del más allá depende de nuestra elección. Lo que tú decides se vuelve real, mientras que aquello que no seleccionas se vuelve irreal. Sin embargo, esto suena desconcertante. ¿Tiene o no lugar la reencarnación? Los psicólogos infantiles saben que existe un periodo crítico, generalmente entre la infancia y los ocho o diez años de edad, en que algunos niños parecen recordar vidas previas. En un ejemplo reciente, que fue ampliamente difundido, un niño se obsesionó con los aviones de combate de la Segunda Guerra Mundial. El niño deseaba visitar aeródromos para verlos, recortaba fotografías de ellos, y cuando se encontró con un libro sobre la feroz batalla aérea que tuvo lugar sobre Iwo Jima en las postrimerías de la guerra en el Pacífico, les dijo a sus padres que él había muerto allí.

A pesar de que quedaron asombrados por la firme convicción de su hijo, los padres dieron por sentado que estaba ejercitando su imaginación, hasta que el niño cruzó una línea oscura y comenzó a nombrar personas y citar fechas. Recordó su nombre anterior y el momento en que una ametralladora japonesa derribó su avión. Los padres investigaron el incidente y descubrieron que, en efecto, un piloto estadounidense con ese nombre había sido derribado de la manera descrita; los supervivientes de la Fuerza Aérea confirmaron los detalles que su hijo recordaba.

Dichos recuerdos son más comunes en la India, donde la creencia general en la reencarnación inhibe el impacto inicial y la incredulidad que puede orillar a que las personas callen estas historias. Uno lee en las noticias historias de niños que exigen ser llevados a una aldea cercana, donde recuerdan claramente que se encontraba su último hogar. Una vez que ha recordado, no es raro que el niño se reúna con sus parientes o incluso con sus padres anteriores. Los psicólogos informan que este interés intenso sobre las encarnaciones previas es temporal; después de los diez años de edad, los antiguos recuerdos desaparecen y pierden su carácter obsesivo. Es como si a algunas almas les costara trabajo ajustarse a su nuevo sitio en el tiempo y el espacio.

El estudio más detallado sobre este tipo de niños fue realizado por el psiquiatra Ian Stevenson, en la Universidad de Virginia. La investigación incluyó más de 220 casos de niños que recuerdan claramente sus vidas pasadas —el número va en aumento constante. Stevenson descubrió que los casos más asombrosos son aquellos en que los niños transfieren características físicas de una vida a otra. Existen catorce ejemplos de niños que recuerdan haber sido muertos a balazos en su vida previa, cuyos cuerpos muestran una cicatriz similar a la dejada por una bala que entra en el cuerpo y otra en el orificio de salida. Un niño nacido en Turquía recordaba claramente, casi desde el momento en que comenzó a hablar, a un criminal famoso que había sido arrinconado por la policía y que se suicidó para evitar ser capturado. El criminal se había disparado bajo la barbilla, y este niño tenía una cicatriz roja y redonda exactamente en el mismo lugar. Stevenson tuvo curiosidad por averiguar si había una cicatriz en el orificio de salida, y cuando separó el cabello del niño encontró una cicatriz redonda, carente de cabello, en la parte superior de la cabeza.

De acuerdo con Carol Bowman, otra investigadora en esta disciplina, los niños que recuerdan vidas pasadas suelen mostrar una gran similitud en su conducta. Ellos se refieren a su vida pasada desde edad temprana, en ocasiones al cumplir los dos años, y generalmente dejan de hacerlo alrededor de los siete años de edad. Los niños hablan con franqueza acerca de haber muerto. Pueden estar atemorizados con ciertas cosas que se asocian con la muerte violenta, pero generalmente sus relatos no son emocionales. A menudo hablan como pequeños adultos y tienen recuerdos muy detallados. Pueden formular comentarios asombrosos, como los siguientes, que el doctor Stevenson recibió de varios niños:

❧ "Tú no eres mi mamá (o papá)."

❧ "Yo tengo otra mamá (o papá)."

❧ "Cuando yo era grande, yo... (solía tener ojos azules, tenía un automóvil, etcétera)."

❧ "Eso ocurrió antes de que yo estuviera en la panza de mamá."

❧ "Yo tenía un (esposo, esposa, hijos)."

❧ "Yo solía... (manejar un camión, vivir en otra ciudad, etcétera)."

❧ "Yo morí... (en un accidente automovilístico, en una caída, etcétera)."

❧ "Recuerdo cuando yo... (vivía en esa otra casa, era tu papá, etcétera)."

Esos niños hablan con franqueza sobre el más allá. Cerca de la mitad de los 220 casos estudiados por Stevenson, afirmaron que no fueron directamente al Cielo sino que tuvieron que esperar en otro lugar primero, lo cual corresponde a la fase de "atravesar al más allá". Los niños afirman haber tomado decisiones sobre su siguiente vida una vez que llegaron al Cielo, y escogieron a una nueva familia y nuevos desafíos. Como dijo una niña: "El Cielo no es fácil. Tienes que trabajar allí".

Debido a que se trata de niños muy pequeños, los que afirman haber tenido vidas anteriores constituyen la evidencia más poderosa de que la reencarnación no es sólo producto de la cultura. También la coincidencia es motivo de convicción: los tres tipos de testigo —es decir, los niños que recuerdan vidas pasadas, la gente que ha tenido una experiencia cercana a la muerte y la gente que ha tenido una experiencia fuera del cuerpo— generalmente están de acuerdo en la manera en que funciona el más allá.

Las experiencias fuera del cuerpo son más comunes de lo que suponemos, y algunos las han llegado a dominar hasta el punto de convertirse en "turistas astrales". F. Holmes Atwater, del Instituto Monroe, es uno de los investigadores de este campo, y sus sujetos de investigación frecuentemente reportan experiencias que los han llevado al campo de Akasha, incluyendo los ámbitos que asociamos con la idea de muerte. Lo que ven coincide completamente con las experiencias cercanas a la muerte y con lo referido por los niños que recuerdan vidas pasadas. Un niño dijo a sus padres que Dios no habla utilizando palabras en un lenguaje como el inglés o el español. Esto coincide con la creencia esotérica de que la comunicación en los planos astrales tiene lugar mediante la telepatía. La gente que regresa de experiencias cercanas a la muerte también afirma que lo que ha escuchado o aprendido no fue transmitido mediante el habla, sino mediante pensamientos instantáneos o por medio de la revelación.

¿Son excepcionales estos niños por el hecho de recordar una vida pasada? ¿O el resto de nosotros somos anormales porque no recordamos quiénes fuimos alguna vez? Considero que ninguna de las dos respuestas es exactamente correcta. La función de la memoria está estrechamente vinculada con emociones fuertes.

Pocas personas pueden recordar qué cosa cenaron un martes del mes pasado, pero si esa cena fue la ocasión en que le propusieron matrimonio a quien aman, pueden recordarlo durante años. De la misma forma, estos niños parecen recordar haber sido expulsados de su vida anterior, y este recuerdo negativo tan poderoso es transferido más allá de la frontera de la muerte. El doctor Stevenson registró un caso en que un niño nació con un patrón de puntos rojos en su pecho y que recordaba el dolor ocasionado al morir ametrallado.

Sin embargo, por otro lado, sería muy duro desde el punto de vista emocional si recordáramos todo lo que nos ha ocurrido. El pionero soviético de la neurología, Alexander Luria, tuvo un paciente similar, un periodista al que se refería como "S", quien podía recordarlo todo. Podía sentarse en una conferencia de prensa atestada y recordar más tarde cada palabra dicha por todas las personas en la habitación. Sin embargo, S tenía un vacío emocional y carecía de la capacidad para comprender la poesía, los símbolos y las metáforas; para él, cada evento era un hecho literal registrado en una cinta mental. (Cuando Luria le preguntó si alguna vez la pena se había apoderado de su mente, S respondió con franqueza que la pena no tenía peso alguno para él.)

La memoria es borrada de muchas maneras, y una de las más frecuentes es la amnesia retrógrada. Observamos este fenómeno en las víctimas de guerra y de accidentes automovilísticos. Una persona que pierde la conciencia después de haber sido atropellada por un automóvil o derribada a balazos, puede recordar todo hasta el momento del impacto, pero no más allá. Después de despertar en el hospital se preguntan: "¿Qué me ocurrió?". El paciente o el soldado trata de llenar el vacío en el tiempo con base en la adivinanza: "Si estoy en un hospital y tengo un brazo roto, entonces debo haber sido atropellado por un automóvil".

La reencarnación crea un vacío similar en la memoria, excepto para aquellas pocas personas que transfieren sus recuerdos de una vida a la siguiente. En el espacio entre ambas vidas la identidad es remodelada; de alguna manera cambiamos completamente, y al mismo tiempo continuamos siendo los mismos. En consecuencia, el más allá es una especie de cámara de transformación. En un frío día de otoño, si das un paseo en el exterior, podrías encontrar una crisálida que cuelga de una rama. La larva fue alguna vez una oruga y con el tiempo reencarnará en una mariposa. Para lograrlo, cada célula de la oruga debe ser transformada. En su estado larvario el insecto es un ser orgánico gelatinoso y sin forma. La oruga se funde y cobra una nueva forma al mismo tiempo. Su anterior identidad física es borrada por completo. Todos los insectos que pasan de larva a la edad adulta hacen algo similar, y al igual que las orugas no tienen parecido alguno con las mariposas, una libélula que sobrevuela un estanque en busca de pececillos no tiene semejanza a su estadio final, ni el gusano se parece a la mosca doméstica.

Para los insectos, la reencarnación es un salto creativo que no implica una elección consciente, toda vez que la información codificada en los genes del insecto produce invariablemente la misma transformación generación tras generación. Incontables mariposas monarca son clones de la mariposa original que existió hace millones de años. Sin embargo, el ADN humano crea nuevas personas, y cada una de ellas es diferente. La singularidad de la estructura física es sólo el comienzo. Surgimos de una cámara de transformación no sólo ligeramente diferentes, a la manera en que un chimpancé o un perro salchicha es diferente de otros animales de su género, sino que además somos totalmente libres para crearnos a nosotros mismos desde nuestro interior, utilizando deseos, esperanzas, sueños, creencias y aspiraciones, todas las herramientas disponibles para la conciencia.

Los *rishis* védicos señalarían que la conciencia gobierna toda la maquinaria; la reencarnación es sólo una variación del tema del tiempo y el espacio que produce nuevos talentos e intereses. De acuerdo con la perspectiva de los *rishis*, la reencarnación es un salto creativo que vuelve a combinar el viejo *karma*, bueno y malo, en una combinación única. La nueva vida y la vieja quedan unidas de manera inexorable por millones de vínculos *karmicos* y, sin embargo, en general la persona que vuelve a nacer siente que es una persona totalmente nueva.

Es en este punto donde interviene el salto creativo, de acuerdo con los *rishis*. Puedes considerarlo como si se tratara de dinero en el banco. Quizá sólo tienes quinientos pesos, pero estás en libertad de gastarlos en cualquier cosa que elijas. En términos del *karma*, la causa conduce al efecto, y en tanto la cadena de acontecimientos se mantenga, el acontecimiento A está encadenado al acontecimiento B. Un universo sin causa y efecto sería caótico. Si dejas caer una pelota, la gravedad la hace caer hacia la Tierra, y este resultado es tan confiable que puede ser considerado prácticamente como una certeza. Si el *karma* fuera tan cierto, no habría necesidad de reencarnación, porque el equilibrio *karmico* al final de una vida sería tan confiable como el capullo que produce mariposas monarca a partir de la larva, y no monarcas en una primavera y golondrinas a la siguiente.

Sin embargo, el *karma* es impredecible. La gente realiza toda clase de acciones y cosecha resultados completamente diferentes

de las semillas que sembró. Es decepcionante que las malas acciones no sean castigadas y que la virtud sea pasada por alto, y que
le ocurran cosas malas a la gente buena todo el tiempo. Los *rishis*
védicos no atribuían esto a las ambigüedades de la providencia.
El *karma* es impredecible, decían, por las mismas razones que es
impredecible la conciencia:

- La creatividad es innata.
- La incertidumbre permite que surjan nuevas formas.
- Lo desconocido contiene posibilidades infinitas, de las cuales
  sólo una parte aparece en el mundo conocido.
- La naturaleza es cambio y estabilidad al mismo tiempo.

Estos son los principios básicos del *karma*, y lo más fascinante es
que nos mantenemos juntos, no por un mecanismo inexorable,
sino por un compromiso profundo con la incertidumbre y con los
saltos creativos que son su resultado.

La reencarnación es la manera en que la conciencia se renueva,
a pesar de que utiliza materiales que nunca podrían ser creados o
destruidos. Eso es lo maravilloso. El cambio infinito y la infinita
estabilidad coexisten; éste es también el misterio que debemos
resolver antes de poder comprender totalmente la reencarnación.

El Karma *en el cerebro*

El *karma* puede ser la clave para comprender el cerebro mismo.
Los neurólogos están desconcertados por lo que llaman el "efecto
aglutinador", una fuerza misteriosa que mantiene unidas las dife-

rentes áreas del cerebro. Los recientes avances en la generación de imágenes cerebrales muestran que se requiere que varias regiones del cerebro cooperen en alguna idea, sentimiento o sensación. Digamos que entras en una habitación, reconoces a tu madre y le preguntas si recuerda la receta para el pastel de cumpleaños que te cocinó cuando cumpliste diez años. Tu cerebro no salta de un área que reconoce quién es ella a otra área que desea formular una pregunta y a una tercera región que recuerda tus cumpleaños pasados. El cerebro entero asigna estas tareas a diferentes áreas al mismo tiempo, y el misterio consiste en la manera en que eso ocurre.

Si el cerebro tuviera un sistema telefónico de alta velocidad para enviar mensajes de un lugar a otro, el efecto aglutinador podría ser explicado como una serie de órdenes secuenciales. Sin embargo, las neuronas actúan de manera simultánea. El punto A y el punto B se encienden al mismo tiempo y no dejan intervalo alguno para que se transmita una señal entre ambas. Más aún, el cerebro es capaz de generar un número infinito de combinaciones con poca o ninguna relación entre sí.

Cada pensamiento es resultado de la actividad de todo el cerebro. Incluso por medio de un *scan* del tipo CAT es posible visualizar el grupo específico de neuronas del cerebro en que surgen los deseos de matar de la mente criminal, o en que surgen las ideas de beatitud en la mente de un santo; es la totalidad del cerebro lo que diferencia a un criminal de un santo. Se requiere de todo el cerebro para supervisar el tráfico que coordina cien mil millones de neuronas independientes, y asegurarse de que dicho tráfico conduzca a una conversación infinita. Si deseo realizar un acto de bondad, mi cerebro podría proporcionarme una idea sencilla como: "Debo hacer una donación para las víctimas de un desastre". Esta idea requiere de los siguientes elementos:

❧ Un sentido moral de lo que es correcto y lo incorrecto.

❧ El recuerdo de lo que significa estar desamparado o ser víctima.

❧ Simpatía con nuestros semejantes que sufren.

❧ Un sentimiento de compasión.

❧ Un sentimiento de deber con la sociedad.

Estos elementos entrelazados residen en diversas partes del cerebro y representan patrones singulares de actividad. Al mismo tiempo, en un nivel más profundo, mi cerebro tiene que mantenerse consciente de quién soy, mi historial de acciones buenas y malas, mi culpa inconsciente, mis conocimientos sobre modelos de conducta que también fueron generosos, etcétera. Lo que resulta realmente asombroso es que el cerebro sabe cómo reunir todos esos ingredientes de manera instantánea. No acude al recuerdo o a un sentimiento equivocado. No olvida quién soy ni me proporciona distracciones extrañas, a menos que me encuentre enfermo de la mente, en cuyo caso podría volverme completamente inútil. Debido a mi incapacidad de reconocer que mis pensamientos son realmente míos, podría pensar que es Dios quien me ordena que haga una donación de dinero para las víctimas de un desastre.

Yo podría estar consciente tan sólo de un pensamiento y, sin embargo, lo que el cerebro hace para apoyar ese pensamiento va mucho más allá. (Los neurólogos estiman que una persona está consciente de cerca de 2 000 *bits* de información por minuto, los cuales son procesados por el cerebro. Esto suena impresionante; sin embargo, más allá de nuestra conciencia el cerebro en realidad está procesando 400 mil millones de *bits* de información por minuto. Milagrosamente, el cerebro mantiene el control de cada uno de ellos y los filtra con el fin de encontrar la pequeña fracción que requiere para mantenerse consciente en el mundo y seguir una secuencia de pensamientos y deseos.)

He abordado este tema con cierto detalle porque, si bien se requiere de todo el cerebro para producir una idea, se necesita de todo el universo para llevar a cabo una acción. Al igual que una neurona, los electrones y los átomos parecen ser independientes y, sin embargo, un cambio en el *spin* de un electrón en un extremo del universo puede ser duplicado de manera instantánea, sin enviar señales, por un electrón aparejado que se encuentra a miles de millones de años luz de distancia. De manera que el efecto aglutinador es cósmico y también personal; existe "aquí adentro" y "allá afuera". El resultado final es que *tú eres* la actividad de todo el universo, opinión que suena abstracta pero que, al igual que una sola idea requiere que tu cerebro realice un enorme número de cálculos invisibles, el *karma* realiza cálculos invisibles para *producirte*.

Tal como podemos demostrar ahora, el cambio y la estabilidad coexisten en el cerebro; sin uno de esos elementos éste no podría funcionar. Cuando recuerdas un cumpleaños, te refieres a ese recuerdo como "mi" idea, pero no sientes una conexión personal con las sinapsis y las dendritas o con la tormenta de señales eléctricas que las atraviesan. Las células del cerebro funcionan por medios totalmente predecibles, que incluyen el intercambio de cargas eléctricas entre átomos de sodio y potasio y sencillas oscilaciones entre impulsos eléctricos positivos y negativos. De alguna manera, la estabilidad mecánica produce formas del pensamiento que son libres, creativas e impredecibles.

Los *rishis* decían lo mismo acerca del *karma*. Es infinitamente flexible e infinitamente inflexible, dependiendo de la manera en que lo consideres. Fuerzas desconocidas tienen la libertad de remodelarte sin que tú lo sepas. Lo hacen todo el tiempo, dado que ninguno de nosotros tiene la conciencia más remota sobre la manera en que nuestros cerebros pasan del pensamiento A al pensamiento B. La neurología es un testigo de este acontecimiento, pero se encuentra lejos de saber cómo o por qué. Dos personas diferentes pueden decir la palabra "manzana", y sus cerebros exhibirán el mismo patrón de actividad. Este patrón, aun cuando esté registrado perfectamente en un mapa del cerebro, no tiene valor de predicción para decirnos cuál será la siguiente palabra que cada persona pronunciará; en otras palabras, el acontecimiento B puede ser cualquier palabra, sonido o gesto, e incluso quizás el silencio.

Lo anterior nos conduce a la pregunta de qué tanto podemos elegir para nuestra próxima vida. No resulta útil simplemente decir que el *karma* es flexible e inflexible al mismo tiempo. De hecho, la coexistencia de los opuestos es una paradoja y, a menos que la resolvamos, no tenemos control sobre el más allá; estamos atrapados en una maquinaria que puede producir cualquier resultado, de acuerdo con sus propios deseos.

De esta vida a la siguiente

No tenemos control sobre el más allá por la misma razón que no tenemos control sobre esta vida. No tenemos aún suficiente conciencia. Las lagunas de nuestra ignorancia con respecto a nuestro potencial completo son demasiado grandes, y cualquier cosa que se encuentre en esa laguna se convierte en inconsciente. En el budismo tibetano una vida está firmemente conectada con la siguiente. Cuando un lama muere, la gente espera encontrar su próxima reencarnación. Es posible localizar señales que vinculan ambas encarnaciones. Cuando regrese, el bebé reconocerá sus antiguos juguetes, por ejemplo, y los adultos que lo rodean podrán determinar sin duda que la cadena de identidad no ha sido rota.

Esto equivale a decir que los tibetanos no interrumpen la continuidad cuando mueren. La continuidad es preservada. El famoso *Libro tibetano de los muertos* explica cada detalle de la muerte consciente, con la creencia de que una persona que fallece debe permanecer tan conectada como sea posible con el flujo ininterrumpido de la conciencia. Este libro resulta desconcertante para el lector occidental; describe tantos grados o niveles de conciencia, tantos destinos posibles en el Bardo, que toma toda una vida de práctica budista comprender las posibilidades. Ese es precisamente el punto, porque los tibetanos no desean explorar más allá de su sistema de creencias; él mismo da sentido a su ser y al camino que siguen hacia la liberación.

Ese es un ejemplo de una elección que sigue estrechamente un patrón, comparado con aquél en que un occidental parece un apostador desbocado. Generalmente, no tratamos de asirnos a la conciencia incólume y, a pesar de que podamos albergar el deseo de volver a una vida que se parezca mucho a la que hemos dejado, es igualmente probable que tengamos el deseo de algo totalmente nuevo. En cualquier caso, normalmente no consideramos que nuestros deseos tengan importancia. Creemos que el asunto de ir al Cielo o al Infierno no tiene que ver con nosotros: irónicamente, esto significa que los occidentales están más resignados a su *karma* que la mayoría de la gente en Oriente, que siempre tiene en mente la noción de que el *karma* persigue a una persona de una vida a otra. Para ellos, cada acción en esta vida tiene ecos en el futuro, y los acontecimientos que resultan aparentemente azarosos en el presente tienen su origen en las decisiones hechas en el pasado.

Lo que todo esto implica es que existen muchas maneras de relacionarnos con el *karma*. Puedes decidir estar tan consciente o inconsciente como lo desees. El *karma* vincula los acontecimientos, pero eso no equivale a ser fatalista. En Oriente se pasa por alto este hecho y, normalmente, se da por sentado que las malas acciones son como crímenes con castigos fijos, mientras que las buenas acciones tienen recompensas fijas. Lo anterior parece lógico pero niega la libertad de elección.

"Yo solía pensar que el *karma* me convertía en una especie de marioneta", me dijo una vez un amigo. "Dado que he realizado millones de elecciones en el pasado, y cada una de ellas tiene su propia consecuencia, ¿cómo podría liberarme de ellas? Cada elección equivocada me lleva en una dirección, y cada elección acertada me lleva en otra. El destino controla los hilos."

"¿Cómo te liberaste de esa forma de pensar?", le pregunté. "No podía", me dijo. "Sin embargo, un día me di cuenta. ¿Qué importa si soy una marioneta? No puedo sentir los hilos. No puedo ver a quien los manipula. Hasta donde sé, cada decisión que tomo es mía y sólo mía. Yo puedo todavía ser la marioneta del destino pero, ¿qué importancia tiene si no puedo distinguir la diferencia?"

Es difícil refutar este tipo de pragmatismo. Sólo después consideré sus errores. Si el *karma* es similar al funcionamiento invisible del cerebro, no podemos ignorarlo sólo porque no podemos verlo. Nuestros cerebros producen toda clase de ideas distorsionadas y perturbadoras. Esas ideas pueden hacernos perder el equilibrio y arrastrarnos a la depresión o a la locura. Somos susceptibles a las percepciones equivocadas y a las alucinaciones, por no mencionar las enfermedades, que pueden ser tratables. En un nivel más básico, todo aquello que decimos y hacemos afecta el cerebro. Las conexiones neuronales son modificadas por la experiencia, de manera que el cerebro de alguien que ha sufrido una calamidad terrible, por ejemplo, es diferente del cerebro de aquél que no la ha sufrido. Las experiencias negativas y positivas condicionan a la mente para que vea el mundo de una manera particular, y el cerebro se adapta.

Apliquemos esas ideas a la reencarnación. Al morir, los aspectos visibles e invisibles del *karma* se mezclan. La versión estándar de este acontecimiento en India puede ser descrito de la siguiente manera: cuando mueres abandonas tu cuerpo pero continúas estando consciente de quién eres. Es posible que continúes viendo la habitación en que has muerto; retienes las sensaciones correspondientes a poseer un cuerpo físico por algún tiempo (tradicionalmente los cuerpos permanecen intactos después de la muerte debido a la creencia de que la persona que ha fallecido sigue sintiendo todo lo que se hace al cadáver).

A continuación, como un hombre que se ahoga y que ve pasar su vida frente a sus ojos, el *karma* se desenreda como un hilo, y los eventos de esta vida son revisados en la pantalla de la mente. Vuelves a experimentar todos los momentos importantes desde tu nacimiento, sólo que esta vez con una claridad y una sensibilidad que te muestran exactamente lo que cada uno significó. El bien y el mal también son revelados con claridad, sin excusas ni racionalización. Te vuelves responsable de todo lo que hiciste.

Conforme se hacen estos juicios —todos son producto del autoexamen y no edictos divinos—, te encuentras a ti mismo en diversos *Lokas*, mundos que reflejan la clase de castigo o recompensa que tus acciones merecen. Un alma sola no es asignada a un *Loka* para siempre, sino que permanece en ese sitio tanto tiempo como lo determine el *karma*. Durante este tránsito, que incluye mundos de placer y de dolor, aprenderás acerca de ti mismo y llegarás a tus propias conclusiones. Ninguna fuerza exterior te dirá lo que significó tu vida o la manera en que debes proceder en el siguiente paso. Es posible que sufras un *Loka* infernal durante un tiempo que parezca una eternidad, o que lo abandones inmediatamente. El tiempo es completamente subjetivo, y lo que en realidad experimentas es tu propia conciencia que resuelve sus dilemas y conflictos. "¿Por qué estoy aquí? ¿Qué me hace sufrir? ¿Merezco sufrir? ¿Hay manera de salir?"

Las personas que están desconectadas de sí mismas estarán tan desconcertadas por el más allá como lo están en el presente. Para ellos, la causa y el efecto no son claros. Se sienten enajenados, solos, victimizados, al capricho del destino, fuera de control o sujetos al abuso de autoridad, y estos sentimientos chocan entre sí. En la niebla de esta confusión, esas personas no pueden asumir la responsabilidad por sus propias motivaciones y deseos, y el más allá los aterra o desconcierta.

La desconexión es una ilusión desde la perspectiva del alma, y sin importar qué tanto tiempo sea necesario, la persona eventualmente se prepara para abandonar la región de los *Lokas*. La comprensión, simbolizada por la luz, comienza a amanecer. En la claridad te das cuenta de que "yo soy" es tu base, no las cosas que hiciste. No te identificas más con el hecho de ser una persona determinada; ahora te identificas con el hecho de ser conciencia y tu mente está repleta de posibilidades nuevas. El *karma* que trajiste desde tu última vida está exhausto, y las semillas frescas del *karma* están listas para florecer.

Gradualmente, tu mente se adapta a la idea de volver a nacer. Por un periodo largo (hablando subjetivamente) experimentas la dicha o *Ananda*; has obtenido el ser puro, que proporciona su propia realización sin importar el *karma*, ya sea bueno o malo. Te encuentras en la misma región que separa un pensamiento del siguiente, sólo que esta vez estás consciente de las incontables posibilidades entre las que puedes elegir. ¿Cómo eliges tu próxima vida? Por el mismo proceso por el cual eliges tu próximo pensamiento. Hacemos esto todo el tiempo y, sin embargo, no sabemos cómo lo hacemos; el siguiente pensamiento surge de esa división, que es totalmente desconocida.

Serás testigo del proceso mediante el cual el sueño de una nueva identidad comienza a abrigarte, y caerás a tu próxima vida despojándote completamente de las acciones pasadas de las que todavía no sabes casi nada. Sin embargo, todos nosotros podemos asumir un papel más activo en la manera en que reencarnamos. En la separación, en la que confrontamos todas las posibilidades, la elección se encuentra entre dichas opciones. Los complejos rituales del *Libro tibetano de los muertos* no fueron diseñados para llevar a una persona generosa a un Cielo hermoso y a una mejor vida futura. Dichos rituales fueron diseñados para hacer realidad la libertad de elegir, y hacer que la persona esté totalmente consciente de la separación, de manera que el *karma* pueda ser moldeado, controlado o incluso resuelto por completo.

Libérate a ti mismo

¿Cómo será eso de encontrarte a ti mismo en la separación? Me gustaría responder a esa pregunta con base en mi experiencia personal. Hace un año me encontraba sentado en un aeroplano, desorientado. Durante una breve escala en el Medio Oeste estaba sin nada que leer. Acudí al puesto de periódicos del aeropuerto, pero no me sentí atraído por las publicaciones de los estantes. Cuando abordé mi siguiente vuelo intenté matar el tiempo escribiendo, pero descubrí que mi cuaderno y mi computadora portátil estaban en el interior de mi equipaje. Algo —el destino, la circunstancia, un descuido— me hizo estar a solas por cuatro horas.

Sin advertencia ni permiso, una sutil voz mental comenzó a guiarme. La voz me proporcionó una visión de la manera en que mi mente funciona cuando no hay motivos de distracción a mi alrededor. Lo que vi era muy básico. Hay una idea en la mente, y luego otra, y otra más, y otra. Las ideas pueden llamar toda mi atención o pasar desapercibidas; pueden ser poderosas o débiles, importantes o casuales, frívolas o serias. La voz que me servía de guía me hizo ver todo eso en segundos.

"Ahora bien, ¿cuál es la manera correcta de relacionarte con tu mente?", me preguntó la voz. ¿Debes hacer siempre lo que dices? Es claro que no, porque tenemos todo tipo de ideas que son irrelevantes o fantásticas. ¿Debemos ignorar lo que nos dicen? Nuevamente no, porque la mente nos proporciona los deseos sobre los que construimos nuestras vidas. *No hay una manera única de relacionarnos con la mente.* No puedes adoptar una forma que funcionará siempre. Cuando las personas deciden arbitrariamente ser optimistas, pueden cometer un error de cálculo en lo que se refiere a las crisis serias, el mal, las guerras, los conflictos personales, etcétera. Si deciden arbitrariamente ser pesimistas, perderán muchas oportunidades de experimentar la alegría, la realización, la esperanza y la fe.

Mi guía mental me mostró todo esto y yo estaba intrigado. Parecería que el aspecto espiritual funciona y, sin embargo, existen situaciones en que aun ser espiritual —tolerante, amoroso, abierto y despojado de todo materialismo— no funciona en absoluto. Un padre de familia no puede simplemente aceptar y amar a un hijo que es adicto a la cocaína, por ejemplo; es necesario que tenga una intervención activa. Me vienen a la mente miles de ejemplos similares. El amor no puede derrotar a los torturadores; la tolerancia no detendrá los excesos de los fanáticos. La persona debe descubrir una manera infinitamente flexible de relacionarse con la mente; de lo contrario, se pierde de algo. El don más precioso de la mente —su libertad total— es la fuente de nuestra creatividad.

"Ahora bien", dijo mi guía mental, "demos un vistazo al mundo. ¿No es acaso igual a la mente?". En el mundo impera el mismo factor impredecible y, por ello, no puedes asumir una actitud fija hacia él y esperar que funcione así. Las personas que son intrínsecamente optimistas acerca del futuro tienen tanta miopía como quienes son intrínsecamente pesimistas. Vayamos un paso más adelante. El *karma* también es impredecible y no puede ser abordado con una postura mental fija. Combatir tu *karma* puede ser tan frustrante como aceptarlo.

Al llegar a este punto de la reflexión, el Sol se había ocultado y la cabina del avión estaba vacía y oscura. Podía ver la última franja de luz azul-anaranjada en el horizonte. Mi guía mental no era un accidente o un ensueño. Me di cuenta de que hacía mucho tiempo que yo deseaba conocer la manera *en que todo funciona.* La respuesta es que la mente, el mundo y el *karma* son la misma cosa, espejos perfectos uno del otro. Su complejidad es imposible de comprender. Sus conexiones infinitas no pueden ser cartografiadas y, aun si eso fuera posible, el transcurso de un segundo en el reloj nos traería un conjunto nuevo e igualmente infinito de posibilidades.

Esta realización es lo más cercano que he estado del hueco o separación en que se escoge una nueva vida. La separación es libertad pura, y cuando descubres que eres totalmente libre, las elecciones cambian. Algunas almas desean permanecer desvinculadas por completo; escogen el *Moksha*, o liberación de un cuerpo físico y del *karma* que lo acompaña. Otras almas atesoran el *Moksha,* pero quieren disfrutar de él al mismo tiempo que poseen un cuerpo. Estas almas escogen reencarnar con absoluta conciencia de sí mismas y nosotros los llamamos iluminados. El resto de nosotros cae en otra parte. Atesoramos la libertad pero también deseamos nuevas experiencias. Por esa razón permitimos que el *karma* entreteja una nueva historia para nosotros. Conservamos una parte de la conciencia personal y sacrificamos la otra. Aceptamos adquirir la amnesia acerca del "yo soy", a cambio del drama de ser una persona separada, con preferencias y cosas que no nos gustan, desafíos y oportunidades.

La nueva vida con que nos arropamos contendrá su medida singular de conexión y desconexión. Esta no es la mejor manera de relacionarnos con la mente, con el *karma* y con el mundo. La manera perfecta es la libertad. Sin embargo, a nuestra manera imperfecta, nos hemos vuelto parte de un misterio. Aceptamos desempeñar un papel en esta obra teatral fascinante de luz y oscuridad, y nuevamente el mundo físico se convierte en nuestra realidad. Volvemos a la creencia de que la muerte es algo que debemos temer, que la lucha es necesaria, que el placer es digno de ser buscado y la pena digna de evitarse. Olvidamos el conocimiento de nuestra alma, o aquél que teníamos cuando estábamos en la separación. Sólo conservamos un fragmento de la verdad, de manera que exista algo a qué aspirar. Tengo la sensación de que también conservamos un poco de la pena por haber decidido dejar atrás la verdad. Sin embargo, nuestra verdad a medias tiene una virtud. En tanto creamos en ella, el alma nunca se rendirá y nos enseñará el resto. Con ese propósito, el sueño continúa.

Segunda parte

La carga de la prueba

Hasta este siglo, la carga de probar los asuntos espirituales correspondía a los escépticos. La religión tenía un poder tan grande sobre la imaginación humana que para culturas enteras —me vienen a la mente los egipcios antiguos y los cristianos de la Edad Media— el mundo material era mucho menos real que el mundo de los dioses o de Dios. La mayoría de las personas modernas apenas puede tolerar esa visión del mundo, porque nos encontramos inmersos en un materialismo de la misma forma en que aquéllos se encontraban inmersos en el idealismo, en la creencia de que la Naturaleza comienza en los ámbitos sutiles del espíritu. Para el idealismo, la Tierra es un mundo inferior mientras que el Cielo es superior. Por lo tanto, todo lo relacionado con la vida terrenal —su carácter físico, los apetitos, los impulsos sexuales, las enfermedades, el sufrimiento y la vejez— está más lejos de Dios o del espíritu que el Cielo.

La ciencia no desacreditó esa visión al probar que era errónea. El idealismo simplemente fue superado por una nueva visión del mundo más práctica: el materialismo. Éste trajo consigo la tecnología y las comodidades, y explicó muchos fenómenos que la religión prefería considerar un misterio conocido sólo por Dios. Como cualquier otra visión del mundo, la antigua se excedió de sus límites cuando afirmó, por ejemplo, que las enfermedades eran actos de Dios para castigar a los pecadores. Una vez que se descubrió la existencia de los gérmenes, esta explicación pareció carecer de sentido y, en última instancia, ser irracional. Sin embargo, de la misma forma la nueva visión del mundo se excedió de sus límites, como lo ha hecho hoy en día, cuando la ciencia afirma que sin prueba física podemos abolir todas las nociones de Dios, los ángeles, los fantasmas, el espíritu, el alma y el más allá mismo. Así como la religión no tenía competencia sobre la física y la química, la ciencia no tiene competencia sobre los asuntos espirituales.

La carga de la prueba ha sido transferida, y ahora es el creyente quien debe demostrar que Dios y el alma son reales. Para mucha gente el triunfo del materialismo es tan completo que incluso resulta un desafío demostrar *por qué* debemos interesarnos en Dios y el alma.

Si el escepticismo resulta vencedor en algunos círculos, en la cultura popular la carga de la prueba todavía corresponde a quien pretende demostrar que el más allá *no existe*. Las encuestas muestran consistentemente que 90 por ciento de la gente cree en la existencia del Cielo, y casi todos creen que irán ahí. La creencia en el Infierno sufre una abrupta caída a 75 por ciento, y sólo 68 por ciento de la gente cree en el Diablo. Esto hace que la mayoría de las personas se encuentre en un problema, toda vez que debe dividir su lealtad entre la fe, en lo que se relaciona con la espiritualidad, y la ciencia, en lo que se relaciona con el mundo material. Nada menos que sir Isaac Newton fue un cristiano devoto que luchó toda su vida con el cisma que percibió entre la ciencia y la metafísica.

Sin embargo, existe otro camino. En este libro he intentado presentar una visión del más allá basada en la conciencia; y los temas relacionados con la conciencia pueden ser resueltos, al menos parcialmente, por medio de la ciencia. La evidencia que estamos buscando no consiste en fotografías de los fenómenos sobrenaturales (esas ya abundan, pero sólo conducen a un mayor escepticismo). La evidencia más útil sirve para apoyar los argumentos más importantes que son la base del *Vedanta*, que es consistente en sus propios términos. El argumento principal, desde luego, es que la realidad fue creada a partir de la conciencia. Nosotros podemos ver la prueba si somos capaces de responder las siguientes preguntas:

- ✎ *¿Es real el* Akasha?
- ✎ *¿Se extiende la mente más allá del cerebro?*
- ✎ *¿Está consciente el universo?*
- ✎ *¿Tiene la conciencia una base más allá del tiempo y el espacio?*
- ✎ *¿Pueden nuestras creencias dar forma a la realidad?*

Estas son preguntas fundamentales que la ciencia ha abordado, a pesar de que pocos investigadores tienen en mente el más allá cuando realizan sus descubrimientos. Es justo afirmar que los físicos nunca han intentado demostrar que el universo sea consciente de sí mismo. Sin embargo, si el universo *no estuviera consciente de sí mismo* existirían tantos misterios sin resolver, que las teorías más avanzadas han comenzado a incluir esta idea, en otra época impensable.

De hecho, el análisis de los misterios sin descubrir constituye nuestra mejor esperanza, porque sólo aquello que la ciencia no ha explicado ofrece un margen para formular un pensamiento radicalmente nuevo. Hasta ahora la neurología no sabe cómo funciona la memoria, o cómo las células del cerebro logran convertir la información en pensamientos complejos, o dónde está localizada la identidad. Si lo supiéramos quizá no existiría la necesidad de especular acerca de la "mente ampliada", la noción de que el pensamiento puede ocurrir al exterior del cerebro. Afortunada o desafortunadamente, nos encontramos con una gran cantidad de enigmas que dan cabida a los *rishis* védicos y a su profunda comprensión de la conciencia. En la frontera de muchos misterios reside la respuesta a un misterio.

13

¿Es real el *Akasha*?

ও৩৫৩৫

El uso de la palabra *Akasha* se ha mantenido en las fronteras de la física por un siglo al menos. La razón es que una creencia antigua y supuestamente pasada de moda se rehúsa a morir: la creencia de que el espacio vacío no se encuentra vacío del todo. *Akasha*, la palabra sánscrita que se refiere al espacio, tiene un equivalente en castellano: el éter. Hasta hace unas cuantas generaciones, si hubieras ido a la escuela y hubieras preguntado qué llena el vacío infinito entre las estrellas, te habrían dicho —ya fuera en la Grecia antigua, en la Francia de la Edad Media, o en Harvard durante la época de Abraham Lincoln—, que el vacío puro no podía existir. Un éter invisible que no puede ser percibido o medido permite que la luz viaje desde las estrellas, de la misma forma que el agua tiene ondas que se dispersan cuando se arroja una piedra a un estanque. Sin un medio a través del cual ser transmitidas, las ondas luminosas no tendrían cómo viajar del punto A al B.

La idea del éter sufrió un revés decisivo en la década de 1880, cuando dos científicos estadounidenses, Albert Michelson y Edward Morley, demostraron que la luz viajaba a la misma velocidad sin importar en qué dirección lo hiciera. Eso era importante porque el llamado "viento del éter", que se creía que barría la energía en el universo, habría tenido que hacer que la luz viajara más lentamente hacia arriba que hacia abajo. Cuando Michelson y Morley demostraron que esto no era verdad, incluso Einstein quedó convencido de que el espacio era un vacío sin actividad, creencia también equivocada, como se demostró después. Actualmente, los físicos creen que el espacio está lleno de actividad bajo la forma de fluctuaciones invisibles en el ámbito cuántico. Las llamadas "fluctuaciones virtuales" explican la materia y la energía, así como las distorsiones en el tiempo y el espacio. Por lo tanto, en una forma singular, la noción desacreditada del éter ha revivido de manera indirecta.

Para descubrir de dónde provienen la materia y la energía, la física terminó postulando un campo universal que envuelve no sólo aquello que observamos, sino todo lo que podría existir. La física moderna considera más fácil hacer que el mundo material desaparezca en la nada, pero ese concepto es muy perturbador, casi tanto como la desaparición de una persona que fallece. He aquí la forma en que funciona la desaparición de una piedra, un árbol, un planeta o una galaxia:

En primer lugar, la piedra, el árbol o el planeta desaparecieron de la vista cuando los científicos se dieron cuenta de que la materia sólida está compuesta de átomos que no pueden ser detectados a simple vista.

En segundo lugar, los átomos desaparecieron cuando se descubrió que estaban compuestos de energía, simples vibraciones en el vacío.

Finalmente, la energía desapareció cuando se descubrió que las vibraciones eran excitaciones temporales en un campo, y que el campo mismo no vibra, sino que se mantiene como un "punto cero" constante.

Teóricamente, para alcanzar el punto cero en la naturaleza uno podría enfriar el espacio hasta alcanzar cero grado —el "cero absoluto" de temperatura—, e instantáneamente todo dejaría de vibrar. Sin embargo, el "punto cero" también existe aquí y ahora; proporciona un punto de partida desde donde surge todo en el universo. Dado que la materia y la energía están surgiendo constantemente y luego se desvanecen en el vacío, el punto cero sirve como un "interruptor" entre la existencia y la nada. Newton estableció que la materia y la energía no pueden ser destruidas, pero que pueden oscilar en esta forma oscura en el nivel subatómico, en tanto la suma total de la materia y la energía no sea alterada.

El campo del punto cero

No sería tan perturbador si este acto de desaparición ocurriera solamente cuando el cosmos muriera, dentro de miles de millones de años, al enfriarse hasta alcanzar el cero absoluto de temperatura. Tampoco sería tan perturbador si la materia sólo colapsara teóricamente en el vacío. Sin embargo, ese no es el caso. La materia y la energía *tienen que desaparecer*. Si se mantuvieran estables, que es la forma en que percibimos las piedras, los árboles y los planetas, entonces se desataría el caos. La materia sólo existiría como partículas que flotan al azar en el espacio interestelar. Los fragmentos que produjo la explosión del Big Bang estarían volando y alejándose a millones de kilómetros por hora sin guardar ninguna relación entre sí. No existirían las formas, la evolución ni la organización;

en otras palabras, el universo tal y como lo conocemos no existiría. En el mejor de los casos, la gravedad podría reunir trozos más grandes de materia, pero la gravedad también es una onda que fluctúa alrededor del punto cero.

El hecho de que el caos no domine totalmente continúa siendo un misterio enorme, que sólo puede ser resuelto por medio del *Akasha*. En este punto las necesidades de la física y de los *rishis* védicos comienzan a coincidir de manera sorprendente. Los *rishis* estaban concentrados en considerar la conciencia como un principio universal. Sin embargo, para tener un universo pensante, necesitaban explicar cómo funciona la mente cósmica y cómo se mantiene reunida y se organiza en ideas. Si el "campo mental" fuera totalmente estable, sería una zona muerta o, en el mejor de los casos, una zona llena de un siseo constante y carente de significado. La física también necesita saber cómo se mantiene reunido el universo y se organiza en formas coherentes. De otra manera, la llamarada inconcebible que apareció en el instante en que se produjo el Big Bang se hubiera destruido a sí misma, al igual que la dinamita se destruye a sí misma, sin crear otras formas como resultado del proceso.

La física fue atraída, paso a paso, hacia la idea de vacío, porque nada en el mundo visible era adecuado para explicar lo que tenía que ser explicado. El punto cero se convirtió en un "campo de campos" incluyente, que abarcaba todas las partículas invisibles o virtuales en el universo. Se calculó que el punto cero contenía entre uno a la décima potencia y uno a la cuadragésima potencia más de energía que el universo visible —es decir, un uno seguido por cuarenta ceros. El vacío resultó ser un activo intercambio de energía, no sólo entre los fotones y los electrones, sino en cada acontecimiento cuántico posible. Repentinamente, lo invisible se había vuelto increíblemente más poderoso que lo visible. Pero, ¿de qué manera se parece el "campo de campos" a la mente, que es justamente lo que buscaban los *rishis*?

El pensamiento, la operación básica de la mente, organiza la realidad para darle sentido. El universo hace lo mismo desde el punto de vista físico. Forma sistemas complejos. El ADN es un ejemplo, pero los genes no crean la vida tan sólo al agrupar moléculas simples a lo largo de una hélice doble. Existen espacios entre cada fragmento genético y la secuencia es muy importante. Una ameba es diferente de un ser humano por la secuencia de carbono, oxígeno, hidrógeno y nitrógeno en sus genes, no por los átomos mismos. El hecho de que los espacios vacíos o la separación entre el material genético sean tan importantes, nos llevan de regreso al vacío, donde *algo* está acomodando eventos azarosos con el fin de que tengan significado.

Una vez que una forma ha sido creada, debe ser recordada con el fin de que permanezca como una unidad. El universo recuerda lo que ha creado y lo mezcla con los sistemas anteriores. El ecosistema de la Tierra es un buen ejemplo. Las formas vivientes se relacionan constantemente entre sí, guardando un equilibrio exquisito. El oxígeno proporcionado por las plantas durante la fotosíntesis eventualmente envenenaría toda la atmósfera, matando toda la vegetación que necesita dióxido de carbono, si no fuera por la evolución de los animales, que consumen el oxígeno y devuelven el dióxido de carbono a las plantas. Este equilibrio extremadamente complejo puede ser extrapolado al vacío, donde cada simple fluctuación de energía virtual es transferida y absorbida por una partícula virtual que requiere energía. (Como afirmó un famoso escritor, es como si el cosmos estuviera intercambiando un centavo, de manera que cada vez que una partícula gasta un centavo, otra partícula lo gana.) El patrón básico es muy simple, pero es impresionante que billones de intercambios de energía tengan lugar a cada segundo, como ocurre con la vida en la Tierra, así como la capacidad del ecosistema para mantener una forma separada de la otra, aunque en una relación dinámica.

Existen otras cosas que la mente puede hacer que encuentran un paralelo con el universo. La mente puede conservar el recuerdo de dos acontecimientos separados en el tiempo; así podemos reconocer hoy un rostro que vimos hace años. Del mismo modo, el universo puede dar seguimiento a un par de electrones. Dichos electrones pueden estar aparejados para siempre, incluso si se encuentran viajando a millones de años luz de distancia. Invariablemente, si uno de los electrones debe cambiar su posición o su *spin*, su gemelo cambiará de manera simultánea sin enviar una señal que deba viajar por el espacio. El campo de punto cero se comunica sin relación con el tiempo, la distancia o la velocidad de la luz.

El hecho mismo de que utilicemos la palabra "comunica" nos indica cuán difícil es dejar de percibir las semejanzas entre nuestras mentes y la naturaleza "exterior". Lo anterior nos conduce a una trampa peligrosa. La mente y la materia ofrecen dos maneras de describir un mismo objeto, pero no son, en sí mismas, exactamente lo mismo. Si pudiéramos demostrar que el universo tiene memoria, por ejemplo, no estaríamos demostrando que tiene mente. El acto de recordar un rostro es un acto mental. La capacidad de dos electrones de mantener el mismo *spin* a través de una gran distancia es una hazaña material. La misma trampa opera en el sentido contrario. Si pudiéramos calcular cada vibración en el arco de un violinista que ejecuta una sonata de Beethoven, no explicaríamos la música o su belleza. Esos son fenómenos mentales, no materiales. Todo lo que podemos hacer es trazar paralelos entre dos modelos, en nuestro esfuerzo de ubicarlos en una realidad.

He dicho lo anterior como si el universo supiera conscientemente lo que está haciendo cuando el ADN crea una ameba en vez de un chimpancé o un ser humano. Esto implica que las moléculas tendrían conciencia de sí mismas, y tal cosa implica, a su vez, la existencia de un campo de punto cero que actúa como una mente al organizar todas las fluctuaciones posibles en el cosmos. Sin importar qué tan estrechamente establezcamos las semejanzas, esta premisa no puede ser demostrada —o refutada— porque el campo de punto cero, al contenerlo todo, nos contiene también. No podemos salir de él, y por ello estamos en la misma posición en que se encontraría un pez que intentara probar que el océano está mojado. A menos que el pez salga del océano, el agua lo rodea por todas partes; no hay contraste y, por lo tanto, no hay un estado "seco" que hiciera posible demostrar un estado "mojado".

No podemos demostrar que el universo tiene una mente porque no carecemos de mente. Nadie ha experimentado jamás un estado en que se carezca de mente; por lo tanto, no tenemos una base para hacerlo. Los *rishis* védicos fueron afortunados porque partieron de la creencia de que la conciencia era real y no requería ser demostrada. La física no considera que la conciencia sea un hecho confirmado. Hablar de un universo consciente de sí mismo nos coloca en las fronteras del pensamiento especulativo de la física. Sin embargo, para nuestro propósito de considerar las evidencias sobre el más allá, es vital demostrar que la conciencia está en todas partes, porque entonces no habría a dónde ir después de la muerte que no fuera un sitio al interior de la conciencia.

La mente por encima de la materia

¿Qué pasaría si nuestras mentes pudieran alterar el campo cuántico? Entonces tendríamos un vínculo entre los dos modelos, la mente y la materia. De hecho, dicho vínculo fue proporcionado por Helmut Schmidt, un investigador que trabajaba en el laboratorio aeroespacial de la empresa Boeing, en Seattle. Desde mediados de los sesenta, Schmidt ajustó unas máquinas que podían emitir señales al azar, con el objetivo de saber si la gente ordinaria podía alterar esas señales utilizando sólo su mente. La primera máquina detectaba la decadencia radioactiva del estroncio 90; cada electrón emitido producía una luz que podía ser roja, azul, amarilla o verde. Schmidt le pidió a la gente que predijera, al oprimir un botón, qué luz se iluminaría a continuación.

Al principio nadie pudo acertar más frecuentemente de lo que ocurriría al azar; es decir, 25 por ciento de las veces en que seleccionó una de las cuatro luces. Entonces, Schmidt concibió la idea de utilizar a expertos de la física como sujetos de estudio, y sus primeros resultados fueron alentadores; los físicos acertaron 27 por ciento de las veces. Sin embargo, Schmidt no sabía si esto era producto de la clarividencia —ver el resultado antes de que ocurra— u otra razón más activa, que en realidad estaba modificando el patrón azaroso de los electrones que eran emitidos.

De manera que construyó una segunda máquina que generaba sólo dos señales, a las que denominó "más" y "menos". La máquina tenía un círculo de luces, y cada vez que se generaba una señal de "más" o de "menos" se encendía un foco. Si se generaban dos señales de "más" de manera consecutiva, las luces girarían siguiendo la dirección de las manecillas de un reloj. Con dos señales de "menos" de manera consecutiva se encendían las luces en el sentido contrario. Si se dejaba que la máquina funcionara por sí misma, generaría un número igual de señales de "más" y "menos": lo que Schmidt se proponía era que sus sujetos desearan que las luces se movieran únicamente en el sentido de las manecillas del reloj. Finalmente encontró dos sujetos que tuvieron un éxito notable. Uno de ellos podía hacer que las luces siguieran el sentido de las manecillas del reloj 52,5 por ciento de las veces. Un incremento de 2,5 por ciento en relación con el azar no suena significativo, pero Schmidt calculó que las posibilidades de que eso ocurriera por accidente eran de diez millones contra uno. El otro sujeto era igualmente exitoso pero, por extraño que parezca, su esfuerzo por hacer que las luces siguieran las manecillas del reloj tuvo el resultado opuesto: se movían sólo en el sentido contrario. Experimentos posteriores con nuevos sujetos elevó la tasa de éxito a 54 por ciento, a pesar de que la extraña anomalía de que las luces en ocasiones seguirían el sentido equivocado persistió (nunca se encontró una explicación para este fenómeno). Schmidt demostró que un observador puede alterar la actividad en el campo cuántico utilizando solamente la mente, lo que apoya la idea de que en un nivel profundo la mente y la materia son la misma cosa. La afirmación de los *rishis* de que nos encontramos inmersos en el campo de *Akasha* parece más creíble, lo que también fortalece la creencia de que no abandonamos el campo cuando morimos; si lo hiciéramos, seríamos lo único en la naturaleza que no es parte del campo.

Alentado por los resultados de Schmidt, un profesor de ingeniería de la Universidad de Princeton llamado Robert Jahn desarrolló pruebas mucho más sofisticadas, utilizando una máquina que podía generar "ceros" y "unos" cinco veces por segundo. En los experimentos de Princeton, cada participante pasó por tres tipos de prueba. En la primera, el sujeto desearía que la máquina produjera más unos que ceros, luego más ceros que unos y, finalmente, trataría de no influir en la máquina. Cada prueba fue repetida hasta que se produjeron entre 500 mil y un millón de resultados, cifra asombrosa que en un solo día superó todas las pruebas anteriores realizadas por Schmidt y los demás parapsicólogos que lo precedieron.

Después de doce años de estudio, se descubrió que aproximadamente dos tercios de las personas ordinarias podían influir el resultado de la máquina, a diferencia del estudio de Schmidt. Estas personas ordinarias, como los físicos, podían producir cambios materiales al generar más ceros que unos, o más unos que ceros, en alrededor de 51 a 52 por ciento de las veces. Nuevamente esto parece un pequeño margen, pero en realidad desafía al azar en proporción de un billón a uno. La solidez de este resultado es especialmente radical porque el azar es la base de la física cuántica, la evolución darwiniana, y muchos otros campos. (Una docena de estudios posteriores relacionados con este tema también arrojaron resultados en el rango de 51 a 52 por ciento.)

Si aceptamos que nuestras mentes están incrustadas en el campo cuántico y pueden transformarlo, ¿dónde quedamos nosotros? Podríamos estar influenciando el campo un poco —no más que el equivalente a pequeñas coincidencias, como la de pensar en el nombre de un amigo y recibir repentinamente una llamada telefónica suya—, o hasta el extremo opuesto; quizá todo lo que llamamos realidad se manifiesta por medio de la conciencia y tiene lugar en el campo de manera intencional. Después de examinar detalladamente estas investigaciones en su excelente libro *The Field*, Lynne McTaggart considera la posibilidad de que se dé una revolución completa en la teoría de la conciencia: "En el nivel más profundo, los estudios [de Princeton] también sugieren que la realidad es creada por cada uno de nosotros *tan sólo por medio de nuestra atención*. En el nivel más bajo de la mente y la materia, cada uno de nosotros crea al mundo".

Sin embargo, Jahn y sus colegas se mantuvieron decididamente en el ámbito técnico. Quedaron asombrados por los resultados, porque si las personas ordinarias podían influir en la máquina, ¿qué parte de la compleja maquinaria estaban afectando? ¿Será necesario que afirmemos que la mente de hecho modifica la velocidad a la que se emiten los electrones? Importante como resulta esa pregunta, nosotros preguntamos: "¿Qué más da?". Si una persona ordinaria puede hacer que una máquina genere más ceros que unos, ¿tiene ese hecho un efecto real en los grandes temas de la ciencia? De hecho lo tiene, de manera profunda.

¿Es capaz Akasha *de explicarlo todo?*

Akasha puede ser interpretada como un campo por medio del cual opera la mente. Ervin Laszlo, un destacado teórico húngaro en el ámbito de la ciencia y la conciencia, ha dado un paso atrevido al introducir a *Akasha* como la respuesta unificadora al todo. Después de cuarenta años de estudiar teorías de vanguardia en filosofía, biología, cibernética y física, Laszlo se encontró acariciando la idea anticuada y desacreditada que hemos discutido anteriormente: el éter. La física ha demostrado que la luz, a diferencia de las ondas que se esparcen en un estanque, no requiere de un medio para viajar. Cuando un fotón comienza en el punto A y se traslada al punto B, la travesía puede lograrse mediante el acto de desaparición que describimos anteriormente: el primer fotón desaparece, cambia su ubicación en algún lugar en la realidad virtual (el campo de punto cero) y reaparece intacto en la segunda ubicación. El fotón no disminuye su velocidad a consecuencia de la fricción, como lo haría una piedra que choca contra la superficie del agua. Por otra parte, en el instante en que desaparece, el fotón puede "hablar" con todos los demás fotones del universo, coordinando su actividad con cada una de las formas de la creación. Me refiero a este escenario sin el lenguaje técnico, con el fin de describir por qué la física se deshizo del éter. Simplemente no lo necesitaba en los cálculos cuánticos, y no lo necesitó por medio siglo o quizás un poco más, periodo durante el cual la física tuvo un progreso enorme.

Entonces, de acuerdo con Laszlo y otros analistas de sistemas, la física se estrelló contra un muro. No pudo explicar *la manera* en que el universo se las arreglaba para estar coordinado de manera tan precisa. Cuando la materia y la energía desaparecen y van a la realidad virtual, como ocurre miles de veces por segundo, algunas cosas suceden más allá de nuestra vista, invariablemente. El tiempo es regulado; los objetos en el espacio se comunican su posición y la materia que parece tener una naturaleza azarosa se mantiene en contacto con ellos. El Big Bang, que contenía tanta energía en un espacio millones de veces más pequeño que un átomo, hasta el punto de que miles de millones de galaxias sólo representan cuatro por ciento del total, tuvo lugar durante una pequeña ventana en que fue posible.

Si el universo en expansión, que se mueve a millones de kilómetros por minuto, se hubiera detenido por una fracción de segundo, la formación de las estrellas y galaxias hubiera sido imposible, porque el *momentum* de la explosión hubiera excedido la capacidad de la gravedad, que es la fuerza más débil de la naturaleza, para detenerlo. Uno de los actos de equilibrio más delicado mantuvo las fuerzas de expansión y contracción lo suficientemente cerca como para que pudieran danzar juntas, en vez de destruirse mutuamente.

Laszlo afirma que el azar constituye una explicación insatisfactoria de tanta precisión. (En los experimentos de Princeton, cualquier persona que hubiera tratado de explicar el resultado con base en el azar, hubiera estado en lo cierto sólo una vez en cada billón de ocasiones.) Algo organizado con tanta precisión requiere de un principio que lo mantenga unido y de un medio que transporte la información desde un confín de la creación al otro. La antigua noción del éter no es suficiente, pero la idea de *Akasha* sí lo es. En su libro publicado en 2004, *Science and the Akashic Field*, Laszlo explica que el *Akasha* es necesario, no como medio para la luz visible sino como medio para la luz invisible y para la energía invisible en general. Imagina por un momento una cuerda de saltar, uno de cuyos extremos se halla clavado en el muro. Conforme la cuerda gira, lo que representa la energía en vibración, observa los segmentos de la cuerda que se encuentran cada vez más cerca del muro. Cada fibra vibra en un rango más y más pequeño, hasta que alcanzas el extremo en que la cuerda está clavada al muro. Ese punto no se mueve en absoluto; se trata del punto cero, el principio y el fin de la energía. Sin embargo, el cero no es satisfactorio, toda vez que los cálculos cuánticos muestran ya que el espacio vacío está repleto de cantidades infinitas de energía virtual, en cantidad mayor por centímetro cuadrado que el que se encuentra en el interior de una estrella.

Imagina nuevamente el punto en que la cuerda se encuentra fija al muro. Si colocaras un estetoscopio súper sensible en el muro, descubrirías que la vibración de la cuerda está agitando toda la pared, y que la pared envía parte de esa vibración de regreso. Este fenómeno, de acuerdo con Laszlo, también ocurre en el punto cero. Cada vibración envía señales a todo el campo, y el campo lo hace de regreso. Resulta, pues, que el universo está monitoreándose a sí mismo constantemente, al coordinar de alguna manera cada vibración que tiene lugar en cualquier parte de los ámbitos visible e invisible.

Imagina dos fotones que flotan a través de la vastedad del espacio interestelar. Por azar chocan entre sí y se separan. ¿Ocurrió algo distinto a lo que tiene lugar cuando dos granos de sal chocan entre sí mientras la ola rompe contra la playa? Sí, afirma Laszlo: intercambian información y comienzan a relacionarse entre sí. La teoría de los sistemas, de acuerdo con el resumen de Laszlo, ayuda a explicar esta interacción. Cuando dos partículas se tocan son portadoras de información, y conforme se encuentran "hablan" entre sí: *"Ésta es la velocidad a la que viajo, cuánto peso, dónde he estado y hacia dónde voy"*.

Esta conversación no tiene lugar de manera aislada. El campo está escuchando, y al oír lo que ha ocurrido, almacena la información como referencia, ya que necesita todos los *bits* de información para gobernar el cosmos. La palabra *bit* es un término técnico que se utiliza en la teoría de la información, y se refiere a una unidad matemática —ya sea un cero o un uno— con que puede expresarse cualquier clase de información. Cuando las dos partículas se separan, su futuro cambia como consecuencia de la información que acaban de intercambiar.

Este intercambio trae a la mente la posibilidad de que estos fotones *sepan lo que están haciendo*. Los pensadores más especulativos, incluyendo a Laszlo, no pueden todavía permitirse afirmar que el campo sea consciente; Laszlo se remite a hablar de "las raíces de la conciencia". Desde el punto de vista de un físico, los átomos no necesitan pensar, mucho menos estar vivos. Se encuentran, interactúan, se separan. Si ocurren cosas complicadas, los átomos pueden ser misteriosos, invisibles y difíciles de calcular, por lo que se requiere una capacidad de cómputo mayor que todas las súper computadoras que existen en el mundo. Sin embargo, en tanto los números expliquen cómo se comporta la materia, no existe necesidad de arrojar un elemento ajeno en la ecuación como la conciencia.

Sin embargo, dejar fuera la mente no funciona, porque tú mismo te excluyes. Imagina que alguien quisiera comprender las reglas del fútbol americano y sólo tuviera a la mano un video para lograrlo. Aun sin conocimiento previo del juego, sería posible observar suficientes jugadas y llegar a conclusiones confiables acerca de lo que ocurre. Todo lo que necesitas hacer es observar cómo vuela la pelota y la forma en que los jugadores se golpean entre sí o no lo hacen. Por ejemplo, cada vez que el *quarterback* es derribado con la pelota en las manos, ambos equipos se alinean para comenzar una nueva jugada. Al ver que esto ocurre unas cuantas veces, un científico llegaría a la conclusión de que el *quarterback* debe arrojar la pelota o correr con ella.

Sin embargo, sería imposible comprender el juego si consideras que los jugadores son objetos inertes y sin mente. Los jugadores están demasiado coordinados, forman demasiados patrones complejos, repiten y recuerdan dichos patrones, y el marcador tiene sentido: alguien gana, alguien pierde. Para ir un paso más allá, sería un error comenzar tu investigación al afirmar *ipso facto* que el fútbol americano no puede estar basado en la existencia de la mente o la conciencia. Terminarías formulando conclusiones totalmente equivocadas si insistieras en que, sin importar lo que el video muestra, el fútbol americano no puede ser un juego y que debemos seguir considerándolo una colisión azarosa de objetos.

Al tratar de comprender la actividad aparentemente azarosa que tiene lugar en el campo cuántico, hemos llegado a observar que existe una precisión temporal, coordinación, memoria, intercambio de información e interacción consigo mismo. Pero, ¿qué sentido tiene todo esto? El efecto del observador agrega el eslabón que falta. El efecto del observador se relaciona con una de las piedras angulares de la física cuántica, denominada "complementariedad", que sostiene que no es posible conocer todo acerca de un evento cuántico. Cuando un observador mira o mide un electrón, aquello que es observado se encuentra limitado. Todos y cada uno de los electrones tienen la probabilidad de aparecer en cualquier sitio del universo.

Sólo bajo observación, el electrón "salta" de la realidad virtual al universo visible, y tan pronto como el observador deja de observar, el electrón vuelve a caer en el campo de la realidad virtual. Erwin Schrödinger, el gran físico alemán, formuló la llamada "ecuación de Schrödinger", una de las bases de la teoría cuántica que calcula con precisión cuáles son esas probabilidades; y, sin embargo, la noción de que un electrón se encuentra en todas partes hasta que un observador lo trae a la existencia constituye un desafío para la lógica. Para aquellos lectores que no han leído acerca del gato de Schrödinger, una paradoja famosa que se desprende del efecto del observador, he aquí un resumen: un gato es colocado en una caja cerrada, en cuyo interior se encuentra un aparato fatal. El aparato dejará escapar el venenoso gas de cianuro si el disparador se activa, y el disparador es un fragmento de materia radiactiva. Si la materia radiactiva desprende un solo electrón, será suficiente para activar el disparador, dejar escapar el gas y matar al gato. *Realidad a la "irrealidad"*

Ésta es la paradoja: de acuerdo con la física cuántica, un electrón no tiene realidad visible hasta que es observado. Ocupa una "súper posición", lo que significa que puede estar en más de un lugar al mismo tiempo (hecho que ha sido confirmado en experimentos con las partículas subatómicas que ocupan múltiples posiciones al mismo tiempo). Al estar en una caja cerrada, el gato se encuentra fuera del campo de observación; podría estar vivo o muerto. Así que, de acuerdo con la teoría cuántica, ambas cosas son ciertas. Solamente cuando se abre la caja y el observador determina la situación será posible conocer qué estado, si vivo o muerto, ha sido decidido. Hasta entonces, ambos estados coexisten.

Muchos físicos han escapado a la paradoja del gato que está vivo y muerto al mismo tiempo al señalar que lo que es verdadero en el nivel "micro" no es verdadero en el nivel "macro": la súper posición se aplica en el caso de los electrones, pero no en el de los objetos cotidianos, como los gatos. Sin embargo, esto suscita una pregunta, toda vez que el efecto del observador está en operación en los experimentos de Schmidt y de Princeton, donde la atención de un observador por sí misma alteró el campo cuántico y el mundo material al mismo tiempo. El punto crucial de la paradoja es que no puedes conocer ningún resultado en el mundo cuántico hasta que lo observes (por ejemplo, es imposible saber si el gato de Schrödinger está vivo o muerto hasta que lo veas, y el hecho de mirarlo *lo hace* estar vivo o muerto.)

Akasha resuelve el problema al lograr que cada acontecimiento requiera participación en cada nivel. Todos los observadores se encuentran en el campo de *Akasha*, y cualquier cosa que hagan ocasiona que el campo entero responda. Por lo tanto, no estamos falsificando al universo para describirlo como si se comportara como nosotros. Lo predecible y lo impredecible coexisten. Un gato puede estar vivo y muerto al mismo tiempo sin que esto afecte la manera en que el mundo funciona normalmente. De hecho, es mediante el universo impredecible que nos conocemos a nosotros mismos y viceversa. Los *rishis* védicos se dieron cuenta de que el tiempo y la eternidad tienen que estar relacionados, y su conclusión fue que el tiempo es una ilusión mientras que la eternidad es real. Esto representa un cambio para los cinco sentidos, que deben operar como si el tiempo fuera real, toda vez que cada acontecimiento en que participamos ocurre en el espacio-tiempo. Los *rishis* declararon que morir nos permite ver la realidad eterna con claridad y participar en ella de manera más completa. En la formación de Laszlo, el campo de *Akasha* hace exactamente lo mismo para toda la materia, energía e información. Sus interacciones en el universo visible constituyen reflejos de relaciones invisibles mucho más importantes que tienen lugar en el exterior.

He aquí una analogía. Imagina que eres un científico a quien se ha asignado medir las explosiones minúsculas de luz que tienen lugar en un campo; en este caso, se trata de la pantalla de un televisor. Estas explosiones tienen lugar en el nivel atómico, por lo que conforme te acercas encuentras millones de fotones que se disparan en patrones azarosos. Tú describirías el monitor de televisión como un campo sometido a la excitación al azar, exactamente de la misma forma en que los físicos describen el campo electromagnético. Sin embargo, conforme te alejas, los fragmentos de rojo, verde y azul comienzan a agruparse y aparecen de manera organizada. Si te alejas más notas formas vagas. Te sientes como un astrónomo que utiliza un radiotelescopio para determinar si el sonido de fondo del cosmos pudiera contener patrones. Los patrones son matemáticos, y se requiere inteligencia para utilizar un código matemático.

Así, comienzas a elaborar una explicación matemática relacionada con los patrones que percibes en la pantalla del televisor. Al alejarte aún más, eventualmente podrás ver que dichos patrones en realidad eran imágenes de la vida humana, y que los fotones que se disparaban aparentemente al azar tenían un propósito. Esto sería lo suficientemente asombroso para que revisaras la totalidad de la teoría; tendrías que llegar a la conclusión de que el carácter azaroso era, de hecho, una ilusión que ocultaba una realidad más profunda: la imagen. Sólo la conciencia puede explicar totalmente la razón por la que las explosiones de color rojo, verde y azul son emitidas.

Nos encontramos en un punto en que muchas explicaciones basadas en el carácter azaroso ya no resultan satisfactorias, y debe realizarse un cambio hacia una explicación más consciente. ¿Por qué se disparan los fotones en un televisor? Porque se convierten en imagen. ¿Por qué se disparan los fotones en el cosmos? Por la misma razón. Al anteceder a la física cuántica por varios siglos, los *rishis* védicos dijeron que el tiempo y el espacio eran proyecciones en una pantalla vacía de la conciencia, la pantalla de *Akasha*.

En otras palabras, cuando te levantas por la mañana, manejas de camino al trabajo, y pasas el día en la oficina, *nada en realidad ocurre* tal y como tú lo experimentas. El tiempo no transcurre ni tú te mueves por el espacio. Esta conclusión confunde el sentido común pero es totalmente aceptada en la física. Permíteme explicarte. Si por la noche sueñas que vuelas a París y caminas por las calles, nada de eso ocurrió en realidad; no sólo no viajaste a ninguna parte desde el punto de vista físico, sino que tu cerebro ni siquiera tiene imágenes que correspondan a París. El sueño fue el resultado de la actividad cerebral que puede ser descompuesta en pequeños *bits* de información: diminutos interruptores eléctricos se encontraban encendidos o apagados, la polaridad de ciertas moléculas era positiva o negativa. Tu sueño entero y todo su contenido fue sólo un juego de "ceros" y "unos".

Lo mismo es verdad con respecto a las personas que vemos en la televisión. Un personaje parece vivir en una casa y cortar el césped. Sin embargo, la casa en realidad es una imagen plana en la pantalla, y los movimientos de la gente son sólo "fósforos" que se encienden y se apagan. Nuevamente, un juego de "ceros" y "unos". Nada se mueve en una pantalla de televisión. Si alguien parece correr hacia la izquierda, se trata solamente de un patrón de señales que ilumina el sector izquierdo y apaga el derecho —lo mismo que ocurre con las luces de un árbol de Navidad que parecen moverse alrededor de un círculo, cuando lo que en realidad ocurre es que la serie de luces se enciende y apaga siguiendo un patrón que le hace parecer como si el movimiento tuviera lugar.

Tú te mueves por el tiempo y el espacio de la misma forma, como lo hace la Tierra en su órbita y las estrellas en el cielo. Los impulsos cuánticos se encienden y se apagan, y un cambio de posición ocurre porque la energía se excita ligeramente hacia la izquierda o hacia la derecha con respecto a la última excitación. En realidad ningún *quark* o fotón cambia de posición en el espacio-tiempo. Sin embargo, ¿acaso no equivale eso a lo mismo? Si un objeto parece moverse, ¿por qué no decir que se mueve? De hecho, no podemos hacerlo. La Tierra parece moverse alrededor del Sol; sin embargo, si ese fuera realmente el caso, eventualmente caería siguiendo un movimiento en espiral hacia el Sol y sería destruida. De hecho, a pesar de que la Tierra encuentra fricción en su órbita —bajo la forma de polvo interestelar y viento solar—, nuestro planeta nunca se acerca al Sol ni disminuye su velocidad. Esto se debe a que cada átomo de la Tierra desaparece de la vista y regresa con la misma energía y masa que siempre ha tenido. En consecuencia, el punto cero proyecta la Tierra de manera tan nítida como la pantalla del televisor proyecta sus imágenes. (Un escéptico podría preguntar cómo cambia cualquier cosa si el campo de punto cero reabastece constantemente al universo visible. Eso constituye un acertijo, pero la respuesta puede deberse a dos factores: la lenta decadencia de los protones, que tarda miles de millones de años, y el hecho de que el universo se encuentra en expansión, lo que conlleva la dispersión de energía, o entropía, conforme se disipa el calor original del Big Bang. Sin embargo, no se ha logrado incluir estos dos factores en la teoría cuántica.)

¿Cómo se relaciona todo lo anterior con el más allá? Formúlate una pregunta sencilla. Cuando estabas mirando el televisor, ¿qué era más real, la imagen que veías o la estación que transmitía la señal? Desde luego, la estación es más real, dado que la imagen es precisamente sólo una imagen. De la misma forma, Laszlo afirma que el campo de punto cero —*Akasha*— es más real que el universo visible. El *Akasha* organiza y coordina todas las proyecciones que llamamos tiempo, espacio, materia y energía. Si esto es correcto, entonces hemos sentado las bases de diversas afirmaciones importantes del *Vedanta*:

- ❧ El mundo material es proyectado a partir de una fuente no material.
- ❧ El mundo invisible viene primero. Contiene las semillas del tiempo y el espacio.
- ❧ La realidad se incrementa mientras más nos acercamos a la fuente.

Para decirlo en términos humanos, no debemos temer que la muerte sea un acto de desaparición porque la vida siempre ha sido eso mismo. Aquello que valoramos más en nosotros mismos, nuestra capacidad de pensar y sentir, no se produjo al entrar al mundo físico. Todo eso fue proyectado en el mundo físico a partir de una fuente, el campo de punto cero, que es la raíz de la conciencia y se extiende hacia atrás miles de millones de años, y hacia adelante al futuro inmediato. Lejos de ser una visión religiosa, este modelo explica al universo mejor que ningún otro, y nos proporciona lo que los *rishis* y los físicos modernos exigen: un puente entre la mente y la materia.

14

Pensar más allá del cerebro

❧❧❧

Si muero y la información contenida en mi cerebro sobrevive, ¿acaso significa que yo sobreviviré? La supervivencia significa permanecer intacto en algún nivel —que es constitutivo de "mi persona"— la mente, la personalidad, la memoria o el alma. Para un materialista, cuando muere el cerebro también muere la persona. Afortunadamente, en las dos últimas décadas algunos experimentos ingeniosos han dado lugar a la esperanza de que la mente se extienda más allá del cerebro, y que las cualidades que tú y yo atesoramos, como el amor y la verdad, pueden estar incluidas de manera permanente en el campo.

Mientras más nos acerquemos a demostrar que el campo es inteligente, más verosímil será que nuestra propia inteligencia sobreviva después de la muerte. Una manera de abordar este tema, aunque suena extraña, resulta muy fructífera: la telepatía animal. Muchas personas que tienen mascotas son testigo de la capacidad de un perro o un gato de saber lo que el dueño piensa. Unos minutos antes de salir a pasear el perro se emociona y se inquieta; el día que el gato será llevado al veterinario, desaparece y no se lo encuentra por ninguna parte. Estas observaciones casuales llevaron al ingenioso investigador británico Rupert Sheldrake, biólogo que se ha convertido en pensador especulativo, a conducir estudios controlados para descubrir si los perros y los gatos realmente pueden leer la mente de sus dueños. Uno de los estudios fue muy sencillo: Sheldrake llamó por teléfono a 65 veterinarios de Londres y les preguntó si era común que los dueños de gatos cancelaran las citas porque sus gatos habían desaparecido ese día. 64 respondieron que era muy común, y el otro había dejado de dar citas para los gatos debido al alto número de animales que no podían ser localizados cuando debían ser llevados al consultorio.

Sheldrake decidió realizar un experimento utilizando perros. El hecho de que un perro se emocione cuando llega el momento de salir a pasear, tendría poco significado si el paseo estuviera programado de manera rutinaria para el mismo momento de cada día, o si el perro tuviera pistas visuales de que su dueño se prepara para salir. Por lo tanto, Sheldrake colocó a los perros en sitios completamente aislados de sus dueños, y luego les pidió a los dueños que, en momentos seleccionados al azar, pensaran en llevar a sus perros a pasear cinco minutos antes de ir a recogerlos. En el ínterin, el perro era grabado en video en su ubicación de aislamiento. Sheldrake descubrió que cuando sus dueños comenzaban a pensar en llevarlos a pasear, más de la mitad de los perros corrieron a la puerta meneando la cola, comenzaron a caminar en círculos presa de la inquietud, y mantuvieron esa conducta hasta que sus dueños aparecieron. Sin embargo, ningún perro mostró conducta de anticipación cuando sus dueños no pensaron en llevarlos a pasear.

Esto sugiere algo desconcertante: que el vínculo entre la mascota y el dueño crea una conexión sutil en el nivel del pensamiento. Las encuestas demuestran que cerca de 60 por ciento de los estadounidenses cree que ha tenido una experiencia telepática, por lo que este resultado no es totalmente asombroso. Sin embargo, el siguiente salto sí lo es. Después de escribir sobre sus resultados en relación con las mascotas telépatas, Sheldrake recibió un correo electrónico de una mujer de la ciudad de Nueva York, quien afirmaba que su perico gris africano no sólo podía leer sus pensamientos, sino también responder mediante el habla. La mujer y su marido podían estar sentados en otra habitación, fuera de la vista del pájaro (cuyo nombre es N'kisi), y si se sentían hambrientos repentinamente N'kisi decía: "Quieres algo delicioso". Si la dueña y su marido estaban pensando en salir, N'kisi podía decir: "Debes salir, nos vemos después".

Muy intrigado, Sheldrake se puso en contacto con la dueña, una artista llamada Aimee Morgana. La situación que descubrió era notable. Los pericos grises de África se encuentran entre las aves más talentosas desde el punto de vista lingüístico, y N'kisi tenía un enorme vocabulario de más de 700 palabras. Más notable aún era el hecho de que las utilizaba de manera similar al habla humana; es decir, no mediante la repetición de una palabra, sino aplicándola en las situaciones adecuadas. Por ejemplo, si veía algo rojo pronunciaba la palabra "rojo", y si el objeto era de otro color, el ave podía decir cuál era. Sin embargo, Aimee tenía historias aún más asombrosas para Sheldrake. Cuando miraba una película de Jackie Chan en la televisión, en una escena en que Chan colgaba peligrosamente de las alturas, N'kisi dijo: "No te caigas", a pesar de que su jaula estaba detrás de la televisión y no podía ver las imágenes. Cuando a continuación transmitieron el comercial de un automóvil, N'kisi dijo: "Ese es mi auto". En otra ocasión, Aimee estaba leyendo la siguiente frase en un libro: "Mientras más oscura sea la mora, más dulce será el jugo", cuando de manera simultánea el ave dijo desde la habitación contigua: "El color es negro".

Sheldrake quiso confirmar esto por sí mismo. En su primera visita, Aimee le dio una prueba de la telepatía de N'kisi: observó la imagen de una muchacha en una revista, y desde la otra habitación el ave dijo con notable claridad: "Esa es una muchacha". El siguiente paso fue llevar a cabo un experimento formal. Si N'kisi podía comprender las palabras y también tenía capacidad telepática, ¿podrían someter a prueba ambas cosas? Sheldrake propuso que Aimee mirara imágenes que correspondían a las palabras que el perico ya conocía. Ella se sentó en una habitación mientras que N'kisi permaneció aislado en otra. El ave tendría dos minutos para pronunciar la "palabra clave" que correspondía a la fotografía. Si la decía en ese lapso, contaría como un punto. Si no la decía, o si lo hacía después de dos minutos, no contaría como punto.

Para asegurar la neutralidad, otra persona elegiría las imágenes y las "palabras clave" que correspondían a cada una. (Esto resultó ser injusto con el ave, dado que esa persona seleccionó algunas palabras, como "televisión", que N'kisi había dicho sólo una o dos veces antes; el ave no pronunció esas palabras durante el tiempo especificado en el experimento, ni después de que concluyó.) Después de que las pruebas fueron llevadas a cabo, las grabaciones de lo que N'kisi había dicho serían reproducidas ante tres jueces, quienes escribirían lo que oyeran; a menos que N'kisi pronunciara de manera clara la palabra correcta, y que los tres jueces la transcribieran, el punto no contaría. Los resultados estuvieron más allá de nuestra comprensión ordinaria. Por ejemplo, cuando Aimee observó una imagen que mostraba bañistas semidesnudos en la playa, N'kisi titubeó por un momento, y a continuación los tres jueces lo escucharon decir: "Mira mi cuerpo lindo y desnudo". El perico no pronunció otras palabras clave irrelevantes, y en ocasiones el ave sólo silbó y emitió sonidos. Cuando Aimee observó la imagen de alguien que hablaba por teléfono, N'kisi dijo: "¿Qué haces en el teléfono?". Quizá la respuesta más desconcertante tuvo lugar cuando Aimee se concentró en una fotografía que mostraba unas flores. En vez de simplemente decir la palabra "flor", N'kisi dijo: "Esta es una foto de flores".

¿Cuál fue el resultado final? De 71 imágenes, N'kisi logró 23 puntos, comparados con los 7,4 puntos que hubiera cabido esperar si los resultados hubieran correspondido con el azar. Sheldrake señala que se trata de un resultado significativo, más aún porque N'kisi no estaba consciente de que lo estaban sometiendo a prueba y a menudo pronunció la palabra correcta después de que había transcurrido el tiempo acordado.

Esta pequeña evidencia, procedente de un pequeño departamento en Manhattan, se agregó al cúmulo de pruebas que demuestran que la mente no es solamente propiedad humana, y que de hecho puede existir más allá del cerebro. La comunicación entre el reino animal y los seres humanos puede parecer extraña, pero las mascotas no nos engañan y no tienen motivos especiales para demostrar que poseen habilidades especiales. Los *rishis* védicos afirmaron hace mucho tiempo que el universo entero es inteligente porque está impregnado por la conciencia. Veamos de qué manera precisa podemos decir esto en términos modernos.

Al interior del campo mental

La mente ha sido considerada como un acertijo metafísico durante siglos porque habita en el mundo físico como un fantasma. Sin embargo, esa es una perspectiva occidental, basada en nuestro prejuicio por obtener cosas sólidas y tangibles. Insistimos en que el cerebro debe ser la fuente de la mente porque el cerebro es un objeto visible, lo que equivale a decir que el aparato de radio es la fuente de la música porque es un objeto visible del que ésta emana. Los *rishis* védicos adoptaron la perspectiva opuesta e insistieron en que los objetos visuales no podían ser la fuente de la mente porque el plano físico es el menos consciente de los mundos. Puede parecer importante que el cerebro esté activo durante el pensamiento, pero el aparato de radio está activo durante una transmisión y no hay duda de que N'kisi (por no mencionar a los telépatas humanos) pudo percibir un pensamiento que estaba siendo transmitido.

No es fácil superar nuestro prejuicio occidental respecto de lo invisible. Sólo será posible demostrar que la mente existe más allá del cerebro si deja alguna clase de huella, un símbolo visible que sea tan convincente como los análisis electrónicos que nos dan evidencia concreta de la actividad neuronal. Una prueba similar es la información, a lo que nos hemos referido anteriormente. Si la información se encuentra diseminada por todo el campo cuántico, puede servir como puente entre la mente y la materia en términos que resulten más aceptables para una persona materialista. Ningún científico tiene problemas al considerar que la materia y la energía no pueden ser creadas o transformadas, y la vanguardia del pensamiento en el ámbito de la física está considerando la idea de que la información tampoco puede ser creada ni destruida. Lo que vemos en el universo se encuentra en constante transformación. Los átomos de helio que alimentan al Sol envían calor a la Tierra, el cual es transformado por la fotosíntesis de las plantas y todas las demás formas vivas. Entonces, es justo afirmar que la vida consiste en átomos del Sol que intercambian información con átomos de la Tierra. (La energía es información en el sentido de que todas las cargas químicas o eléctricas pueden ser expresadas como "más" o "menos", positivas o negativas, "cero" o "uno".) Por lo tanto, no importa que tu cuerpo no tenga semejanza con una estrella: ambos son parte del mismo campo de información, que atraviesa por una interminable transformación en su interior. O bien, como dijo el señor Krishna en el *Bhagavad Gita*: "Al retirarme a mi interior, creo una y otra vez".

Amit Goswami, un físico destacado que ha escrito mucho sobre el universo autoconsciente, afirma que la creatividad es tan sólo otra faceta de la transformación. "El universo siempre está vertiendo vino nuevo en los viejos odres, o vino nuevo en odres nuevos". Los mismos paquetes de energía, que contienen la misma información, son remezclados de manera interminable en el campo de punto cero. Goswami se refiere a la reencarnación en el mismo contexto. Las identidades pasan por el campo de la información, intercambian información con las nuevas identidades que tienen la apariencia de un nuevo "yo", pero en realidad son transmutaciones de "ceros" y "unos" indestructibles, reunidos en largas cadenas de ideas y experiencias.

En este momento tú eres un conjunto de información en cuerpo y mente. Posees recuerdos únicos; tus células han pasado por cambios químicos que nadie más comparte en el mundo. Cuando mueras, nada de esa información desaparecerá, porque no puede hacerlo. No hay un lugar al que el "más" y el "menos", lo positivo y lo negativo, puedan irse, toda vez que el campo no contiene *otra cosa* que información. Por lo tanto, la única alternativa es que vuelva a combinarse. ¿Cómo lo hace?

La respuesta radica en la raíz de la palabra información, que es "forma". Habitamos en un "universo in-formado", según Erwin Laszlo, donde las cadenas de átomos se forman a lo largo de la doble hélice del ADN, *bits* de información en forma física, de la misma manera en que se agrupa la información en la forma "no física" como ideas. Esto nos lleva un paso más cerca de la asombrosa noción de que la totalidad del universo se encuentra en la mente de Dios; es decir, en un campo dinámico de información infinita que atraviesa por transformaciones infinitas. Sin embargo, no podemos dar ese paso a menos que conozcamos cómo sobreviven las ideas pequeñas, y ya no digamos las ideas cósmicas.

Los *rishis* enseñaron que las ideas sobreviven en el campo de *Akasha* como recuerdos. Tú y yo en realidad tenemos acceso a la memoria de *Akasha* cuando pensamos que tenemos acceso a nuestros cerebros. En los círculos esotéricos, las funciones de la memoria de *Akasha* nos proporcionan información sobre espíritus de seres que han partido y sobre vidas pasadas. En la psicología de Jung, la misma memoria sirve para explicar el hecho de que diversas culturas compartan los mismos mitos y arquetipos. Venus y Marte eran seres invisibles y, sin embargo, estaban presentes y vivos. El *Akasha* recuerda cada dios creado por los humanos y cada batalla épica, cada romance y cada búsqueda. Nosotros acudimos a ellos todo el tiempo, conforme la historia humana continúa de una época a otra.

El cerebro tiene un centro de la memoria que es posible localizar, pero la mente no está confinada al cerebro. Considera una experiencia profundamente significativa en tu vida, como el primer beso o la última vez que viste a tu amado abuelo. Ese recuerdo es el vestigio de un acontecimiento que tuvo lugar en el tiempo y en el espacio. La experiencia puede ser activada en tu cerebro, lo que significa que millones de moléculas que podrían volar en todas direcciones por tus neuronas, *saben* que deben permanecer juntas para hacer que la memoria continúe, año tras año, sin desaparecer. ¿Cómo es posible que sepan esto, toda vez que las moléculas no son inteligentes? La base física de la memoria continúa siendo totalmente desconocida para los neurólogos, así que sólo podemos especular.

De alguna manera, tu primer beso tiene un "más allá". El más allá no es físico, porque no existe diferencia alguna entre el hidrógeno, el oxígeno, el nitrógeno y el carbono de una neurona y esos mismos elementos en un árbol, una hoja seca o el suelo en descomposición. Las neuronas no son inmortales. Las neuronas mueren, como lo hace el resto del cuerpo, y los átomos entran y salen de ellas a cada segundo. Entonces, ¿cómo es que un recuerdo es transferido a un nuevo átomo o a una nueva neurona, cuando ha llegado el momento de que la antigua neurona perezca? No hay un proceso físico identificado como el causante de esto, así que quizá la memoria realmente sobrevive en un nivel no físico. Los neurólogos defenderían hasta la muerte la idea opuesta, que la mente reside sólo en el cerebro, utilizando imágenes obtenidas de *scans* CAT y electroencefalogramas para demostrarlo. Sin embargo, esas imágenes son solamente mapas. Nos muestran el terreno del cerebro conforme es atravesado por una idea o una emoción; pero no demuestran que el cerebro *sea* la mente, de la misma forma que una huella en la arena no es un pie. Imagina que pudieras cartografiar cada vibración en las diminutas terminaciones nerviosas que cubren el oído interior. Tras elaborar ese mapa, encontraríamos que existe un patrón extremadamente complicado para cada palabra y oración que el oído percibe, pero ese patrón es sólo el mapa de una palabra, no el territorio mismo. Una frase poderosa como "te amo" es más que el mapa de sus vibraciones, toda vez que el mapa más perfecto no puede contener el poder del amor, su significado, su importancia y su propósito general.

La memoria parece ser un efecto del campo. Para que pienses en la palabra "rinoceronte" y puedas ver una imagen mental del animal, millones de células cerebrales tienen que actuar de manera simultánea. (Dejaremos de lado la pregunta, aún más difícil, de por qué escogerías la palabra "rinoceronte" de entre todas las palabras que hubieras podido seleccionar, dado que cualquier elección de una palabra tiene que estar basada en la razón, la emoción, el sinsentido o las asociaciones privadas en la memoria. Una computadora puede ser programada para seleccionar cualquier palabra, pero no tiene una razón especial para hacerlo, y tú sí.) Las neuronas que participan en la elección de la palabra "rinoceronte" no pasan por el alfabeto hasta llegar a la letra "R", no hacen sonar una sílaba a la vez, ni hojean un archivo fotográfico de animales para hacer que la palabra correcta corresponda con la imagen correcta. En vez de eso, la actividad cerebral correcta surge simultáneamente. El cerebro actúa como un campo, coordinando diferentes eventos al mismo tiempo, excepto que sabemos que el cerebro no es literalmente un campo, sino un objeto compuesto de sustancias químicas que aparentemente carecen de vida.

La aguja de una brújula se mueve porque responde al campo magnético de la Tierra. ¿Qué pasaría si lo mismo fuera verdadero en relación con la actividad cerebral? ¿Qué pasaría si el campo de la mente estuviera enviando señales, y miles de millones de células cerebrales configuraran patrones como una respuesta a lo que el campo está diciendo? Un equipo de científicos innovadores se ha propuesto estudiar precisamente esto. Henry Stapp, físico teórico de la Universidad de Berkeley; Jeffrey Schwartz, neuropsiquiatra de la Universidad de California en Los Ángeles, y Mario Beauregard, psicólogo de la Universidad de Montreal, han cruzado las fronteras de sus disciplinas para formular una teoría viable de la "mente cuántica" que pudiera revolucionar la forma en que el cerebro y la mente se relacionan entre sí. La idea central de esta teoría es la "neuroplasticidad", la noción de que las células cerebrales están abiertas al cambio, y responden de manera flexible a la voluntad y la intención.

Estos investigadores reconocen, para comenzar, que la explicación científica generalmente aceptada de que "la mente es lo que el cerebro hace" tiene muchas fallas, tal y como hemos visto. Por lo anterior, sugieren que la postura opuesta es verdadera. La mente controla al cerebro. En su opinión, la mente es como una nube de electrones que rodea el núcleo de un átomo. Hasta que aparezca el observador, los electrones no tienen identidad física en el mundo; sólo existe una nube amorfa. De la misma manera, imagina que existe una nube de posibilidades disponibles para el cerebro en cada momento (que consisten en palabras, recuerdos, ideas e imágenes de entre las cuales puede elegir). Cuando la mente da una señal, una de esas posibilidades se cristaliza en la nube y se convierte en un pensamiento en el cerebro, al igual que la onda de energía colapsa y forma un electrón. Así como el campo cuántico genera partículas reales a partir de partículas virtuales, la mente genera actividad cerebral real a partir de actividad virtual.

Lo que hace que este cambio sea importante es que se ajusta a los hechos. Los neurólogos han confirmado que una simple intención o en acto de voluntad altera al cerebro. Las víctimas de apoplejía, por ejemplo, pueden obligarse a sí mismas, con ayuda de un terapeuta, a utilizar sólo la mano derecha si la parálisis ha ocurrido en esa parte del cuerpo. Al proponerse día con día a favorecer el lado afectado, gradualmente pueden hacer que los sectores dañados del cerebro sanen. Los mismos resultados se han obtenido con la vejez. Las personas de edad avanzada que han comenzado a mostrar señales de demencia senil como la pérdida de la memoria, pueden disminuir el ritmo y hasta revertir sus síntomas al ejercitar su cerebro (incluso un fabricante de programas de computación sacó al mercado un "gimnasio cerebral", un programa que parece un juego de video pero que de hecho contiene ejercicios para fortalecer áreas específicas del cerebro). Los niños que nacen con parálisis cerebral recientemente han logrado usar los miembros paralizados mediante terapias similares en las que el brazo sin afectar, por ejemplo, ha sido inmovilizado, lo que obliga al niño a utilizar el brazo paralizado; con el tiempo el cerebro se ha sanado a sí mismo, mostrando su neuroplasticidad.

Anteponer la mente al cerebro puede tener muchas consecuencias trascendentales en las terapias de la medicina. Por ejemplo, los pacientes que sufren del padecimiento obsesivo-compulsivo son tratados rutinariamente mediante drogas psicotrópicas como el Prozac. Los síntomas mejoran, y es posible encontrar evidencia física de lo anterior mediante análisis del cerebro; las partes del cerebro que resultan afectadas por el padecimiento obsesivo-compulsivo comienzan a normalizarse gracias a la droga. Sin embargo, en ocasiones los pacientes obsesivos-compulsivos tratan de curarse por medio de terapia oral. Estos pacientes frecuentemente mejoran; sin embargo, sólo recientemente se comenzó a analizar sus cerebros mediante electroencefalogramas y *scans* PET, y los descubrimientos fueron sorprendentes: algunas de las regiones afectadas que se normalizaron con ayuda del Prozac, también mejoraron mediante la terapia oral (Jeffrey Schwartz es un experto en el tema del padecimiento obsesivo-compulsivo, y basó parcialmente la nueva teoría en dichos estudios).

En otras palabras, el proceso de reflexión y autoanálisis por medio de la terapia modificó las células cerebrales del paciente. Esto es exactamente lo que predecía la nueva teoría de la mente cuántica. Sin embargo, la respuesta siempre estuvo allí. La mente siempre ha sido capaz de modificar el cerebro. Si una persona pierde repentinamente a un ser amado o es despedida del trabajo, normalmente sobreviene una profunda depresión, causada por un incremento anormal en el cerebro de la sustancia llamada serotonina. Los antidepresivos han sido creados para corregir este desequilibrio físico. Sin embargo, cuando alguien pierde a un ser amado o es despedido de su empleo, ¿no es obvio que el desequilibrio químico es producto de las malas noticias? La reacción ante esas malas noticias es un acontecimiento mental. De hecho, el mundo entero en que habitamos, de palabras y pensamientos, crea infinitos cambios en nuestro cerebro a cada momento.

Si anteponemos la mente al cerebro, ¿qué pasaría si la mente nos perteneciera a todos? Yo puedo referirme a "mi cerebro" pero no puedo hablar de "mi campo cuántico". Existen cada vez más pruebas de que, en efecto, compartimos el mismo campo mental. Esta idea apoyaría la existencia de cielos e infiernos, del Bardo tibetano y la memoria *akashica*, y se extendería mucho más allá del cerebro. Para comenzar, necesitamos analizar la clase de ideas que la gente comparte colectivamente. El cerebro "me pertenece", pero las ideas "nos pertenecen", por lo que participamos juntos en el mismo campo, en ocasiones de manera muy misteriosa.

El cerebro más allá de las fronteras

El cerebro humano procesa sólo una fracción de la información que tiene a su disposición. De acuerdo con algunas estimaciones, el cerebro recibe seis mil millones de *bits* de información por segundo (bajo la forma de vibraciones de sonido, fotones, rayos equis y radiación gama, estática electromagnética y diversas señales químicas y eléctricas procedentes de nuestro ambiente inmediato), un torrente que se convierte en el goteo de la experiencia que realmente advertimos y ante la cual respondemos. Sin embargo, aquello que advertimos no es lo mismo que lo que sabemos. Por ejemplo, algunos de los llamados "sabios idiotas", con un coeficiente intelectual muy bajo, pueden calcular de manera instantánea largas series numéricas, decir el día de la semana que corresponde a cualquier fecha en el futuro, recordar cada detalle de su pasado o aprender idiomas difíciles con increíble facilidad. (Un "sabio idiota" dominaba el finlandés, el árabe y el chino mandarín a tierna edad, y sólo posteriormente las personas que cuidaban de él se dieron cuenta de que había aprendido esas lenguas por sí mismo, a pesar de haber leído los libros sosteniéndolos al revés.) Estos "sabios idiotas" a menudo carecen de la capacidad más elemen... en otras áreas. Un "sabio idiota" bien documentado es capaz de tocar música o pintar lienzos con extraordinaria facilidad, pero no sabe cuánto cambio le deben dar en una compra o atarse las agujetas de los zapatos sin ayuda.

Cuando repentinamente comenzaron a aparecer habilidades artísticas en un pequeño porcentaje de la gente normal que sufre de tumores cerebrales y otros padecimientos neurológicos, los investigadores estudiaron los cerebros de los "sabios idiotas" y descubrieron que ellos también mostraban anormalidades cerebrales, especialmente en el lóbulo temporal derecho. Hasta donde sé, actualmente la explicación sobre el síndrome del "sabio idiota" se centra en dichas anormalidades físicas. Por lo tanto, parece que cuando el sistema de filtración del cerebro resulta dañado, la realidad se expande en algunas áreas mientras que se contrae en otras. Toda clase de habilidades pudieran exceder el promedio de manera inexplicable. Joseph Chilton Pearce, especialista en desarrollo infantil, ha escrito sobre el síndrome del "sabio idiota" en su libro *The Biology of Trascendence*. El autor hace varias afirmaciones impresionantes. La primera es que la mayoría de los niños que padece este síndrome no actúa por cuenta propia, pero responde cuando se le pide que haga algo. La segunda es que no están particularmente interesados en el área en la cual poseen una habilidad extraordinaria. Si te sientas y le preguntas a un "sabio idiota" en qué día caerá el 12 de marzo del año 2163, será como si le hubieras preguntado a una máquina. El niño se retrae por unos segundos y luego dice la respuesta, pero es posible que tenga poco interés en la aritmética. Un "sabio idiota" capaz de responder a esa pregunta posiblemente sea incapaz de multiplicar 12 por 12.

Existe una buena razón por la que el cerebro normal filtra la información: se requiere de una experiencia más estrecha para formar un "yo", una persona separada con creencias, metas, recuerdos, gustos y preferencias limitadas. De manera deliberada rechazamos gran parte de la información, pero un cerebro dañado queda expuesto a todo debido a su incapacidad para seleccionar y filtrar. Pearce está particularmente interesado en averiguar la manera en que un "sabio idiota" podría dar un vistazo a un estacionamiento y decir la marca, el modelo y el año de cada uno de los automóviles que se encuentran en él, sin ser capaz de leer. ¿Cómo puede saber esto sin leer las revistas que presentan los modelos más recientes, incluyendo los automóviles europeos que no se han promocionado en Estados Unidos? Pareciera como si estos niños que son "sabios idiotas" tuvieran acceso al campo mental.

El genio constituye otra manera de acceder a ese campo más allá de las habilidades normales. Los prodigios musicales como Mozart pueden ver los pentagramas de toda una sinfonía en su mente. Un prodigio similar, actualmente inscrito en el programa Juilliard para compositores, desde su infancia temprana ha sido capaz de saltar en su mente entre cuatro canales de música; cuando se le pidió que compusiera una nueva sonata para violín, simplemente sintonizó el canal adecuado y tomó dictado. Un vínculo directo con el campo de información parece probable, y nos acercamos a la posibilidad de considerar que el cerebro es el receptor de la mente, y no su creador.

Lo anterior resulta importante para el más allá, porque después de morir no tenemos cerebro pero tenemos el deseo de conservar nuestra mente. Si los observadores védicos estaban en lo cierto, el cerebro humano nos conecta con la conciencia infinita. El hecho de que bloqueemos gran parte del campo de la mente no significa que debamos hacerlo. Los pueblos aborígenes no tienen acceso a las matemáticas elevadas, el razonamiento científico o las armonías musicales avanzadas, pero si un bebé es extraído de una tribu que vive en las selvas de Nueva Guinea y colocado en un ambiente de aprendizaje apropiado, su mente contiene el potencial para desarrollar todas esas habilidades. De hecho, tan sólo en la última década algunas tribus están saliendo de la selva de Nueva Guinea y para mudarse a las ciudades cercanas, y conforme lo hacen, efectúan la transición entre una cultura que no ha descubierto la metalurgia a otra en que pueden conducir un automóvil.

¿Por qué no tenemos nosotros mismos un acceso mayor a ese campo mental? De hecho, sí lo tenemos. El cerebro se adapta al campo de acuerdo con nuestra voluntad. Si te interesa aprender a leer ideogramas chinos, de los que hay miles, puedes dedicarte a hacerlo, y gradualmente el sistema de pincelazos de tinta carentes de significado se transformará en un área importante del conocimiento. Una vez que la dominas, la lengua china se vuelve parte de ti; se convierte en una "segunda naturaleza" y puedes utilizarla con propósitos creativos. En esencia, has tenido acceso al campo mental y has llevado a cabo tu propia evolución de acuerdo con tu voluntad. Has dado un salto casi tan significativo como cuando el hombre del Paleolítico descubrió que los sonidos vocales carentes de significado podían ser transformados en lenguaje oral.

La inteligencia y el significado no están solamente "aquí adentro", como creación subjetiva del cerebro, o "allá afuera", como un objeto con existencia por sí mismo. El proceso mediante el cual el cerebro crea el significado es también la manera en que crea el mundo y a sí mismo. En realidad, todos estos procesos pertenecen a un proceso, que el señor Krishna describió como "inclinarnos hacia nuestro interior y crear una y otra vez". El campo es creativo de manera innata. Formó el cerebro humano, que es tan receptivo, que fue capaz de dar el siguiente salto y aprender a crear nuevos pensamientos, habilidades y recuerdos por cuenta propia. Nuestros cerebros todavía están tratando de comprender la actividad total del cosmos, pero nosotros afirmamos: "Estoy pensando", cuando en realidad deberíamos decir: "El campo mental está pensando en mí".

Memes y *la conducta de las creencias*

Existe otra clase de filtro que limita la cantidad de cosas que podemos percibir del campo mental. Éste se relaciona con la creación de las creencias y su aceptación como algo real. Una creencia es una idea a la que nos aferramos. Por ejemplo, si crees que Dios es bueno, que las mujeres son misteriosas o que la vida es injusta, has tomado el resultado de muchas generaciones de experiencia compartida y lo has reducido a una conclusión. Esa conclusión puede estar en lo cierto o puede estar equivocada: eso no es lo importante en este momento. Las creencias nos mantienen unidos como sociedad. Dichas creencias compartidas nos proporcionan una pista de la manera en que la mente podría existir en el exterior del cuerpo.

Todos llevamos en nuestra mente una gran base de datos con información que consideramos fundamental. Ésta contiene todas las cosas importantes que creemos acerca del mundo. Se trata de nuestra visión del mundo. Dependemos de ella para sobrevivir, incluso por un periodo breve. Las creencias evolucionan a lo largo de los siglos y, por lo tanto, algunos investigadores las estudian como si fueran "genes virtuales" que se convierten en características fijas del cerebro. Estos genes mentales han sido denominados *memes* por el evolucionista británico Richard Dawkins, quien fundó un nuevo campo de estudio de la noche a la mañana, y que se ha desarrollado de manera considerable a partir de entonces.

Un *meme* es frecuentemente comparado con un virus que se transmite de persona a persona hasta que la sociedad entera está infectada. No sería benéfico para nuestra especie si fuera vulnerable de ser infectada por todo. Si realmente estuviéramos abiertos a todas las ideas nuevas, no seríamos capaces de mantener una visión coherente del mundo. Imagina cambiar tu punto de vista sobre el sexo opuesto, por ejemplo, cada vez que conoces a una persona nueva. Para poder evolucionar, los seres humanos tienen que asegurarse de que han aceptado solamente los *memes* buenos —es decir, las ideas que promueven una visión del mundo coherente y confiable— y rechazado los *memes* malos —es decir, las ideas que llevan a la mente en la dirección opuesta.

El hecho básico de que podamos dar seguimiento a la difusión de las creencias de la misma forma en que podemos dar seguimiento a la difusión de la fiebre aviaria, nos proporciona otra pista acerca de la naturaleza del campo mental; es dinámico, compartido, se encuentra en evolución y es poderoso. Es capaz de "infectarnos" con creencias buenas y malas sin que tengamos alguna experiencia relacionada. Por esa razón, las sociedades combaten y mueren en defensa de un Dios cuya existencia ha sido experimentada por unos cuantos seres. Nietzsche estaba anticipando la idea de los *memes* cuando afirmó que una idea equivocada "crece de generación en generación, simplemente porque la gente cree en ella, hasta que gradualmente se convierte en una parte del objeto y en su cuerpo mismo. Lo que al principio fue apariencia se convierte al final, casi invariablemente, en la esencia, y como tal resulta efectiva".

Crear una visión del mundo

Los *rishis* védicos decían que cualquier cosa que experimentemos en el campo de *Akasha* ha sido creada anteriormente por nuestra propia conciencia. Los *memes* constituyen una prueba de lo anterior, como medios para crear una visión del mundo en que posteriormente creemos. Es posible que no haya muchos incentivos para adaptar las nuevas ideas por cuenta propia, pero cuando dos visiones del mundo entran en conflicto, como la cultura occidental ha entrado en conflicto con el Islam radical, es imposible escapar a la presión por afianzar una visión del mundo o la otra. Se dice que nuestra supervivencia misma depende de ello. (Esto me recuerda una entrevista en la cadena de televisión CNN con un activista cristiano de extrema derecha de Indiana, quien afirmó: "En tanto los liberales y los ateos nos desprecien, nunca nos marcharemos".)

Dos personas con diferentes visiones del mundo pueden ver el mismo hecho y proporcionar interpretaciones totalmente diferentes de él, porque ningún hecho o acontecimiento es percibido por sí mismo. Al caminar por la calle, puedo cruzarme con una mujer que tiene los labios pintados de color rojo brillante, con un ligero olor al vino que consumió al almorzar en un restaurante y que lleva la cabeza descubierta. En mi visión del mundo, ninguno de esos hechos desencadena una emoción o un juicio en particular, de manera que es natural que apenas me dé cuenta de esas características. Por lo tanto, podrías dar por sentado que nada ha ocurrido en mi cerebro. Sin embargo, como señala la teoría de los *memes*, de manera tácita han ocurrido muchas cosas. La imagen de esa mujer ha entrado en mi cerebro como información sin procesar por medio del nervio óptico, pero yo no pude realmente "verla" hasta que esa información fue procesada por mi visión del mundo. Imagina una serie de filtros etiquetados como "memoria", "creencias", "asociaciones" y "juicios". Cada filtro modifica la información sin procesar de una manera invisible e instantánea.

Supongamos que una persona con una visión del mundo diferente que la mía se cruce con la misma mujer; "vería" a la mujer a través de sus filtros. Si se trata de un musulmán fundamentalista, de alguien de la época victoriana o de un monje medieval, todas esas características inocuas que entraron en mi cerebro —la pintura de labios, el olor a alcohol, la carencia de un sombrero— podrían desencadenar una reacción violenta en su cerebro y generar un estrés considerable.

Una visión del mundo proporciona características fijas para la conducta lo que, desafortunadamente, resulta peligroso la mayor parte del tiempo. Características como el racismo y la belicosidad persisten como reflejos automáticos. Desde el punto de vista anatómico, el sistema nervioso humano se divide en dos partes: el somático y el autónomo. Toda la información del cuerpo de la que estás consciente proviene del sistema nervioso somático; toda la información de la que no estás consciente proviene del sistema nervioso autónomo. Cuando no puedes sacarte una melodía "pegajosa" de la cabeza —un ejemplo clásico de la conducta de *meme*—, estás totalmente consciente de la melodía, pero inconsciente del por qué no puedes deshacerte de ella.

Esto es precisamente lo que quiere decir el *Bhagavad Gita* cuando se refiere al efecto aglutinador del *karma*. Es posible que estés totalmente consciente de que tienes cierta característica, como la de ser irritante, irritable, fácil de halagar o presuntuoso, pero no puedes decir la razón por la que no puedes modificar esa característica, sin importar cuánto te disguste.

Las visiones del mundo se componen de símbolos que satisfacen una necesidad. Consideremos cualquier objeto encantador del ambiente; digamos, por ejemplo, la finada princesa Diana de Inglaterra. Para que su imagen permanezca en tu mente y se mantenga allí más de unos cuantos momentos, se requiere que ella tenga un significado para ti; es decir, ella es un signo que representa algo que tú reconoces, y yo agregaría que representa algo que valoras o deseas. A escala global, la princesa Diana simbolizaba la belleza, la inocencia, la vulnerabilidad, la maternidad, el prestigio, la sexualidad y otras cosas. Como en los mejores *memes*, su lado negativo también era muy simbólico. En diversas etapas ella representó la discapacidad, la enfermedad, la carga social, la adicción, la ingenuidad, el capricho, la infidelidad y el masoquismo.

Sin importar el nombre que les demos, los *memes* constituyen la manera en que le damos significado a la experiencia. Los *memes* atribuyen el significado a los elementos que componen la realidad. En nuestro carácter de creadores de la realidad, utilizamos esos elementos simbólicos como nuestra materia prima. Considero que todo este campo de la teoría de los *memes* es emocionante porque entre los científicos intolerantes a la noción de la conciencia inherente, la noción paralela de los *memes* está ganando una credibilidad considerable. La diferencia está siendo superada.

Los *rishis* védicos tenían su propio modelo para explicar lo que ocurre en el campo mental. Las formas de pensamiento que nos atrapan son *samskaras*, impresiones que han quedado en nuestro sistema nervioso como resultado de una experiencia pasada. Un niño pequeño, asustado porque su madre lo extravió en una tienda departamental, puede llevar consigo esa impresión, o *samskara*, por el resto de su vida. Dichas impresiones no tienen que ser negativas; el primer beso puede formar, y frecuentemente lo hace, una *samskara* perdurable. El concepto de *samskara* va más allá de los *memes* porque se aplica a toda experiencia mental. Ya sea que se refieran a las sensaciones, deseos o ideas, las impresiones pueden hundirse profundamente en el campo del alma. Constituyen las cualidades del "yo" que nos proporciona a cada uno la identidad que reconocemos como "yo".

Las *samskaras* pueden ser destruidas o modificadas con sólo afectar el nivel correcto de la mente. Un cambio en el nivel más sutil es el más poderoso. J. Krishnamurti lo dijo hermosamente cuando afirmó que "la forma más alta de inteligencia humana consiste en observarte a ti mismo sin formular juicios"; es decir, si puedes aislarte de la manera en que se comportan tus creencias, de la forma en que te afectan diversos impulsos de deseo y rechazo, de cómo la "conciencia almacenada" de la memoria te hace ver al mundo, puedes ser testigo del campo mismo. Esta es la verdadera iluminación. En muchas tradiciones espirituales, como el budismo, la clave consiste en la quietud al separarnos del diálogo interno cuyo torrente de ideas e impulsos proviene del pasado. El ser testigos nos permite ver y comprender con una inteligencia holística, carente de una orientación relacionada con los conceptos de "ganar" o "perder". Esto nos da la oportunidad de experimentar el campo mental, o lo que popularmente llamamos "tener una mente abierta".

¿Podemos abrir la mente?

En última instancia, la muerte nos llevará al campo mental, donde experimentaremos directamente. Sin embargo, nuestras creencias, al ser conciencia almacenada, nos seguirán. El tema de la mente abierta depende de manera directa de qué tanto equipaje tengamos que llevar. Este tema me recuerda una pregunta formulada por Krishnamurti. Cuando alguien comentó que era bueno tener una mente abierta, él preguntó: "¿Existe tal cosa, una mente abierta?". Esta era una respuesta típicamente ambigua, pero si la mente está atrapada, ya sea por los *memes* o por las *samskaras*, no puede estar abierta debido a las creencias heredadas, las opiniones, los juicios y otros "virus" mentales. O bien, ¿existe alguna otra clase de experiencia nueva que esté en su totalidad más allá del ámbito de las creencias enraizadas y las impresiones del *karma*?

La más profunda de las contradicciones consiste en decir que para alcanzar la iluminación, que está libre de las impresiones pasadas, no tienes otra opción que utilizar tu cerebro, y el cerebro está incapacitado por su costumbre de filtrar, escoger, preferir, rechazar, etcétera. Krishnamurti expresó esta idea con elegancia cuando preguntó: "¿Puede una mente fragmentada experimentar alguna vez la totalidad?". La respuesta es que no puede hacerlo, pero todo aquello que tenemos a nuestra disposición es precisamente una mente fragmentada. Una mente compuesta de *memes* y *samskaras*. El hecho de afirmar que tienes una mente abierta mientras que la mente de alguien más está cerrada, o declarar que experimentas la realidad en vez de la ilusión, parecería ser una declaración razonable, pero en los términos de Krishnamurti —que corresponden al *Vedanta*— es imposible hacer algo como "tratar de ser más abierto" o "tratar de ser más real". Simplemente estás luchando con tu propio "yo" dividido.

¿Cuál es la solución a esta paradoja? Existe una forma de abordar el tema espinoso de abrir la mente.

1. Debes saber que vas a identificarte con tu visión del mundo en cada etapa de crecimiento personal.

2. Acepta que esa identificación es temporal. Nunca serás verdaderamente tú hasta que alcances la unidad.

3. Debes estar dispuesto a modificar tu identidad cada día. Adopta una actitud flexible. No defiendas un "yo" que sabes que es temporal.

4. Permite que tu capacidad para observar en silencio sin juzgar, reemplace las ideas enraizadas a las que acudes automáticamente.

5. Cuando tengas el impulso de luchar por algo, utilízalo como señal inmediata para desprenderte de ello. Abre un espacio para que una nueva respuesta se desarrolle por sí misma.

6. Cuando no puedas desprenderte de algo, perdónate a ti mismo y sigue adelante.

7. Aprovecha cada oportunidad para recordar que todos los puntos de vista son válidos, todas las experiencias valiosas y todos los descubrimientos un momento de libertad.

Estos pasos sirven para cultivar una mente abierta al exponerte al campo de la mente misma, y ser testigo sin juzgar. Te orientarán hacia la posibilidad de redefinirte constantemente. En otras palabras, otorga tu lealtad a la transformación y no a la defensa del *statu quo*. Ahora estás listo para desarmar tu visión del mundo. Estás listo para dejar de tener una participación en el mundo limitada a los estrechos confines del "yo" y lo "mío". La visión del mundo "en defensa de tu ego" que deseas desarmar se compone de tres capas:

1. Energía.
2. Creencias.
3. Estructura.

Estas tres capas se aplican tanto al todo como a cada una de sus partes. Se encuentran entrelazadas de manera irreversible porque el campo mismo las contiene todas. Esto significa que un árbol o una nube no son otra cosa que energía, información y estructura. Tu personalidad está compuesta de los mismos tres elementos, y también lo está cada experiencia de tu visión del mundo.

Energía. Cuando una experiencia queda fija en tu cabeza, te estás aferrando a su energía. Cada experiencia tiene su propio patrón de energía, que se refleja en el cerebro como memoria, emoción, sensación, etcétera. Cuando decides recordar algo de tu niñez, ¿qué te viene a la mente? Imágenes, nombres y rostros, todo tipo de emociones, detalles físicos, asociaciones y sensaciones diversas. Todo ello existe en el nivel de la energía. Si careciera del campo electromagnético que vibra de una manera determinada, las experiencias específicas no podrían existir.

Es posible eliminar esta energía fija de muchas maneras: por medio de sueños, análisis, imaginación, desahogo emocional, recuerdo profundo, confesión, plegaria, armonización, meditación, amor, etcétera.

Creencias. Las creencias nos llevan a un nivel sutil de la mente. Permiten que una experiencia ingrese pero le impiden la entrada a otra. Son como jueces que deciden si una experiencia es positiva o negativa, correcta o equivocada, deseable o indeseable. El universo se encuentra en una danza continua con tus creencias. Aquello en lo que crees se refuerza por aquello que experimentas, pero tu experiencia también modifica lo que crees. Cualquiera que se haya enfrentado a la pregunta "¿Me ama?" sabe lo que se siente considerar los pequeños detalles, como una mirada, una palabra casual o una llamada telefónica, para confirmar o destruir la convicción de ser amado.

Nos desprendemos de nuestras creencias cuando estamos conscientes de que es difícil lograrlo. Las creencias no son estáticas y se reflejan en la conducta. Así que cuando analizas tu propia conducta estás observando el resultado de tus creencias. Si una persona de raza negra, pobre y desamparada te pide limosna por la noche y tú no respondes y te alejas, puedes considerar todas las creencias que participaron en la acción: "Los negros son peligrosos, la noche es temible, no es posible confiar en los extraños, cualquier respuesta me dejará atrapado en la conversación, los pobres son perezosos, locos o débiles; asociarme con ellos significa que me convertiré en uno de ellos algún día". Cuando dejas de defender la conducta de tus creencias, es más fácil despojarte de ellas. Así, vuelves a obtener la libertad para pensar y creer de una nueva manera.

Estructura. La estructura es la base de la personalidad. Incluye tu visión de la vida, tu propósito para estar aquí, tus metas más profundas, tu visión de la existencia física y tu actitud con respecto al dolor y el placer. Esas cosas profundas son pasadas por alto porque la gente está muy abrumada —y muy convencida— de sus creencias y sus energías. Sólo después de que comiences a despojarte de la energía de tus creencias puedes considerar el porqué en el fondo de tu participación en *Maya*, o la apariencia externa. ¿Por qué estás vivo? ¿Cuál es el propósito fundamental? ¿A qué valores superiores has ofrecido tu lealtad? Estas son preguntas estructurales, y en el momento en que las veas con claridad, te darán sus propias respuestas.

No es posible deshacerte de la estructura de la misma forma en que te deshaces de la energía, y no puede ser desafiada igual que las creencias. La estructura es tu vehículo para esta vida. Es el barco que utilizas para navegar por el océano del espacio y el tiempo. Sin él no tendrías identidad alguna; serías una nube de energía carente de centro. Todo lo que puedes hacer con tu estructura es ser su "testigo". En el momento en que te conviertes en su testigo, puedes reducir el "yo" a sus principios. En otras palabras, te encuentras en el umbral en que la persona está con el alma. Ese es un momento de reconocimiento extraordinariamente liberador.

Cuando construyes una nueva estructura en tu mente —por ejemplo, al decidir que verás tu vida en términos espirituales, que aprenderás habilidades paternales después del nacimiento de un bebé o que reemplazarás la perspectiva de víctima con la de tener el control de tu vida— eliges evolucionar. Estás aprovechando la ventaja de ciertas cualidades sutiles que corresponden a las estructuras mentales, tal y como fueron reveladas por los *rishis*:

❦ Las estructuras de la mente organizan la energía con el fin de que sirva al propósito más elevado.

❦ Las estructuras hacen interactuar esta vida con la experiencia universal.

❦ Las estructuras te permiten acceder al "ser" más elevado y sus transmisiones.

❦ Las estructuras te dejan expuesto a la fuerza de la evolución.

En la medida en que trabajas en los tres niveles de energía, creencias y estructura, te conectas contigo mismo en el campo directa y conscientemente, y esa es la manera en que puedes lograr una mente abierta. ¿Cómo puedes confirmar que tu trabajo ha rendido frutos y que has obtenido una mente abierta? Al conocerte a ti mismo como una totalidad, de una vez por todas.

15

El mecanismo de la creación

✍️

Sin importar qué tanto tratemos de explicarlo, lo que ocurre cuando morimos sigue siendo un milagro. Nos trasladamos de un mundo al otro, nos despojamos de nuestra antigua identidad y experimentamos el "yo soy", la identidad del alma, e integramos los ingredientes de una vida totalmente única en nuestro próximo cuerpo. La ciencia apoya la idea de que el campo es capaz de concebir saltos creativos y una transformación infinita. Si un átomo de oxígeno pudiera contarnos su historia, nos diría que siente como si un milagro ocurriera en el momento en que se une al hidrógeno para formar agua. Su antigua identidad era gaseosa, y su nueva identidad es líquida. Su mundo anterior se encontraba en la atmósfera, su mundo nuevo en los océanos, los ríos y las nubes. ¿Y qué ocurriría si esa molécula de agua pasa a formar parte del cerebro humano? ¿Ocurriría quizá que el oxígeno experimentaría repentinamente la sensación de estar consciente?

Esta pregunta constituye el salto final y más misterioso que debemos explicar. El oxígeno, como cualquier otro átomo en el cerebro, participa de la conciencia conforme pasa por cada neurona. Sin embargo, decir que el oxígeno mismo está consciente es ir demasiado lejos. ¿De qué manera se cuela la conciencia entre los átomos de oxígeno y la corteza cerebral? La respuesta es crucial para determinar si la conciencia sobrevive o no a la muerte. Como he dicho anteriormente, la respuesta no reside en el cerebro. El cerebro es un objeto inerte constituido de elementos de química orgánica. Esos elementos químicos pueden ser descompuestos en moléculas y átomos básicos. Los átomos pueden ser descompuestos en partículas subatómicas, que a su vez pueden ser descompuestas en ondas de energía cuya fuente se encuentra en un campo invisible.

Al dar esos pasos, uno a la vez, *nos alejamos más* de la conciencia en vez de acercarnos. El cerebro está consciente, pero no podemos decir que las ondas de energía lo están, a pesar de que, en última instancia, el cerebro no es otra cosa que energía. Para resolver este enigma, los materialistas aseguran que la conciencia no tiene realidad en sí misma, que es sólo un truco del cerebro. ¿Significa eso que, de ser capaces de descargar la memoria completa de una persona en una súper computadora, podríamos lograr la vida después de la muerte? ¿Podría el ser vivo seguir sintiéndose intacto y experimentar el mundo de la misma forma pero desde el interior de una máquina?

Este es el ejemplo perfecto de cómo podemos convertirnos en víctimas de nuestras explicaciones. No es posible encontrar la conciencia en la información. El hecho de que mil millones de "ceros" y "unos" sean descargados en una computadora no le otorga conciencia, a menos que cada "cero" y cada "uno" sea consciente de antemano, lo que llevaría a la absurda conclusión de que los números impresos en un libro de texto de aritmética están pensando por sí mismos. No podrías explicar la conciencia en ningún nivel de la naturaleza sin encontrar esa misma contradicción. ¿Debemos, en consecuencia, renunciar a las explicaciones científicas? ¿O acaso la ciencia está lista para adoptar opiniones que la obligarán a explicar la naturaleza de manera diferente?

Saltos creativos

Una propiedad que valoramos en nosotros mismos es la capacidad para crear algo nuevo, y la desarrollamos en forma honesta. La aparición de la vida en la Tierra dependió de la repentina habilidad de una molécula, el ADN, para reproducirse a sí misma. Ninguna molécula había hecho eso anteriormente. Podemos explicar la evolución del universo en su totalidad con base en esos "saltos creativos" o "propiedades emergentes". Antes de que el oxígeno y el hidrógeno descubrieran que podían formar agua, el cosmos tuvo que crear los átomos, que no se encontraban presentes al momento del Big Bang, y los átomos tuvieron que convertirse en gases, sólidos, metales, moléculas orgánicas, etcétera. Ninguno de esos acontecimientos fueron combinaciones sencillas, similares a verter azúcar en el agua. Es posible que el azúcar desaparezca, pero si evaporas el agua descubrirás que el azúcar se conservó intacta. No existe ninguna propiedad nueva en el agua azucarada que no estuviera presente en sus dos componentes cuando estaban separados.

Una propiedad emergente, por otra parte, es un salto creativo que produce algo de la nada. En términos espirituales, el ciclo de nacimiento y renacimiento es un taller para los saltos creativos del alma. Lo natural y lo sobrenatural no están haciendo cosas dife-

332 · DEEPAK CHOPRA

rentes, sino que se encuentran involucrados en la transformación en niveles separados. En el momento de la muerte, los ingredientes de tu cuerpo viejo y de tu antigua identidad desaparecen. Tu ADN y todo lo que ha creado se descompone en sus elementos originales. Tus recuerdos se disuelven y se convierten en información básica. Nada de ese material básico vuelve a combinarse simplemente para producir una persona un poco diferente. Para producir un nuevo cuerpo capaz de crear nuevos recuerdos, la persona que surge debe ser nueva. Tú no adquieres un alma nueva, porque el alma no tiene contenido. No se trata de "ti", sino del centro alrededor del cual "tú" te desarrollas una y otra vez. Es tu "punto cero".

Recientemente me recordaron qué tan inevitable es esa transformación. Conocí a una pareja en Italia que sufrió una terrible tragedia familiar hace dos años cuando su hijo adolescente, Enrico, se suicidó. El muchacho se había emborrachado con unos amigos, y uno de ellos comenzó a jugar con la pistola de su padre. La pistola se disparó y Enrico murió. Su familia quedó devastada, más aún cuando se dijo, aunque nunca fue demostrado, que su hijo se había pegado un tiro mientras jugaba a la ruleta rusa.

Una semana después de la muerte de Enrico, su madre entró a su habitación. Tuvo el impulso de rezar por su hijo, y cuando se arrodilló junto a la cama escuchó un ruido. Un juguete de control remoto de Enrico había caído de una repisa, sin razón aparente. El juguete comenzó a rodar por el piso y la madre retiró las baterías. Aun así, el juguete siguió funcionando. Este extraño fenómeno continuó durante tres días, según me dijo la madre. Fue presenciado por toda la familia, y la hermana mayor de Enrico, que era muy cercana a él, insistió en que su hermano estaba operando el juguete. La hermana le formuló preguntas, como uno haría a la *ouija*, y pidió que el carrito avanzara hacia la izquierda o hacia la derecha para señalar "sí" o "no".

Meses después, el padre de Enrico estaba de viaje en la India y fue a visitar a un *jyotishi*, o astrólogo. Algunos *jyotishis* no elaboran tu carta astral, sino que consultan cartas ya escritas, muchas de las cuales se remontan a varios siglos, y que corresponden a la persona que acude a la lectura. (Esa decisión se toma de acuerdo con el momento en que aparece la persona y al relacionar su información con las cartas que el astrólogo tiene a la mano.) Eso ocurrió con mi amigo, a quien se le dijo la siguiente historia: en una vida previa él había vivido en la costa oeste de la India, había estado desesperado por tener un hijo, pero desafortunadamente su esposa era estéril. La pareja adoptó a un bebito, y repentinamente ella quedó encinta y tuvo un hijo propio.

Después del nacimiento del hijo biológico, el padre comenzó a ignorar al hijo adoptado y a golpearlo. Atormentado, el hijo se suicidó exactamente a la misma edad que Enrico. El astrólogo le dijo a mi amigo que existía una conexión entre ambos casos. El hijo anterior volvió a nacer como Enrico, y cometió suicidio nuevamente para demostrarle a su padre lo que se siente perder a un hijo real. Naturalmente, mi amigo quedó muy impactado al escuchar lo anterior. Pero cuando me conoció algunos meses después, me dijo que el resultado final fue una sensación de paz. Él había aceptado la trágica muerte de Enrico y había comprendido el *karma* que se encontraba detrás.

No tengo idea cuántos lectores se burlarán de esta historia y cuántos la considerarán difícil pero posiblemente verdadera. En lo personal, considero que dice mucho acerca de la forma misteriosa en que la vida y la muerte están entretejidas. Se trata de dos aspectos

distintos del mismo acto creativo. Nuestros cerebros están progra-
mados para operar en el tiempo y el espacio. No somos testigos de
los mecanismos de la creación más allá de ese marco. Sin embargo,
la vida que experimentas ahora, la que la precedió y la que segui-
rá, no aparecen de la nada. Aparecen a través de una conciencia
continua que se encuentra en evolución: tu verdadero ser. Existe
una separación entre esas vidas que no podemos observar y, sin
embargo, tu alma te sigue conforme entras a esa franja de separación y sales de ella. La conciencia no deja de seguirse a sí misma;
el "punto cero" del alma es tan capaz de relacionar eventos a través
del tiempo y el espacio como lo es el campo de punto cero.

En esa historia el padre y el hijo continuaron vinculados a través
de la separación entre el nacimiento y la muerte. Se reconocieron
mutuamente de forma inconsciente, conservaron un propósito común y desarrollaron su *karma* juntos; todo ello desafió a la muerte.
Al mismo tiempo sus cuerpos físicos, sus recuerdos privados y su
sentido de identidad eran transitorios; no sobrevivieron a la muerte.
La naturaleza está compuesta por las mismas relaciones comple-
jas. Los átomos de oxígeno que están atrapados en una molécula
de agua o en tu cerebro son ellos mismos, pero han aprendido a
relacionarse de una manera totalmente nueva, por lo que parece
como si cada átomo individual hubiera desaparecido; es decir,
muerto. No puedo hacer suficiente énfasis en que la ciencia no
puede explicar el concepto de "mojado" a partir del concepto de
"seco", y no puede explicar el surgimiento de la conciencia en el
cerebro. Los verdaderos saltos creativos son siempre inexplicables
y, por lo tanto, milagrosos.

La fuente de todo

Lo que la ciencia debe hacer es colocar el milagro bajo el microscopio para acercarse al sitio donde se da la creación. Existen ligeros vestigios físicos que pueden ser seguidos hasta un nivel muy sutil. Desde hace mucho se sabe que el cerebro, al igual que el cuerpo entero, está rodeado de un campo electromagnético muy débil. Con ayuda de la emulsión fotográfica adecuada este campo puede brillar; es posible medir la minúscula carga eléctrica que se desprende de las neuronas. Si estar consciente crea un campo de energía, ¿puede éste desplegar la conciencia? Podrías pensar que, dado que el cerebro depende de señales eléctricas, lo afectaría la turbia mezcolanza de señales de radio, televisión, microondas y muchas otras emisiones electromagnéticas que nos rodean. Aparentemente esto no es verdad. Los investigadores de la parapsicología han logrado aislar sujetos con habilidades psíquicas en las "jaulas de Faraday", que pueden bloquear toda energía electromagnética sin alterar su capacidad para ver a la distancia o mostrar otros fenómenos psíquicos. El caso de "visión remota" es especialmente desconcertante porque se han realizado diversas investigaciones muy convincentes al respecto.

Se han llevado a cabo muchos experimentos relacionados con la visión remota, llamada comúnmente clarividencia, pero uno de los más notables tuvo lugar en la Universidad de Stanford, donde los científicos construyeron una máquina que llamaron SQUID (por sus siglas en inglés), o aparato de interferencia y superconducción cuántica. Para nosotros es suficiente saber que este aparato, que mide la actividad de las partículas subatómicas, específicamente de los *quarks*, está completamente aislado de todas las fuerzas magnéticas del exterior. La coraza comienza con diversas capas de cobre y aluminio, pero para asegurar que ninguna fuerza externa puede afectar el mecanismo, diversas capas de metales exóticos rodean el núcleo.

En 1972 se instaló una máquina SQUID en el sótano de un laboratorio de la Universidad de Stanford, que aparentemente no hacía otra cosa que trazar una línea en forma de "s", con crestas y valles, en un rollo de papel para gráficas. La curva representaba el campo magnético constante de la Tierra; si un *quark* pasaba por el campo, la máquina lo registraría al cambiar el patrón que dibujaba. Un joven físico especialista en láser llamado Hal Puthoff (quien después se convirtió en un destacado teórico cuántico) decidió que, además de su función principal, la máquina SQUID serviría perfectamente para poner a prueba los poderes psíquicos. Muy pocas personas, incluyendo los científicos de la Universidad de Stanford, conocían el funcionamiento interior de la máquina.

Puthoff escribió una carta en busca de un psíquico que aceptara el desafío, y obtuvo una respuesta de Ingo Swann, un artista de Nueva York que poseía habilidades psíquicas. Swann fue llevado en avión a California sin que le dijeran de antemano acerca de la prueba o de la máquina SQUID. Al verla pareció desanimarse. Sin embargo, aceptó "mirar" el interior de la máquina, y cuando lo hizo la curva en forma de "s" en el papel cambió su patrón —algo que casi nunca hacía— tan sólo para volver a su funcionamiento normal cuando Swann dejó de prestarle atención.

Asombrado, Puthoff le pidió que repitiera lo que había hecho, así que por 45 segundos Swann se concentró nuevamente para ver el interior de la máquina, y exactamente por ese mismo intervalo el mecanismo de grabación dibujó un nuevo patrón, una larga línea recta en el papel, en vez de crestas y valles. Swann dibujó a continuación un boceto de lo que le pareció que era el funcionamiento interno de la máquina SQUID, y cuando ese boceto fue revisado por un experto, coincidió perfectamente con el verdadero mecanismo. Swann no estaba seguro de cómo había modificado la señal magnética que la máquina medía. Resultó que si tan sólo pensaba en la máquina SQUID, sin tratar de cambiarla en absoluto, el mecanismo de grabación mostraba alteraciones en el campo magnético circundante.

Las personas escépticas con respecto a las habilidades psíquicas ignoran incontables estudios que demuestran que el pensamiento ordinario puede afectar el mundo. Esto es particularmente importante si la mente es un campo. Una vez participé en un experimento controlado en que un sujeto sentado en una habitación aislada (el emisor) miraba una imagen, mientras que yo (el receptor) apretaba un botón cada vez que sentía que esto ocurría. Mi precisión, como la de la mayoría de la gente, estuvo muy por encima del promedio. (El biólogo británico Rupert Sheldrake, quien más que ningún otro ha tratado de explicar la forma en que la mente se extiende más allá del cuerpo, ha realizado experimentos similares. Por ejemplo, ha sometido a prueba si realmente podemos sentir cuando alguien nos mira por detrás. Estos experimentos también han arrojado resultados superiores a lo que cabría esperar si se tratara del azar.)

En una larga serie de experimentos en la década de los sesenta, un experto del FBI llamado Cleve Backster conectó polígrafos a plantas, tomando en cuenta que los detectores de mentiras funcionan al medir los cambios en la humedad de la superficie de la piel. En sus propias palabras, he aquí lo que ocurrió:

Entonces, a los trece minutos y cincuenta y cinco segundos, tiempo de la gráfica, me vino a la mente una imagen en que yo quemaba la hoja que estaba sometiendo a prueba. No dije que lo haría, ni toqué la planta o el equipo. El único factor nuevo que pudo haber servido como estímulo a la planta fue la imagen mental. Sin embargo, la planta enloqueció. La aguja saltó más allá del margen superior de la gráfica.

Esa primera observación asombrosa de febrero de 1966 condujo a una serie de experimentos de seguimiento, en que Backster midió la respuesta al humo de cigarrillo, los pensamientos negativos y las emociones fuertes. Resultó que las plantas domésticas registran cómo se sienten las personas que las rodean. Quizá el descubrimiento más notable fue que si Backster conectaba dos plantas y lastimaba una de ellas en una habitación distinta, la otra planta registraba la misma perturbación en la actividad eléctrica, como si hubiera sido lastimada. La aguja del polígrafo saltó a pesar de que las dos plantas no tenían conexión física, y continuó saltando incluso cuando las plantas estaban separadas por una distancia mayor. Uno no puede menos que recordar los diversos estudios en que gemelos idénticos sienten lo que le ocurre al otro a la distancia, hasta el punto de que un gemelo supo del momento en que su hermano fue electrocutado al subir a un poste de teléfono, y rindió testimonio de haber sentido el mismo dolor. ¿Se encuentran los gemelos humanos conectados por el mismo carácter complementario que vincula a los electrones en el espacio sideral?

La afirmación de que la conciencia es un campo tan sólo crea el contorno de la prueba. Nadie ha relatado lo que ocurre en la separación, y sin ese testimonio la conciencia continúa siendo totalmente misteriosa; de hecho, los campos también. La separación es el espacio vacío entre eventos; no contiene nada, salvo a sí misma y, sin embargo, todo parece salir de ella. Al observar el ADN, los teóricos de la genética dicen que la vida proviene, no de los trocitos de aminoácidos que se encuentran en la doble hélice, sino del espacio que existe entre ellos. Aún no se comprende la naturaleza de estos espacios, pero desempeñan un papel misterioso en la secuencia de los genes. En términos físicos, la diferencia entre el ADN de los gorilas y el de los humanos es menor a uno por ciento; las separaciones entre la materia visible crean un abismo insondable entre gorilas y humanos. En la separación, la fuente de la conciencia debe ser revelada.

Sat Chit Ananda

Los *rishis* védicos dieron seguimiento a la mente en la separación y declararon que tres cualidades primarias eran la base de la existencia: *Sat Chit Ananda*. Esas palabras generalmente se traducen en una sola frase, "eterna conciencia dichosa", o de manera independiente como *Sat* (existencia, verdad, realidad), *Chit* (mente, conciencia) y *Ananda* (dicha). Sin embargo, esas definiciones no son de gran provecho para nosotros, ya que parten de la idea de que comprendemos lo que queremos decir en español por "realidad", "verdad", "dicha" y "existencia". El significado de esas palabras es diferente para cada uno. Si dices: "Fue dichoso viajar a Aruba en Navidad, cambió totalmente mi realidad", tus palabras tienen un significado en la vida cotidiana, pero no describen el *Sat Chit Ananda*.

Si desentrañamos lo que los *rishis* querían decir, vemos que se referían a una experiencia que puede ser resumida como sigue: cada pensamiento que tengas, así como cada objeto que ves en el mundo, es una vibración en el universo (la palabra sánscrita es *shubda*). La *shubda* crea la luz, el sonido, el tacto, el gusto y cualquier otra cualidad. En los sueños tú también puedes ver, escuchar, tocar, gustar y oler, pero esas vibraciones son más sutiles. No se sienten de la misma forma que en la realidad concreta. Cuando vas más allá de las cualidades sutiles de la mente, la *shubda* se vuelve tan tenue que la mente pierde toda experiencia de una realidad exterior, e incluso de las sombras del recuerdo. Eventualmente se experimenta sólo a sí misma y no hay vibraciones en absoluto. Te encuentras en la fuente.

El umbral de la fuente es el silencio. Sin embargo, primero debes traspasar el umbral y entrar en la habitación donde nace la realidad. Ahí encontrarás la materia prima, que tiene tres vertientes: la creación surge de la existencia *(Sat)*, de la conciencia *(Chit)* y del potencial de que las vibraciones surjan *(Ananda)*. Estas tres son las cosas más reales en el universo porque todo lo demás que consideramos real se deriva de ellas.

Es esta experiencia en la fuente, un estado que comienza más allá del silencio, que los *rishis* védicos consideraron como el campo de todos los campos; lo que los físicos llamarían el estado original o estado en el vacío. Al estar preñado de todo posible destello en el universo, el estado del vacío no constituye aún el *Sat Chit Ananda*. No tiene mente ni dicha. No puede ser percibido de manera subjetiva. Al dejar fuera esos factores, la física excluye al científico físico, quien pretende que no forma parte de ese campo. John Wheeler, un destacado físico de la Universidad de Princeton, señaló ese error hace décadas: "Conforme creamos modelos del universo actuamos como alguien que aprieta el rostro contra la ventana de la panadería, mirando desde el exterior. Sin embargo, no existe una ventana que separe al observador del universo; no estamos afuera de aquello que vemos".

La idea de Wheeler de que debemos encontrar una ciencia que combine la subjetividad y la objetividad ha sido escasamente explorada, porque la ciencia continúa siendo obstinadamente objetiva, y puede darse el lujo de serlo cuando conduce experimentos aislados. Sin embargo, en última instancia no hay un límite que no pueda ser atravesado, y estamos muy cerca de lograrlo. Podemos encarar los límites del conocimiento en un problema sencillo como una plegaria.

Actualmente, el público sabe bien que las investigaciones sobre las plegarias han demostrado que éstas funcionan. En un experimento típico se pide a los voluntarios, generalmente miembros de grupos de iglesia, que recen por las personas que están enfermas en el hospital. Ellos no visitan al enfermo y a menudo solamente se les da un número en vez de un nombre. La plegaria no es específica; se les pide simplemente que rueguen a Dios que ayude al enfermo. Los resultados de estos experimentos han sido asombrosamente positivos. En el caso más conocido, conducido en la Universidad de Duke en Carolina del Norte, los pacientes por quienes se rezó se recuperaron más rápidamente y tuvieron menos efectos colaterales que aquellos por los que no se rezó. En este punto tenemos una demostración de que todos estamos conectados por el mismo campo de conciencia. Las propiedades del campo operan aquí y ahora:

❧ El campo funciona como un todo.

❧ El campo relaciona eventos distantes de manera instantánea.

❧ El campo recuerda todos los acontecimientos.

❧ El campo existe más allá del tiempo y el espacio.

❧ El campo crea totalmente en su interior.

❧ Sus creaciones crecen y se expanden en una dirección evolutiva.

❧ El campo es consciente.

Los *rishis* védicos comenzaron con estas cualidades como sus primeros principios; en ese sentido fueron más sabios que nosotros, quienes somos reticentes a admitir la conciencia, a menos que nos veamos forzados a hacerlo en los límites distantes de un tema científico difícil. El campo de la conciencia es primario para cualquier fenómeno de la naturaleza debido a la separación que existe entre cada electrón, pensamiento e instante en el tiempo. La separación es el punto de referencia, la quietud que se encuentra en el corazón de la creación, donde el universo relaciona entre sí todos los acontecimientos.

¿Ha demostrado la ciencia que los *rishis* estaban en lo cierto? Creo que lo más que podemos decir —y es mucho— es que la ciencia y los *rishis* son consistentes entre sí. Provienen de mundos muy diferentes pero tienen la misma visión, o casi la misma. La ciencia todavía lleva la carga del materialismo espiritual, la creencia de que cualquier explicación sobre Dios, el alma o el más allá es sólo válida si la materia contiene el secreto. Eso equivale a decir que no podemos comprender el *jazz* hasta que dibujemos un diagrama de los átomos de la trompeta de Louis Armstrong.

Al final, un libro sobre el más allá no puede reconciliarnos totalmente con el carácter inevitable de la muerte. Puede señalar el camino para encontrar el consuelo personal por cuenta propia. Tú y yo somos personas únicas y, por lo tanto, muy diferentes. Es posible que a mí me consuele una visión de la eternidad que a ti te resulta extraña, o incluso aterradora. Quizá puedo sentir pena por mi cuerpo envejecido más que tú, o menos. Cada uno de nosotros tiene una visión personal de Dios. Sin embargo, estamos unidos en el campo de la conciencia y realizamos la misma tarea allí.

Necesitamos ver que todos estamos atrapados en la misma realidad. El aislamiento ha sido superado en todos los frentes, desde la ecología hasta internet. Necesitamos recordar nuestra fuente común. El espíritu humano se degrada cuando nos confinamos al espacio de una vida y a la prisión de un cuerpo físico. Somos primero mente y espíritu, y eso hace que nuestro hogar se encuentre más allá de las estrellas.

El hecho de saber que algún día regresaré al campo para encontrar mi fuente me proporciona una confianza inconmensurable con respecto al propósito de la vida. De manera tan fervorosa como cualquier creyente devoto, tengo fe en mi visión. Mi fe se renueva cada vez que existe un momento en que soy testigo, en que puedo tocar el silencio de mi propio ser. Entonces pierdo todo miedo a la muerte; de hecho, estoy tocando la muerte en este momento, y lo hago feliz. Tagore lo dijo de manera conmovedora:

Cuando nací y vi la luz
Yo no era extraño en este mundo
Algo inescrutable, sin forma y sin palabras
Apareció en la forma de mi madre.

Así que cuando muera, eso mismo desconocido volverá a
   aparecer
Como siempre conocido para mí,
Y debido a que amo esta vida
Amaré también la muerte.

Sin la muerte no puede haber un momento presente, toda vez que el último momento debe morir para hacer posible la existencia del siguiente. No puede haber amor presente, porque la última emoción ha de morir para hacer posible la existencia de la nueva. No puede existir la vida presente, porque las viejas células de mi cuerpo tienen que morir para hacer posible la existencia de un nuevo tejido. Ese es el milagro de la creación, que a cada segundo es una cosa: vida y muerte unidas en una danza eterna. Sería una catástrofe excluir la muerte de la danza. Eso garantizaría un universo sin oportunidad de renovación. Afortunadamente, la creación no fue establecida así. Vivimos en un universo que vuelve a crearse de manera infinita. Más allá de los miedos y las dudas, nuestra plegaria más profunda no debe ser por la vida, de la que tenemos en abundancia. Debe ser una plegaria que conduzca a la danza cósmica, porque entonces los ángeles y los dioses mismos tendrán algo que seguir.

Epílogo

Maha Samadhi

ఴఴౕఴ

Las lluvias del monzón bajaron de las montañas durante la noche. Ramana podía escuchar en su sueño el cálido fragor de los truenos, o el llamado de los dioses a la puerta. Era lo suficientemente fuerte para mantenerlo inquieto, pero no tanto como para despertarlo del todo. Concibió la idea de cerrar la ventana cercana a su cama. Recordó que el pequeño agujero en el techo hacía necesaria una cubeta para atrapar las gotas de agua. Sin embargo, por alguna razón no podía sentir la lluvia que se estrellaba contra el marco de la ventana, y no escuchaba el sonido del goteo. *Extraño*, pensó en su letargo.

Los truenos continuaron hora tras hora. Demasiadas horas. Ramana abrió los ojos, fijando la vista en el marco de la ventana y en el sitio debajo del agujero en el techo. Ambos estaban secos. ¿Dónde estaba el agua? ¿Por qué resonaban todavía los truenos?

Entonces se dio cuenta. *Eran los dioses* que tocaban a la puerta. La muerte había venido a él como el monzón, la estación del año que Ramana amaba más. No lo sorprendió que todavía pudiera sentir su cuerpo o que la habitación estuviera intacta. Su antiguo maestro, quien había muerto hacía sesenta años, le dijo cómo serían las cosas. ¿Sesenta años? ¿Podría estar en lo cierto? Repentinamente, Ramana no pudo recordar qué tan viejo era él mismo. ¿Setenta y cinco, ochenta? Esta confusión desencadenó un cambio. Comenzó a sentir su cuerpo más ligero, como si la edad se le escapara. Se estaba elevando; de hecho, toda la habitación se elevaba y el sonido de los truenos comenzó a desaparecer.

Ramana se preguntó si estaba a punto de desaparecer, pero el mundo le ahorró el problema al desaparecer antes. Él nunca había creído mucho en el mundo, así que eso no lo sorprendió. En un último momento estaba todavía en la cama, mirando por la ventana un cielo que se había transformado de azul a blanco suave, y entonces había sólo blancura a su alrededor y su habitación había desaparecido. Miró hacia abajo, y su cuerpo también se había esfumado. Se había desprendido de él tan fácilmente que recordó algo que su maestro le dijo: "El cuerpo es como un manto. Para el iluminado, la muerte equivale a dejar caer el manto al suelo. Para el que no ha recibido la iluminación, es como rasgar el manto por las costuras".

¿Qué desaparecería a continuación? Ramana todavía podía formular preguntas mentales, así que la mente no le había abandonado. Se vio a sí mismo cuando era un niño de doce años, cuando conoció a su maestro por primera vez, quien vivía en el mismo refugio del bosque que se convirtió en el suyo cuando el maestro murió. El viejo sentado en la posición de flor de loto sobre una piel de venado desgastada por el uso le dijo:

—¿Quieres aprender de mí? —el niño asintió—. ¿Se debe a que tus padres piensan que eso sería bueno? —el niño volvió a asentir. Entonces el maestro agitó su mano y le pidió a los padres de Ramana que abandonaran la habitación. Cuando estuvieron solos, el maestro le dijo:

—Acude a mí cuando sea tu deseo, no el de tus padres.

—¿Por qué? —preguntó Ramana—. Mis padres sólo quieren lo mejor para mí.

—Eso no es suficiente —respondió el maestro—. Tú no puedes estar conmigo y seguir como la gente ordinaria. Las personas ordinarias necesitan del apoyo de su familia o se morirían de soledad. Ellos necesitan el apoyo de la soledad, o no tendrían amigos o esposa. Ellos necesitan el apoyo de sus cuerpos, o se morirían de hambre. Y lo más importante de todo, ellos necesitan el apoyo de sus mentes, o se volverían locos.

—No entiendo por qué me dices estas cosas —dijo el niño.

—Porque si pierdes a tu familia, a tus amigos, a tu cuerpo y a tu mente, que son todas las cosas que debes perder, no quiero que mueras. Quiero que seas libre.

El niño no regresó durante los siguientes diez años, e incluso entonces el maestro rió y le dijo que había vuelto muy rápidamente.

—Después de lo que te dije, la mayoría de la gente se mantiene alejada de mí para siempre.

Durante su periodo como discípulo, Ramana consideró que las enseñanzas eran difíciles. A menudo tropezó, pero nunca cayó. Todo lo que su maestro predijo se hizo realidad. Llegó el momento en que el discípulo no necesitó más del apoyo de su familia. Sin embargo, esa no fue una pérdida, porque él los veía ahora con gran compasión. No requería ya del apoyo de la sociedad, pero esta tampoco fue una pérdida, porque se vio a sí mismo como parte de toda la humanidad. No necesitó del apoyo de su cuerpo físico, pero esto tampoco fue una pérdida, porque su cuerpo cuidó de sí mismo mejor cuando Ramana dejó de preocuparse por él.

Lo único a lo que Ramana nunca renunció fue al apoyo de su mente.

—Ah, temes que sin tu mente morirías —dijo pacientemente su maestro.

Ramana adoptó la misma paciencia. Aprendió a retraerse al *samadhi* para experimentar el silencio, y con el paso de los años ese se convirtió en su hogar, un lugar libre de la constante actividad de la mente.

El día que murió su maestro, Ramana se arrodilló junto a su lecho y lloró.

—Así que te imaginas que te estoy abandonando —murmuró su maestro—. Tu mente todavía te tiene hechizado —lo dijo de manera afectuosa, no como reproche, y eso consoló a Ramana. Una hora más tarde su maestro se hundió en el más profundo de todos los silencios, *maha samadhi*.

Ramana podía recordar todas estas cosas ahora que también había muerto. Miró a su alrededor. No había nadie que le recibiera, ni su familia, ni siquiera su maestro. Por un segundo lo estremeció el miedo, pero luego éste desapareció, y con él la capacidad de pensar. Ramana ni siquiera pudo pensar: "Allá va mi mente". Se escapó sin esfuerzo al lugar donde no necesitaba ya de la mente. No había ya blancura a su alrededor, pero su percepción duró solamente un instante, porque tampoco había oscuridad. Cuando su mente se desprendió, se llevó consigo la luz y la oscuridad.

Ahora se encontraba arropado en el silencio, que le produjo un alivio imposible de describir. Como los ladrones en la noche, mundos enteros querían entrar en él y llevarse su silencio. Pero todo lo que pudieron hacer fue tocarlo ligeramente, como las plumas tocarían una roca. Él era ahora impenetrable. No había universo ni había Dios, ni divina presencia, ni amor.

Permaneció así por un rato, en el vientre sin tiempo. A continuación Ramana sintió un aliento suave, y eso lo hizo volver en sí. Estaba volviendo a la vida. No porque quisiera vivir en la Tierra, toda vez que eso hubiera sido un pensamiento. El aliento era su propia razón. Hubo una fracción de segundo en que pudo elegir no regresar. La paz eterna es igualmente posible como otro más allá.

Sólo entonces descubrió que era finalmente libre. La vida humana podía ser suya nuevamente, sólo que ahora también tendría paz eterna, ambos a la vez. Ramana sonrió a sí mismo, si es que uno puede afirmar que el cosmos sonríe. El aliento se hizo más poderoso. Él se relajó y se dejó arrastrar hacia abajo, de regreso a la Tierra. Una bocanada de aire, luego otra, siempre más sonora, hasta que se volvió como los monzones que descienden de la montaña, o el golpe de los dioses a la puerta. No pudo ver en qué familia iría a nacer, pero Ramana sabía cuál sería su nuevo propósito: enseñar a esos humanos durmientes, a quienes amaba tanto, la manera de despertar.

Notas de lectura

Nunca habrá un libro definitivo sobre el más allá, lo que considero bueno porque ningún libro convencerá jamás a los escépticos o consolará a quienes se han preguntado qué ocurre después de la muerte. Lo que podría cambiar los miedos y dudas de la sociedad es la creciente cantidad de pruebas al respecto. A continuación he incluido una lista de todos los libros y sitios *web* que me sirvieron para escribir este libro. En su conjunto constituyen una montaña de pruebas de que la vida continúa después de la muerte; y, lo más importante, cada uno es un síntoma de que la conciencia está creciendo. La muerte ha sido un tema misterioso por demasiado tiempo. Lo mejor que puedo intentar es arrojar un poco de luz sobre esa oscuridad, pero no lo hubiera podido lograr sin las innumerables personas que tratan de hacer lo mismo.

Capítulo 1: La muerte toca a la puerta

Hemos entrado en una nueva era de investigación, en que internet se ha vuelto tan valiosa como los libros de referencia. Además de buscar ahí cualquier tema general (por ejemplo, fantasmas, experiencias cercanas a la muerte, Cielo) en www.google.com, uno puede acudir a la cada vez más voluminosa enciclopedia en línea en www.wikipedia.com. El único problema con las referencias de este medio es que tienden a ser abrumadoras por su número, y en ocasiones tienen una cobertura superficial; su gran virtud es que con tan solo apretar un botón, el lector puede profundizar más que el autor en cualquier tema en particular.

He abordado brevemente el tema de los cambios físicos ocasionados por la muerte. Sherwin B. Nuland ganó el Premio Nacional del Libro de Estados Unidos con un texto sobre el tema, *How We Die: Reflections on Life's Final Chapter* (Knopf, 1994). Nuland, un destacado médico de Yale, explica los detalles clínicos sobre la biología del proceso de morir y cubre los ataques al corazón, el cáncer, el mal de Alzheimer y el SIDA, entre otros temas, en su explicación acerca de la manera en que la muerte de cada persona es tan particular como su vida.

Las experiencias espirituales ocasionan cambios físicos, y los hacen evidentes, si eres materialista, como los cambios ocasionados por la muerte. Uno de los primeros libros que obtuvo popularidad al abordar el tema fue escrito por Nona Coxhead, *Mindpower* (Penguin, 1976), que hace énfasis en la investigación sobre la percepción extrasensorial y la parapsicología. Cuando busqué un estudio contemporáneo sobre la manera en que los más recientes descubrimientos en la ciencia del cerebro cambian nuestra perspectiva de la conciencia, recurrí al libro de Joseph Chilton Pearce, *The Biology of Trascendence: A Blueprint for the Human* (Park Street Press, 2002), cuyo enfoque es amplio y humanista. Pearce escribe pensando en el lector general e intercala el texto sobre neurología con anécdotas curiosas.

He intentado ser tan poco técnico como me fue posible al abordar el gran sistema filosófico conocido como el *Vedanta*. Aquellos lectores que quieran acudir a la fuente deben comenzar con *The Concise Yoga Vasistha* (State University of New York Press, 1984), en la traducción clara y legible de Swami Venkatesananda. Esta gran obra describe la educación del Señor Rama, una encarnación de Dios en forma humana, a los pies del *rishi* inmortal, Vasistha, quien le transmite a su joven aprendiz todo el conocimiento del *Vedanta* sobre la muerte, la reencarnación y la proyección de todos los mundos del Ser. He conservado este libro a la mano por muchos años.

Nota del texto:

p. 62: Los intentos modernos de medir el peso del alma al momento de la muerte son abordados en línea en www.snopes.com/religion/soulweight.asp

Capítulo 2: *La cura para la muerte*

La historia del *delog* tibetano Dawa Drolma es contada por su hijo Chagdud Tulku en la introducción a su libro *Delog: Journey into Realms Beyond Death* (Padma Publishing, 1995). Esta es la mejor introducción a las experiencias personales sobre el Bardo que yo he encontrado. La obra clásica sobre la muerte y el morir en la tradición tibetana es el actualmente famoso *Libro tibetano de los muertos*. Puede resultar impactante para muchos occidentales, debido a que describe en detalle y con todo su exotismo, los rituales budistas, que son el resultado de muchos siglos de práctica religiosa. Más accesible resulta el libro de Songyal Rinpoche, *The Tibetan Book of Living and Dying* (Harper San Francisco, 1993), que aborda el mismo tema.

Las experiencias cercanas a la muerte fueron introducidas al público en los años setenta mediante varios libros exitosos. Uno de ellos fue el enormemente popular *Life After Life*, de Raymond Moody (Mockingbird Books, 1975), una lectura ligera que aún conserva la emoción de un médico que ha descubierto un fenómeno notable. Desde entonces, la literatura sobre experiencias cercanas a la muerte ha crecido mucho. Gran parte de ella está resumida y actualizada en un sitio *web:* www.near-death.com. Este sitio de internet proporciona detalles sobre las experiencias más conocidas y ampliamente difundidas, pero se ramifica en casi todos los aspectos de la muerte y el más allá.

Las experiencias cercanas a la muerte de los niños son especialmente fascinantes porque se los considera testigos inocentes y sin prejuicios. De los diversos libros sobre el tema, he acudido al libro de otro médico, Melvin Morse, intitulado *Closer to the Light: Learning from the Near-Death Experiences of Children* (Ivy Books, 1990). El doctor Morse ha publicado otros títulos en el campo de las experiencias cercanas a la muerte. Otra escritora destacada es P. M. H. Atwater. Leí su libro *Beyond the Light: The Mysteris and Revelations of Near-Death Experiences* (Avon Books, 1994). La parte central de éstos, de los que hay docenas, está constituida por historias de la vida real, contadas de primera mano por quienes han regresado de un estado de muerte clínica.

El mejor estudio clínico sobre las experiencias cercanas a la muerte fue realizado en Holanda por el doctor Pim van Lommel. El estudio ha sido descrito por Mary Roach en *Spook: Science Tackles the Afterlife* (W. W. Norton, 2005), un libro narrado desde la perspectiva de una periodista perpleja. Una relación aún más detallada, carente de perplejidad, puede ser consultada en línea en la dirección electrónica: www.odemagazine.com/article.php?aID=4207&1=en.

Notas del texto:

p. 77: El porcentaje de estadounidenses que afirman a los encuestadores haber tenido experiencias cercanas a la muerte está citado en el artículo publicado en línea, "Interpretaciones religiosas de las experiencias cercanas a la muerte", por David San Filippo, en www.lutz-sanfilippo.com/library/counseling/lsfnde.html. El ensayo doctoral también contiene muchas otras referencias académicas sobre los fenómenos relacionados con las experiencias cercanas a la muerte.

p. 79: El relato sobre el *delog* histórico Lingza Chokyi está contenido en: www.inference.phy.cam.ac.uk/mackay/info-theory/course.html

p. 84: "La ciencia no consiste en conocer la mente de Dios...", está citado del artículo: "¿En qué estaba pensando Dios? La ciencia no puede decirlo", por Eric Cornell (*Time*, 14 de noviembre de 2005, p. 100).

p. 85: "En ese momento las personas no sólo están conscientes...", está citado de una entrevista en línea con Van Lommel en: www.odemagazine.com/article.php?aID=4207&1=en

Capítulo 3: La muerte concede tres deseos

Las creencias religiosas constituyen un tema muy amplio, pero para averiguar rápidamente hacia dónde se dirige actualmente la religión en Estados Unidos, consulté la encuesta "La próxima espiritualidad estadounidense: Encontrar a Dios en el siglo XXI", por George Gallup Jr. (Cook Communications, 2000). La organización Gallup está dedicada a documentar las creencias reales de cada fe alrededor del mundo, lo que es particularmente necesario en el mundo islámico, donde la información confiable es escasa, incluso en años recientes. Tú puedes realizar tu propia búsqueda para conocer las opiniones de distintos signos en Google, al escribir como temas de búsqueda "asistencia a la iglesia" o "creen que irán al Cielo".

NOTA DEL TEXTO:

P. 93: Las cifras sobre la asistencia a las iglesias en los Estados Unidos fueron tomadas de un artículo en línea que se encuentra en: www.religioustolerance.org/rel_rate.htm

Capítulo 4: Escapar del lazo

No me basé en libro específico alguno al abordar el tema del concepto cristiano del Cielo; sin embargo, en lo que se relaciona con las respuestas teológicas oficiales, consulté *The Catholic Encyclopedia*, porque "se propone dar a sus lectores información completa y autorizada sobre la totalidad de los intereses católicos, acción y doctrina". La página de inicio se encuentra en: www.newadvent.org/cathen/

No investigué las diferencias en las creencias de la teología protestante, aunque como siempre existen muchos artículos útiles en Wikipedia.

Para cualquiera que desee investigar el tema de las religiones, la manera más sencilla de comenzar es formular una pregunta como: "¿Dónde está el Cielo?", o bien: "¿Cómo es el Cielo?", y escribirla en el buscador Google. Es posible encontrar innumerables resultados. Uno puede investigar las creencias de diversas religiones en línea en: www.religioustolerance.org/heav_hel.htm

Las ambigüedades del Dios del Antiguo Testamento, con sus muchas facetas y cambios de humor, han sido estudiados detalladamente por Jack Miles en *God: A Biography* (Vintage, 1996). El libro no es religioso, y trata al Antiguo Testamento como la fuente del material sobre la vida de esa persona fascinante, cautivante y mercurial que resulta ser Dios.

Cuando afirmo que las palabras de Jesús frecuentemente suenan como las de un *rishi* védico, tengo en mente el *Libro de Tomás* y otros evangelios gnósticos. La historia fascinante de cómo estos textos cristianos primitivos fueron descubiertos accidentalmente por un pastor nómada egipcio en 1945, y de su posterior supresión por la Iglesia, es relatada por Elaine Pagels in *The Gnostic Gospels* (Vintage, 1989). El suyo es uno de esos libros excepcionales sobre religión que han influenciado a la opinión pública; fue una revelación que la tradición cristiana tuviera una rama auténticamente mística que permitía que las mujeres tuvieran estatus de igualdad y que contaba una historia de Cristo que no terminaba con su sufrimiento y su muerte en la cruz.

Para cualquiera que desee leer cada palabra atribuida a Cristo en cualquier evangelio, oficial o no, una fuente invaluable es el libro de Ricky Alan Mayotte, *The Complete Jesus* (Steerforth Press, 1997). El libro está convenientemente distribuido por temas, tales como los Mandamientos, las Parábolas, Jesús hablando de sí mismo, etcétera.

Capítulo 5: El camino al Infierno

Uno de los aspectos que enfaticé a lo largo de este libro es que el más allá todavía está en evolución, tal y como debe, porque la vida en su totalidad siempre está evolucionando. Esto también es verdad con respecto al Infierno, tal y como lo describe Alice K. Turner en su libro *The History of Hell* (Harvest, 1995), un estudio legible compilado por una periodista independiente. Estudios similares tanto sobre el Cielo como el Infierno han aparecido de manera regular, pero una referencia de mayor profundidad fue lograda por Elaine Pagels en *The Origin of Satan* (Vintage, 1996). Su estrategia consistió en seguir los pasos de Satanás, no como un personaje real sino como un concepto, cuya base puede encontrarse en la antropología, la psicología y el análisis literario. Una estrategia tan humana me resulta atractiva, porque demuestra claramente y en detalle la manera en que el diablo puede ser considerado nuestra propia creación.

Una estrategia similar puede ser aplicada a Cristo, quien ha sido explicado de manera atrevida en términos míticos por Timothy Freke y Peter Gandy en *Jesus and the Lost Goddess: The Secret Teachings of the Original Christians* (Harmony Books, 2001), que coloca a Jesús en el contexto del mundo antiguo y su creencia en la Diosa. En este caso la intención es abordar la manera en que los cristianos primitivos utilizaron a Jesús con el propósito arquetípico de cubrir el papel de Dios-como-hombre, que existe en todas las culturas antiguas.

Capítulo 6: Fantasmas

Akasha es el más sutil de los cinco *Mahabhutas*, los cinco elementos de los que consta la creación (los otros son la tierra, el aire, el fuego y el agua). Los lectores que deseen estudiar el sistema de *Mahabhutas* pueden comenzar en línea en la dirección: http://ignca.nic.in/ps_04012.htm. Para conocer las creencias hindúes tradicionales sobre *Akasha* y la manera en que han influenciado la espiritualidad occidental, puedes consultar la discusión en línea en: www.saragrahi.org

Existen, desde luego, muchos libros populares sobre fantasmas y la comunicación con los muertos. El libro de Mary Roach, *Spook*, proporciona un estudio legible sobre estos temas, narrado desde un punto de vista escéptico y divertido que de manera inmediata resulta encantador o irritante. Otros libros exitosos, escritos por psíquicos, que han llegado a las manos de millones de lectores, incluyen *Talking to Heaven: A Medium's Message of Life After Death*, de James Van Praagh (Signet, 1999) y *Don't Kiss Them Good-Bye* de Allison DuBois (Fireside, 2005.)

El fenómeno de la comunicación psíquica ha sido investigado a nivel universitario por el psiquiatra Gary Schwartz, cuyos experimentos me han involucrado de manera personal. La misma investigación dio a conocer a Allison DuBois y tuvo como resultado la serie de televisión en la cadena estadounidense NBC, tal y como lo narran Gary E. Schwartz y William L. Simon en *The Truth About Medium* (Hampton Roads Publishing, 2005). Schwartz proporciona un relato exhaustivo de sus investigaciones académicas, los descubrimientos más importantes en el campo, en *The Afterlife Experiments: Breakthrough Scientific Evidence of Life After Death* (Atria, 2003), para el cual yo escribí la introducción.

Capítulo 7: El hilo invisible

Es posible que los lectores que se interesan por la perspectiva histórica del más allá quieran conocer un estudio como el editado por Harold Coward, *Life After Death in World Religions* (Orbis, 1997), que compila ensayos sobre cada fe por diversos expertos. Yo escribí mi propia síntesis, basado, en gran medida, en una obra clásica escrita por Huston Smith, *The World's Religions: Our Great Wisdom Traditions* (Harper San Francisco, 1991), que constituye todavía un modelo de justicia y tolerancia ecuménica, escrito con gracia y con opiniones valiosas. Si existe un libro que todas las personas interesadas en la religión deben leer al comenzar, es éste.

NOTA DEL TEXTO:

P. 163: "No existe salvación para aquellos que están fuera de la Iglesia...", es una cita procedente de una entrevista con Mel Gibson, reproducida en línea en: www.msnbc.msn.com/id/4224452/

Capítulo 8: Mirar el alma

El tema del materialismo espiritual es increíblemente importante porque mucha gente, especialmente en Occidente, se deja guiar por las necesidades del ego, incluso en lo que se refiere a la espiritualidad. Nos volvemos espirituales para obtener cosas del mundo que de otra manera no podríamos, por medio del trabajo y el esfuerzo y, por lo tanto, transformamos el trabajo y el esfuerzo en un proceso espiritual. El libro que me impulsó a pensar así fue escrito por Chogyam Trungpa, *Cutting Through Spiritual Materialism* (Shambhala, 2002), que está narrado desde una perspectiva budista pero dirigido a lectores occidentales.

Capítulo 9: Dos palabras mágicas

No es necesario decir que la eternidad es imposible de describir, pero los *rishis* védicos se contentaban con la idea de vivir en una conciencia sin límites. Por lo tanto, sus descripciones son las más confiables entre las tradiciones de la sabiduría del mundo. Es útil tener a alguien que continúa viviendo experiencias similares. Yo señalaría a Nisargadatta Maharaj, un humilde campesino hindú que se convirtió en un renombrado *gurú* en Bombay, después de su iluminación. Su libro *I Am That* (Acorn Press, 1990) es uno de los testimonios espirituales más puros con los que contamos en la actualidad. No sólo está libre de todo vestigio del juego del *gurú*, que ha sido practicado en la India desde hace siglos, sino que Sri Nisargadatta parece ser testigo de un estado de conciencia muy

362 · DEEPAK CHOPRA

extendido, totalmente comparable con el de los antiguos *rishis*. Este es otro libro que he mantenido a la mano desde hace años.

NOTAS DEL TEXTO:

PP. 185-90: Mi relato sobre la travesía al más allá de Mellen-Thomas Benedict proviene del sitio *web:* www.near-death.com/experiences/reincarnation04.html

PP. 202-3: La historia de Dawn J., la mujer que sanó con el aceite milagroso, está contenida en el libro de Cheri Lomonte, *The Healing Touch of Mary* (Divine Impressions, 2005), y contiene docenas de testimonios de primera mano similares a ese.

Capítulo 10: Sobrevivir a la tormenta

Los lectores que se interesan en las teorías de la conciencia encuentran una asombrosa cantidad de opciones y, en el contexto de la ciencia, casi todas esas opciones son materialistas. Es decir, parten de la premisa de que la mente surge de la materia. Dado que yo estoy en desacuerdo con esa idea, me cuesta trabajo recomedar incluso un buen estudio como el de Susan Blackmore, *Conciousness: An Introduction* (Oxford University Press, 2004), que cubre bien las múltiples cuestiones filosóficas que han surgido a partir de las teorías actuales. Los autores más alabados en este campo parecen ser escépticos que creen que la mente es en realidad una ilusión creada por la actividad neuronal, y constituye una idea pasada de moda acerca del cerebro. Puedes consultar el libro de Daniel Dennett,

Concioussness Explained (Black Bay Books, 1992), que sostiene de manera contundente la idea de que la conciencia es un fenómeno materialista y nada más. Por lo tanto, la conciencia humana podría (y un día lo hará) ser duplicada por una computadora.

Si buscas una opinón más pluralista y de mente abierta, puedes leer la edición de Susan Blackmore, *Conversations on Conciousness: What the Best Minds Think About the Brain, Free Will, and What It Means to Be Human* (Oxford University Press, 2006), libro en el que 21 pensadores hablan en entrevistas acerca de la totalidad del problema de relacionar la mente y el cerebro. Finalmente, en lo que se refiere a una perspectiva más neurológica, he leído las especulaciones fascinantes de Humberto R. Maturana y Francisco J. Varela, *The Tree of Knowledge: The Biological Roots of Human Understanding* (Shambhala, 1998), que trata de lograr una teoría inclusiva que siga la evolución de la mente desde la base de la química orgánica. Le corresponde a cada lector decidir si el *Vedanta*, cuya teoría inclusiva comienza con la conciencia, en vez de con las sustancias químicas, puede resistir al escepticismo moderno, tal y como yo lo sostengo.

El pasaje sobre las cinco *koshas* constituye mi propio resumen de las ideas tradicionales de los Vedas. Es fácil conocerlas al visitar sitios *web* como: http://swamij.com/koshas.htm

Capítulo 11: *Guías y mensajeros*

La literatura sobre los ángeles es muy amplia, pero he descubierto que lo que quería decir no se relaciona con los múltiples estudios históricos que describen la manera en que los ángeles aparecen en diversas religiones del mundo. Sin embargo, existen algunos relatos fascinantes de personas que han aprendido a cooperar con los *devas*, agentes creativos que constituyen el equivalente hindú de los ángeles. Se trata de libros de la corriente *new age* que se centra en Findhorn, una famosa comunidad escocesa que afirma que utiliza a los *devas* para cosechar vegetales en tierras estériles, entre otros hechos notables. Puedes consultar el libro de Dorothy MacLean, *To Hear the Angels Sing: An Odyssey of Co-Creation with the Devic Kingdom* (Lindisfarne Books, 1994), y el de Machaelle Small Wright, *Behaving As if the God in All Life Mattered* (Perelandra, 1997). Éstos cuentan dos historias de mujeres que repentinamente descubrieron que podían hablar con los *devas* y utilizarlos para sus deseos manifiestos. Ambas se encuentran en los polos opuestos del escepticismo y el materialismo.

Capítulo 12: El sueño continúa

La literatura sobre la reencarnación es muy amplia porque abarca todas las religiones y todos los movimientos espirituales. La principal fuente de la creencia popular en la reencarnación es probablemente la Teosofía, un movimiento que surgió del espiritualismo decimonónico, pero que también incorporó una amplia gama de ideas de la India. El libro de James S. Perkins, *Experiencing Reincarnation* (Theosophical Publishing House, 1977) contiene una introducción interesante. En lo personal, me resultó fascinante descubrir cuántas de las nociones espirituales que aprendí cuando era niño han sido adoptadas por los teosofistas y por la corriente *new age* en general.

En lo que se relaciona con la prueba de la reencarnación, estoy en deuda con un excelente artículo: "Muerte, renacimiento, y todo lo que hay entre ambos: una exploración científica y filosófica", escrito por Carter Phipps, en la revista *What is Enlightment?* (número 32, marzo-mayo de 2006, pp. 60-90). La dirección en internet es www.wie.org/, donde los suscriptores pueden acceder a la lectura de todo el artículo.

Esto me llevó a la importante investigación realizada por el psiquiatra de la Universidad de Virginia, Ian Stevenson, sobre niños que afirman recordar sus vidas pasadas. Su sitio *web* se encuentra en la siguiente dirección: www.healthsystem.virginia.edu/internet/personalitystudies/. Sobre el mismo tema, un libro invaluable es el escrito por Carol Bowman, *Children's Past Lives: How Past Life Memories Affect Your Child* (Bantam, 1998), en que una madre descubre que es posible curar los miedos irracionales de sus hijos ante los ruidos sonoros y el fuego doméstico mediante la regresión a las vidas pasadas, lo que la llevó a explorar en profundidad este campo. Un sitio *web* dedicado a la regresión de los niños a sus vidas pasadas es www.childpastlives.org.

Notas del texto

p. 249: Inicialmente me enteré del niño que recordaba haber muerto durante una batalla aérea de la Segunda Guerra Mundial en un informe de *ABC News*, que se encuentra en internet en la siguiente dirección: www.reversespins.com/proofreincarnation.html.

pp. 249-53: Las anécdotas de los niños que recuerdan sus vidas pasadas se derivan en su mayor parte de la base de datos de Ian

Stevenson, y han sido relatados por Phipps, pp. 63-70 (véase cita correspondiente).

p. 250: Las citas de niños que han sido reportados por sus padres, provienen del sitio *web* de Ian Stevenson: http://www.healthsystem. virginia.edu/internet/personalitystudies/

p. 252: La fuente de la investigación sobre experiencias fuera del cuerpo en el Instituto Monroe puede ser consultada en: www.monroeinstitute.org/. Otro buen artículo vinculado con las experiencias fuera del cuerpo y las experiencias cercanas a la muerte, puede encontrarse en línea en: www.paradigm-sys.com/ cttart/sci-docs/ctt97-ssooo.html

Capítulo 13: ¿Es real el Akasha?

Comencé a escribir sobre el *Akasha* antes de descubrir el libro *Science and the Akashic Field: An Integral Theory of Everything*, de Ervin Laszlo (Inner Traditions, 2004), la disertación de mayor amplitud que incorpora la conciencia y la ciencia. Dado que mi tema era el más allá, no me fue posible incluir los misterios —que van desde la teoría cuántica avanzada hasta la cosmología, la biología y la neurociencia— que de acuerdo con Laszlo nunca serán resueltos hasta que se tome en consideración la conciencia. Los lectores que deseen investigar sobre estos enigmas perdurables deben comenzar aquí.

Laszlo analiza el campo de punto cero, pero existe un libro completo y fácil de leer que está dedicado al tema. Se trata de *The*

Field: The Quest for the Secret Force of the Universe (Harper Perennial, 2002), que describe muchos experimentos y proporciona anécdotas detalladas sobre varios descubrimientos, lo que contrasta con el método de Laszlo, que consiste en describir y analizar las teorías dominantes con un mínimo de narración.

Notas del texto:

p. 286: Los experimentos de Helmut Schmidt, seguidos por el equipo de Jahn en Princeton, son descritos por McTaggart en *The Field*, pp. 101-16.

p. 287: "En el nivel más profundo...", es una cita de McTaggart, *The Field*, p. 122.

p. 292: Una explicación fácil y accesible de la paradoja conocida como "el gato de Schrödinger", puede encontrarse en línea en: http:77whatis. techtarget.com/definition/0,,sid9_gci341236,00.html

Capítulo 14: *Pensar más allá del cerebro*

Las especulaciones actuales acerca de la "mente ampliada" —la posibilidad de que la inteligencia resida en el exterior del cerebro— cubren un rango muy amplio de la ciencia. McTaggart proporciona una buena perspectiva sobre el tema en la segunda parte de *The Field* (pp. 99-179), basada en la perspectiva de la teoría del campo en la física. Para conocer una investigación de primera mano y de ideas profundas, la mejor fuente es Rupert Sheldrake, quien dejó una buena impresión con su destacado libro sobre la evolución *The Presence of the Past: Morphic Resonance and the Habits of Nature* (Park Street Press, 1995), donde especula de manera brillante sobre cómo la vida pudo haber evolucionado y continúa evolucionando por medio de su propia inteligencia, y en interacción consigo misma.

Sin dejarse amedrentar por el escándalo que su teoría no materialista ha causado entre los darwinianos, Sheldrake los ha desafiado a repetir sus propios experimentos. Su investigación sobre el perico telépata y otras mascotas psíquicas fue incluida en *The Sense of Being Stared At: And Other Unexplained Powers of the Human Mind* (Three Rivers Press, 2004) y *Seven Experiments That Could Change the World: a Do-It-Yourself Guide to Revolutionary Science* (Park Street Press, 2002). Sus ideas han ejercido una poderosa influencia sobre mí, y no puedo imaginar una persona de mente abierta que no quedaría interesada profundamente.

Sólo he bosquejado el campo en ebullición de la teoría de la información, que es fascinante pero que no ha llegado a cubrir un tema tan específico como el del más allá. Comencé a conocer del tema al leer el libro de Hans Christian von Baeyer, *Information: The New Language of Science* (Weidenfeld and Nicolson, 2003), que es fácil de leer y no incluye matemáticas avanzadas.

El "síndrome del sabio idiota" se ha convertido en un fenómeno ampliamente difundido. Mi primer contacto con el tema provino de la lectura del libro de Oliver Sacks, *The Man Who Mistook His Wife for a Hat: And Other Clinical Tales* (Touchstone, 1998), que proporciona un relato de primera mano de un neurólogo que ha tratado a niños autistas con habilidades extraordinarias. El interés de Sacks en las personas "con otro cerebro" se limita a las especulaciones no espirituales. Joseph Chilton Pearce va más allá en *Evolution's End: Claiming the Full Potential of Our Intelligence* (Harper Collins, 1992). Su amplio primer capítulo sobre el síndrome del "sabio idiota", lo vincula con el campo inmaterial de la inteligencia al que todos accedemos. Un buen artículo en línea sobre este síndrome y su vínculo con el genio es "La clave del genio", que puede encontrarse en: www.wired.com/wired/archive/11.12/genius_pr.html.

Comencé a interesarme por los *memes* a partir de mis lecturas en línea. Internet está repleto de textos sobre estos "genes mentales". Es posible encontrar una definición de los *memes* en www.intelegen.com/meme/meme.htm, y ejemplos de *memes* en: http://memetics.chielens.net/examples.html. El evolucionista Richard Dawkins, quien inventó el término, discute el tema en *The Selfish Gene* (Oxford University Press, 1990). Sin embargo, mi fascinación con la teoría de los *memes* no significa que esté de acuerdo con ella.

Notas del texto:

pp. 300-2: Un relato completo sobre N'kisi, el perico telepático, se encuentra en el libro de Sheldrake, *The Sense of Being Stared At*, pp. 24-7; el análisis estadístico de los resultados de la investigación está en las páginas 300-305.

p. 305: La afirmación de Amit Goswami: "El universo siempre está vertiendo vino nuevo en los viejos odres...", es una cita tomada de una conversación personal.

pp. 313-14: La notable historia del "sabio idiota" musical, llamado Rex, puede encontrarse en línea en: www.cbsnews.com/stories/2005/10/20/60minutes/main957718.shtml

370 · Deepak Chopra

p. 314: La historia del "sabio idiota" automotor, está contenida en el libro de Pearce, *La biología de la trascendencia* (p. 82) (ver cita correspondiente).

p. 314: La historia del niño prodigio que es admitido en Juilliard fue relatada en la cadena de televisión estadounidense CBS *News* y puede consultarse en línea en la siguinete dirección: www.cbsnews. com/stories/2004/11/24/60minutes/main657713.shtml

Capítulo 15: El mecanismo de la creación

El tema del surgimiento —la aparición de un nuevo fenómeno en la naturaleza— es desarrollado lúcidamente por un lector general en línea en Wikipedia (consultar http://en.wikipedia.org/wiki/Emergence). Yo me he beneficiado enormemente gracias al físico Amit Goswami, quien ha escrito sobre los saltos creativos que han sucedido en la naturaleza, en *The Self-Aware Universe* (Tarcher, 1995). Uno de los intentos más atrevidos de combinar los ámbitos físico y espiritual se encuentra en Ervin Laszlo, *Science and the Reenchantment of the Cosmos: The Rise of the Integral Vision of Reality* (Inner Traditions, 2006). Ambos autores son científicos que se niegan a aceptar el cisma entre las visiones científica y espiritual del mundo.

La visión remota, término que se utiliza actualmente para referirse a lo que solía incluirse bajo el rubro de la clarividencia, está saliendo de la clandestinidad. Los lectores pueden consultar un sitio *web* dedicado al tema: www.farsight.org/, que contiene abundante información al respecto. Existe también un libro reciente, producto de una investigación muy amplia, *Remote Viewing: The Science and Theory of Nonphysical Perception*. Un veterano del programa militar secreto sobre visión remota, el Proyecto Stargate, ha escrito sobre sus experiencias y describe la forma en que cualquiera puede aprender esta habilidad si tiene suficiente disciplina y dedicación: Joseph McMoneagle, *Remote Viewing Secrets: A Handbook* (Hampton Roads, 2000).

NOTAS DEL TEXTO:

PP. 336-37: La historia del psíquico que pudo ver el interior de la máquina SQUID proviene de McTaggart, *The Field*, pp. 142-46

PP. 335-36: El experimento de visión remota en que participé fue dirigido por Marilyn Schlitz, directora de investigaciones del Instituto de Ciencias Noéticas. Puedes consultar su página de inicio en: www.noetic.org. Este sitio lleva al lector a material abundante sobre todos los aspectos de la ciencia, la espiritualidad y los fenómenos paranormales. Hasta donde sé, este es el instituto más grande y amplio en su tipo, y he recibido la inspiración de su labor por veinte años.

P. 338: "Entonces, a los trece minutos...", es una cita de una entrevista en línea con Cleve Backster, quien también analiza sus asombrosas investigaciones sobre la telepatía de las plantas en: www.derrikjensen.org/backster.html

P. 343-44: Todos los poemas de Tagore fueron tomados del libro de Deepak Chopra, *On the Shores of Eternity: Poems from Tagore on Inmortality and Beyond* (Harmony, 1999).

Índice temático